Chers amis

Puisque vous manifestez quelques intérêts pour le sort de la France, lisez ce livre qui analyse avec une grande largeur de vue la politique française depuis la guerre.

Donnez moi votre avis

Bien Amicalement

Elisabeth Guillaumat

Février 1982.

LE SPECTATEUR
ENGAGÉ

RAYMOND ARON

LE SPECTATEUR
ENGAGÉ

Entretiens avec
JEAN-LOUIS MISSIKA
et
DOMINIQUE WOLTON

JULLIARD
8, rue Garancière
PARIS

© Julliard, 1981.

ISBN 2-260-00270-6

SOMMAIRE

INTRODUCTION

Raymond Aron occupe une place à part parmi les intellectuels français. Sa formation philosophique et politique aurait dû le conduire à un engagement semblable à celui des autres intellectuels de sa génération, notamment Jean-Paul Sartre, son ami de jeunesse, et Maurice Merleau-Ponty.

Pourquoi s'est-il progressivement inscrit dans le courant de pensée libérale, aujourd'hui minoritaire en France où il trouve pourtant ses racines avec A. de Tocqueville, B. Constant..., et qui dans l'histoire contemporaine s'est davantage épanoui dans les pays anglo-saxons.

Pourquoi, à la sortie de la guerre, s'est-il opposé au courant dominant de l'intelligentsia française dont il partageait pourtant partiellement les valeurs et la sensibilité, acceptant ainsi la rupture avec ses amis et un isolement certainement difficile ?

Pourquoi, alors que la plupart des intellectuels refusaient la coupure créée par la guerre froide, s'est-il clairement prononcé pour l'alliance Atlantique, contre le neutralisme, concrétisant ces choix en devenant éditorialiste au *Figaro* et en militant pour le retour du général de Gaulle au pouvoir ?

Telles sont sans doute les premières questions qui nous ont conduits à rencontrer Raymond Aron et à lui proposer ces entretiens. Plutôt que d'avoir avec lui une discussion théorique sur les interprétations de l'histoire, la morale et la politique, les contradictions entre les différentes philosophies politiques, mieux valait saisir comment il s'est situé dans le dédale de l'histoire contemporaine. Et quelle histoire ! La France des années trente, le nazisme, la guerre, la guerre froide, la décolonisation, la coexistence pacifique, l'Europe... Nous voulions donc voir ce qu'étaient la pensée et l'analyse d'un intellectuel anti-conformiste, taxé de droite en France depuis la guerre froide, qui avait été à contre-courant des idées dominantes de gauche, avait eu raison avant les autres sur la nature du régime soviétique, du stalinisme et sur quelques autres questions et qui avait eu le courage de tenir sa position, au risque d'être mis au ban de l'intelligentsia, tout en accomplissant une œuvre scientifique indiscutée. Il est rare que sur une aussi longue période, sur autant d'événements et de problèmes et dans des registres aussi différents que ceux de journaliste, historien, philosophe, sociologue, un intellectuel ait essayé d'analyser l'histoire en train de se faire, celle dans laquelle il s'inscrit, sans se départir d'une certaine distance critique.

Ce sont ces trois attitudes d'analyste, d'interprète et d'acteur qui, avec leurs contraintes, leurs contradictions, leurs grandeurs, nous séduisaient et nous intriguaient.

Pour notre génération, celle qui est née à la politique en mai 68, la pensée de Raymond Aron a représenté une sorte de « pôle négatif ». La formation intellectuelle se faisait dans la décennie 1960-70 principalement autour du marxisme. Avec ses différentes variantes, ses déviations, ses négations et ses renouveaux, on avait le sentiment qu'il était indispensable de se situer par rapport à cette pensée. Nous n'étions pas tous marxistes au sens d'un engagement politique ou d'un choix philosophique et nous savions qu'avant nous une bonne partie des intellectuels depuis les années 55 avaient évolué, certains avaient fait leur « autocritique », mais presque tous, finalement, continuaient à réfléchir par rapport à cette pensée qui, après son « renouveau » des années 65, imprégnait l'air du temps. Elle semblait fournir les outils théoriques nécessaires pour penser le monde. D'ailleurs la multitude des controverses philosophiques, la diversité des interprétations et des régimes politiques qui s'en inspiraient, paraissaient apporter la preuve de sa richesse et justifier la formule de Sartre : l'horizon indépassable de notre temps. Peut-être est-ce cela une idéologie dominante ?

En tout cas, cette génération s'est imbibée de marxisme, s'est trempée dans mai 68, s'est réchauffée aux soleils du gauchisme. Pour quelles raisons a-t-elle accepté cette explication déterministe de l'histoire ? C'est difficile à dire. Sans doute les horreurs des guerres et des révolutions de la première moitié du XXe siècle ne pouvaient-elles se supporter qu'à l'aide d'une explication cohérente. L'histoire pouvait-elle être aussi absurde ? Il fallait bien qu'au-delà de l'absurdité, il y ait quelque part un sens. D'une certaine façon nous avions peu de conscience historique et de réflexion géopolitique, tant les événements tragiques du siècle semblaient avoir cassé quelque chose dans la chaîne du temps. Et quand notre propre vision de l'histoire s'est tout de même façonnée dans les années 65, elle a pris pour cible, puisqu'il y avait la guerre du Vietnam, l'impérialisme américain.

Depuis lors, une partie de cette génération a eu la révélation bruyante, dans les années 75, des limites du marxisme, des crimes de l'Union soviétique et de la rédemption par le thème des droits de l'homme. Cette adhésion radicale à ce qui était hier détesté nous trouble parce qu'on y retrouve des mécanismes de pensées similaires : la suffisance, l'intolérance, le dogmatisme. Le mode d'expression que certains ont choisi n'est pas en accord avec les idées qu'ils découvrent après un long détour, car il y a moins souvent la prise de conscience de la complexité des faits que le passage d'un manichéisme à un autre.

Pour nous personnellement, qui depuis les années 70 nous sommes progressivement détachés des prétentions marxistes à monopoliser l'idée de progrès et à s'arroger le droit de savoir qui est de droite ou de gauche, la découverte de la pensée de Raymond Aron fut un réel plaisir. Bien évidemment elle ne nous était par inconnue, nous l'avions étudiée à l'Université, mais elle était cataloguée sous le label « réactionnaire ». Elle était moins entendue en tant que telle que perçue au travers d'un filtre idéologique et du clivage gauche/droite. Bref c'était intelligent mais de droite ! Ce qui permettait à la fois de reconnaître la qualité des analyses et de s'en prémunir.

Toutefois la connaissance très rigoureuse qu'avait Raymond Aron du marxisme, et sa capacité à le récuser, troublaient un peu. D'autant que ses livres sur l'analyse des mutations de nos sociétés utilisaient certains concepts et schémas marxistes,

11

moins comme dogmes et systèmes de référence, que comme simples outils d'analyse parmi d'autres. Mais enfin, ses prises de position modérées, ses éditoriaux du *Figaro*, son antisoviétisme, et sa filiation avec les philosophes relativistes de l'Histoire et les libéraux du XIX⁰ siècle suffisaient dans la décennie 68-78 à convaincre, comme cela fut si joliment écrit dans un hebdomadaire de gauche où il était interviewé, que « Raymond Aron n'était pas des nôtres »...

En somme, la découverte de la pensée de Raymond Aron s'est faite pour nous en trois temps. D'abord la lecture, avec des lunettes idéologiques, notamment des *Dix-huit Leçons sur la société industrielle* et de *Paix et guerre entre les nations*. Puis la reconnaissance de celui qui avait eu raison avant les autres sur le stalinisme avec *l'Opium des intellectuels*. Enfin après la découverte de *l'Introduction à la philosophie de l'Histoire*, l'accès à une pensée, qui n'est pas seulement critique, mais aussi positive, et qui s'inscrit dans un des grands courants de la pensée philosophique et politique longtemps caricaturé en France.

Nous avons trouvé en lisant ses livres le choix fondamental qui a orienté ces différents comportements, à savoir une certaine philosophie de l'histoire.

Pour lui, l'histoire n'est pas déterminée ni orientée à l'avance par une finalité ou un sens. Elle reste ouverte, dépendant en fin de compte de l'action des hommes, de leur liberté et de leur arbitraire. Cela explique son refus du messianisme, au nom duquel le XX⁰ siècle a perpétré tant de crimes, et sa méfiance vis-à-vis de l'idéologie comme discours d'interprétation globale du monde et comme guide de l'action. Cette conception relativiste de l'histoire s'est alliée sur le plan philosophique à une référence à l'idée de Raison. Il retient en effet de la philosophie kantienne l'idée de Raison comme seul moyen dont disposent les hommes pour ordonner leur représentation du monde et guider leur volonté de le transformer.

Enfin il a trouvé dans la philosophie libérale le système de valeurs qui pouvait structurer un modèle d'action. Pour lui, la philosophie libérale, en respectant le pluralisme des idées et en privilégiant l'empirisme dans l'analyse et l'action, représente le système le moins mauvais pour orienter la politique.

A partir de là, c'est une tout autre manière de considérer les événements du XX⁰ siècle : la stratégie nucléaire, l'affrontement

12

entre l'Est et l'Ouest, la croissance et la mutation des sociétés industrielles, le déclin de l'empire américain sont vus autrement qu'à travers le marxisme ambiant qui, par paresse ou bonne conscience, ordonnait ce tohu-bohu d'événements et de rapports de forces. Le marxisme ne peut plus être considéré comme un outil de connaissance, en oubliant qu'il est aussi et peut-être surtout le modèle de référence et d'action de l'un des deux systèmes économiques et politiques qui s'affrontent depuis le début du siècle. Le problème n'est plus seulement l'impérialisme américain mais la capacité de l'Occident à préserver un modèle de civilisation, indépendamment de savoir si l'on y adhère partiellement ou totalement. Il y a là, bien sûr, un retournement du « sens » de l'histoire, mais surtout la prise de conscience de la contingence et de la fragilité de notre système de valeurs. Ce que nous avons trouvé dans la pensée de Raymond Aron, au long de ces entretiens, c'est la matérialisation d'un changement qui s'était opéré dans notre représentation du monde. D'une certaine manière nous savions ce qu'il pensait, sur de nombreux points nous étions d'accord, la nouveauté en définitive ne venait pas tant des analyses que des conséquences qui en découlent en termes de choix et de responsabilité pour nous et notre génération. A savoir, agir dans une direction impensable il y a dix ans. Nous avons accepté progressivement l'absence d'un autre modèle parce que celui qui en porte le nom est bien pire que ce que nous critiquons ici. Reste la conséquence : c'est à l'intérieur du système occidental qu'il faut agir, la seule alternative étant de veiller à ce que les actes des pays occidentaux correspondent aux valeurs dont ils se réclament.

Conséquence moins banale qu'il n'y paraît quand on se souvient du manque de courage et de détermination des Européens de ce siècle, qui, dans de nombreuses circonstances historiques, ont oublié leurs idéaux.

Lorsque Raymond Aron parle des événements qu'il a vécus, on comprend la distance entre une génération emportée par le tourbillon de l'Histoire et une génération, la nôtre, qui pour le moment, en France, a pu éprouver le sentiment d'être à côté de l'Histoire. L'Histoire, c'était avant, ou ailleurs, mais pas ici. D'où d'ailleurs le fait que certains aient été la chercher à Pékin, Hanoï ou Cuba. Raymond Aron, et sa génération, ont éprouvé la sauvagerie dont sont capables les régimes politiques au nom des grands idéaux. Ils ont vu l'arbitraire et la violence si bien résumée dans la formule qu'il affectionne : « History as usual. » Il sait que notre société est mortelle, ce que notre génération a du mal pour le moment à ressentir, même si elle le comprend abstraitement. Ayant vécu l'effondrement des sociétés, il en a éprouvé la fragilité. Il a compris que, lorsqu'un déséquilibre fondamental s'instaure, rien ne peut plus l'arrêter. D'où sa préoccupation constante, voire son obsession de la cohésion sociale, et son souci d'éviter les affrontements qui risquent de diviser et d'affaiblir la société. On saisit la différence avec notre génération qui est née et a grandi dans des sociétés stables, et presque sans histoire, et n'a jamais éprouvé le sentiment de fragilité et le risque d'effondrement. Pour nous l'histoire résultait d'abord de contradictions sociales internes. Les conflits et les mutations liés au travail, à l'urbanisme, à l'éducation, aux mœurs... semblaient la source principale du changement, sans risque que des déséquilibres locaux atteignent la cohésion générale. Et même mai 68, malgré le chambardement qu'il avait représenté, n'avait pas eu d'effet déstabilisant sur la société. Nous avions l'impression que les conflits dans ces secteurs étaient à la fois le moyen de dépasser la lutte des classes au sens strict, et de changer structurellement la société.

En outre, depuis 1958 il n'y avait pas d'alternance, et la gauche exclue, la stabilité politique allant de soi, la société, malgré tous les conflits qui l'agitaient, semblait immobile, en tout cas nullement menacée dans ses équilibres. C'est probablement dans la conscience de la fragilité des sociétés que s'enracine pour une part ce qu'on appelle le scepticisme aronien. Son expérience historique et sa perception de l'étroite marge de manœuvre de ceux qui ont gouverné en France et aux Etats-Unis est sans doute pour quelque chose dans son manque d'illusions sur les possibilités de changement politique. D'où notre difficulté à comprendre sa conception de l'ordre et du changement. Pour nous, grossièrement, le premier symbolise la droite et le second la gauche, alors que lui ne cesse de répéter que la France gouvernée par la droite a considérablement changé. Elle s'est effectivement modernisée, le niveau de vie s'est largement accru, certaines inégalités sociales ont été réduites et le système scolaire s'est partiellement démocratisé. Mais comme notre génération a vécu directement ces transformations sans avoir connu la situation antérieure, elle les a d'une certaine façon trouvées naturelles et s'est plutôt mobilisée contre la permanence de certaines inégalités sociales et culturelles que satisfaite de la croissance et de l'enrichissement. Avec une autre expérience historique, Raymond Aron compare et n'est pas certain que la gauche aurait fait la même politique de modernisation. Il considère que l'opposition entre la droite et la gauche est une opposition entre deux conceptions du changement. La droite préférant mobiliser l'initiative individuelle, la concurrence, la gauche privilégiant la redistribution, la planification. Si nous ne partageons pas toujours sa méfiance à l'égard de la gauche, nous avons, en revanche, rapidement compris qu'elle était bien autre chose que du conservatisme. Elle est le fruit d'une réflexion et d'une expérience sur la contradiction entre liberté et égalité, contradiction qui est sans doute plus difficile à dépasser que ce que certains, et pas seulement dans notre génération, s'imaginent. Mais à l'inverse nous savons aussi que les nouveaux conflits sociaux, la transformation des comportements culturels, et des rapports individu/société, qui ont façonné nos manières de vivre et de penser depuis les années 60 et auxquels Raymond Aron et d'autres ont été relativement peu sensibles, correspondent à des mutations invisibles mais structurelles de nos sociétés. Ces transformations culturelles ont été accompagnées par l'ouverture du mouvement des idées à des approches linguistiques ou psychanalytiques par exemple, qui seront peut-être utiles à la compréhension des mécanismes sociaux. Sans nier ces idées nouvelles, Raymond Aron a tendance à les situer par rapport aux grands thèmes et aux grandes philosophies de l'histoire. Elles apparaissent du coup fragiles ou secondaires.

Bien sûr ces transformations culturelles ne changent pas l'équilibre du monde, mais elles forgent peut-être des outils intellectuels, ouvrent d'autres modes d'appréhension du réel et diversifient le champ des connaissances. Nous verrons bien dans quelle mesure ces changements culturels, qui ont tant marqué notre génération, auront des répercussions sur la vie sociale et politique, ou bien s'il ne se sera agi que de variations secondaires par rapport à la grande histoire, dans une période exceptionnelle de forte croissance économique et de stabilité politique.

Ce qui nous a peut-être le plus séduits chez Raymond Aron c'est le caractère anti-conformiste, par rapport aux schémas de droite et de gauche, de ses analyses des grands événements contemporains. Peu importe que sur certaines questions il ait eu raison ou tort, nous étions intéressés à comprendre comment ses positions philosophiques et politiques questionnaient la pensée de gauche. Les deux se répondant finalement à l'intérieur d'un même champ, au point même que tout en étant violemment rejeté par les intellectuels de gauche il en avait été souvent la mauvaise conscience, disant tout haut ce que certains d'entre eux n'osaient pas penser ou dire.

Trois aspects de cette démarche nous ont particulièrement frappés.

D'abord à propos de la différence entre morale et politique. Aron dit de Sartre qu'il était avant tout un moraliste. D'où sa difficulté à ne pas condamner moralement ceux qui ne prenaient pas des positions semblables aux siennes. Cette opposition dépasse largement les deux hommes et pourrait être étendue à beaucoup d'intellectuels ; elle caractérise presque ce qui sépare Raymond Aron de la gauche. Pour lui, tous les systèmes sociaux sont imparfaits, et la politique n'est pas la lutte entre le bien et le mal, mais le choix entre le préférable et le détestable. Ce qui ne signifie pas la volonté d'exclure toute morale de la politique, mais plutôt la reconnaissance de la spécificité de la politique et la nécessité de ne pas lui appliquer les catégories morales de la même manière qu'aux autres activités humaines. Faire de la politique ce n'est pas seulement faire le bien. Parce que le bien de la collectivité, personne ne peut dire ce qu'il est et que les erreurs les plus graves ont souvent résulté de l'incapacité à admettre que les faits sont têtus et que la morale ne suffit pas à les maîtriser. Ce problème est de nouveau d'actualité en France depuis l'arrivée de la gauche au pouvoir. Accepter la distance entre morale et politique implique plus de courage dans la pratique qu'il n'y paraît. Cela conduit moins au cynisme ou au machiavélisme qu'au souci de penser l'activité politique par rapport à ses catégories propres. Vouloir faire coïncider morale et politique ou penser la politique comme une morale débouche facilement sur la bonne conscience, l'indignation vertueuse, la vision du monde en noir et blanc et le refus d'accepter la politique avec sa violence, ses retournements, ses rapports de forces, bref son a-moralisme. D'où cette interrogation chez Raymond Aron sur la morale comme moyen de ne pas penser la politique. Ou pour dire les choses d'une façon plus polémique, l'opposition entre les « belles âmes » et ceux qui acceptent les combats douteux de la politique.

C'est ce qui explique ses réticences à considérer, par exemple, que l'action pour les droits de l'homme suffise à fonder une politique. Que la bataille pour les droits de l'homme représente un engagement politique, c'est évident et louable, mais cela en soi ne fait pas une politique.

Cette conception de la politique implique le refus du mani-chéisme dans l'histoire. Ce que pense l'adversaire n'est pas nécessairement le mal absolu, à moins qu'il s'agisse du totalita-risme. D'où ces jugements nuancés, parfois surprenants, sur le Front populaire, la France de Vichy, l'Algérie, le Vietnam, le gaullisme. A chaque fois le pour et le contre sont pesés. Les arguments contraires au choix effectué longuement développés.

Le second aspect qui nous a marqués concerne la morale du citoyen que Raymond Aron appelle de ses vœux. Pour nos générations l'idée de patrie a toujours eu quelque chose de « rétro ». Non que nous soyons supra-nationaux, ou simple-ment européens, car toute notre éducation et nos valeurs nous enracinent dans notre pays. Mais tant de guerres ont eu lieu au nom de la nation que pour nous la démocratie s'incarne plutôt dans la société que dans la patrie. Or s'il est difficile aujourd'hui de penser la démocratie sans la société, il est, en revanche, plus rare d'associer l'idée de démocratie à la défense d'un territoire physique, bien que nous sachions abstraitement qu'une société incapable d'assurer sa défense est condamnée à plus ou moins long terme. Pour Aron, la morale du citoyen est la condition du maintien de la démocratie. Ou plus exactement une démocratie, pour survivre, a besoin de citoyens qui s'imposent certaines disciplines. Finalement la démocratie suppose deux choses :

une société et une nation. Nous avons un peu idéalisé la première et oublié la seconde parce qu'elle était trop liée à des événements tragiques de l'histoire contemporaine et aussi parce qu'elle implique des contraintes dont notre génération n'a jamais été très friande...

Enfin Raymond Aron n'est pas seulement un intellectuel qui a fait du journalisme. Car un intellectuel qui fait du journalisme choisit en général les sujets et le rythme sur lesquels il désire parler, commenter et prendre position. Aron, lui, s'est imposé de commenter régulièrement les événements, sans choisir les causes à défendre ni les moments. Cette volonté de mener de front deux carrières depuis trente-cinq ans l'oblige à bien autre chose qu'une discipline et une organisation rigoureuse du temps. Elle impose de faire cohabiter deux genres de réflexions différents qui traditionnellement s'excluent plus ou moins et qui, là, sont menées dans une tension permanente. Ce va-et-vient entre ces deux logiques, ces deux regards, le commentaire de l'événement et l'interprétation globale, conduit à une représentation du monde plus sensible à la contingence et à la fragilité des choses qu'aux grandes téléonomies. Peut-être faut-il voir dans ce choix à la fois la volonté d'un certain dépassement personnel et la marque du relativisme historique. En tout cas, cette contrainte de la confrontation régulière aux événements économiques et politiques a probablement contribué à préserver Raymond Aron du vertige de l'idéologie. Impossible là de choisir seulement les faits qui vérifient la théorie, il faut tout prendre.

Au total, ces entretiens apparaissent comme un questionnement de notre génération à celle de Raymond Aron, avec ce que cela suppose de confrontation entre deux manières de penser différentes.

Quelqu'un de plus proche de ses choix aurait vraisemblablement conçu autrement ces entretiens. C'est là d'ailleurs qu'il faut souligner le libéralisme de Raymond Aron. Car lorsque nous lui avons proposé ce projet, nous ne le connaissions pas personnellement et nous lui avons tout de suite dit que nous n'étions pas « aroniens ».

Comme il s'agissait d'entretiens devant faire l'objet de trois émissions de télévison pour Antenne 2, sur le thème « Raymond Aron spectateur engagé », le risque était évidemment plus grand. En effet, le travail prenait plus de temps, était réalisé en images et destiné au grand public. Nous voulions offrir aux téléspectateurs la possibilité de comprendre, à travers le commentaire de cinquante ans d'histoire, l'analyse qu'en avait faite un des principaux observateurs de la vie intellectuelle et politique. Ces entretiens sont découpés en trois périodes chronologiques (1930-1947 — 1947-1967 — 1967-1980), chaque partie étant construite autour de trois axes :

— Le mouvement des idées et l'attitude des intellectuels ;
— L'évolution de la société française et la capacité de la classe dirigeante ;
— Les grands événements internationaux.

Raymond Aron n'a jamais voulu discuter notre plan d'ensemble ni le choix des thèmes sur lesquels nous voulions dialoguer avec lui. Quand nous lui en parlions, il écoutait distraitement et répondait : « Oui, c'est bien, faites comme vous l'entendez ». Après avoir vérifié que nous connaissions bien les événements de cette période, son œuvre, et les débats intellectuels de l'époque, il nous faisait confiance.

Il nous a semblé qu'à cause de leur intérêt, ces entretiens, conçus d'abord pour la télévision, pouvaient, en étant réorganisés, et en conservant le caractère du dialogue, faire l'objet d'une publication. Le lecteur trouvera ainsi l'intégralité de ce dialogue. Au-delà de cette confiance, c'est la chaleur humaine qui nous a d'autant plus touchés chez Raymond Aron qu'il a la réputation d'être froid et distant. Bien sûr, cette gentillesse n'exclut pas l'âpreté dans la discussion — il suffit pour s'en convaincre de voir son regard — mais elle est réelle et nous l'avons appréciée depuis avril 1980 où nous sommes allés le trouver pour lui proposer ce projet.

Dans ce dialogue, nous nous sommes confrontés à une pensée dure, exigeante et nous avons rencontré un homme sensible, animé par le souci de la vérité, habité par la conscience de l'histoire en train de se faire. En un mot : l'intelligence au travail.

***

Depuis que ces entretiens ont eu lieu en décembre 80, la France a connu un changement de majorité politique. Mais l'essentiel de ce texte résiste bien au bouleversement que représente l'arrivée de la gauche au pouvoir en mai et juin 1981. Pour le lecteur, certains passages prendront même une saveur particulière, notamment la partie du dialogue consacrée à l'échec du Front populaire puisqu'il se trouve que le gouvernement actuel entend prendre exemple et inspiration dans l'expérience gouvernementale de Léon Blum. De même pour mai 1968, qui représentait jusqu'au printemps 81 le dernier grand événement de gauche, et qui est repoussé un peu plus loin dans l'histoire tandis qu'un bon nombre de thèmes et d'attitudes du pouvoir d'aujourd'hui y trouvent leur source. Raymond Aron a rédigé une conclusion au sujet de l'arrivée de la gauche au pouvoir, il a choisi pour cela de poursuivre le dialogue avec nous, mais cette fois-ci, pour être sûr des réponses, il a fait aussi les questions...

Voici donc Raymond Aron, intellectuel d'opposition. Paradoxe pour quelqu'un qui a été si souvent critiqué parce que ses idées le plaçaient « du côté du pouvoir » ! Car, c'est moins sa conception libérale de la société qui irritait que les conséquences politiques qu'il en a tirées, fidèle en cela à sa philosophie. Certains d'ailleurs ne verront peut-être pas de différence dans ses écrits d'aujourd'hui et d'hier, tant il a refusé d'être lié au pouvoir même quand il le soutenait. En effet, malgré sa proximité, par les idées, de certains dirigeants, il a toujours marqué une distance. A tort ou à raison, il a tracé une séparation entre sa position d'intellectuel, de journaliste, et celle d'acteur politique. Les intellectuels de gauche qui vont maintenant être confrontés au problème du rapport au pouvoir, ne trouveront-ils pas dans la ligne de conduite que s'est imposée Aron un exemple à méditer ? Il n'a en effet jamais accepté ce qu'il faut de révérence et de réserve pour être un véritable « conseiller du prince ». Et comme il le rappelle lui-même avec humour, il s'est brouillé avec tous les chefs d'Etat de la IVe et de la Ve République, à l'exception de Valéry Giscard d'Estaing qu'il n'a pourtant pas ménagé.

Ces principes, bien sûr, sont plus faciles à énoncer qu'à pratiquer. Le lecteur comprendra au long des entretiens comment cette position a été tenue, ce qu'elle doit aux circonstances, et ce qu'elle doit à une morale personnelle. Sur une aussi longue période, cette éthique de l'engagement a certainement exigé une ascèse, car elle l'a empêché d'incarner l'une des deux figures qui pour lui symbolisent le choix de l'intellectuel : le confident de la providence et le conseiller du prince.

Confident de la providence celui qui est du côté des dominés, dénonce au nom de la morale universelle dont il est — ou se croit — porteur, et qui en appelle au sens de l'histoire et à la « bonne société » qu'il faut construire. Conseiller du prince celui qui tient compte des contraintes du réel et qui juge que l'action politique oblige celui qui la soutient à en accepter les servitudes.

C'est ici qu'il faut revenir aux intellectuels de gauche. Ils ont été pendant longtemps, et avec bonne conscience, les confidents de la providence. Puis certains d'entre eux ont été saisis par le doute — crise du marxisme, impossibilité de se dissimuler plus longtemps les réalisations du socialisme réel, redéfinition du rôle et de la place des intellectuels dans notre société... — et c'est à ce moment que, par la grâce du suffrage universel, ils se trouvent dans une situation où, normalement, ils doivent devenir conseillers du prince. Le deviendront-ils ? Et comment ? S'imposeront-ils la morale de Raymond Aron, à savoir continuer à dire ce qu'ils pensent ? A partir de quand certains trouveront-ils qu'il y a incompatibilité et donc nécessité de choisir entre être analyste et être conseiller du prince ? D'autant que les états de grâce durent ce que durent les roses, et il faudra bien écrire, commenter l'actualité, analyser, critiquer.

La période qui s'ouvre sera riche d'enseignements sur la capacité de l'intelligentsia française à se situer vis-à-vis d'un pouvoir qu'elle a majoritairement appelé de ses vœux. L'aveuglement qui l'a longtemps paralysée pour dénoncer le stalinisme et ses innombrables avatars, parce qu'il ne fallait pas « désespérer Billancourt », reviendra-t-il, par une ruse de l'histoire, parce que, la gauche étant au pouvoir, il ne faut pas « désespérer l'Elysée » ?

Jean-Louis MISSIKA
Dominique WOLTON

PREMIÈRE PARTIE

La France
dans la tourmente

UN JEUNE INTELLECTUEL DES ANNÉES 30

a) Rue d'Ulm, 1928 — Berlin 1933

D. WOLTON. — *Entre 1924 et 1928, vous étiez à l'Ecole normale supérieure. Vos amis étaient Jean-Paul Sartre et Paul Nizan, quelle formation receviez-vous à l'école ?*

RAYMOND ARON. — Elle était double : c'était d'abord la formation par les camarades et par un milieu intellectuel d'une qualité, à mes yeux, exceptionnelle ; et puis je faisais de la philosophie, au moins ce qu'on appelait « de la philosophie ». Deux professeurs ont alors exercé une certaine influence sur moi. L'un était Alain, qui n'était pas professeur à l'Ecole normale, mais célèbre professeur de khâgne au lycée Henri-IV ; de temps en temps j'allais le chercher à Henri-IV et je l'accompagnais jusque chez lui, rue de Rennes. L'autre était Brunschvicg. Ils étaient à peu près du même âge et se respectaient dans une certaine mesure. Alain montrait quelque irritation à l'égard des « sorbonnards » et des professeurs de philosophie qui avaient plaidé pendant la guerre pour la victoire jusqu'au bout. Ce qui nous impressionnait c'était qu'Alain avait fait la guerre en la détestant.

Vous avez cité Sartre et Nizan, les plus célèbres. Mais j'avais bien d'autres camarades à l'Ecole normale : Lagache, Canguilhem, Marrou ! Je n'ai jamais rencontré un milieu aussi remarquable, de telle sorte que dans tous les autres milieux que j'ai connus, j'avais pour ainsi dire la nostalgie de l'Ecole normale.

Et puis j'ai toujours pensé que les garçons jeunes sont plus intelligents, plus ouverts que les mêmes au bout de vingt ans ou vingt-cinq ans. Sartre, à vingt ans, détestait les « importants ». Mais lui, et moi aussi probablement, nous sommes devenus, à demi, des importants !

J.-L. MISSIKA. — *Quels étaient les courants intellectuels importants à l'Ecole normale ?*

R. A. — Il y avait les « Tala », c'est-à-dire ceux qui allaient « -t-à la » messe, les catholiques, et puis le plus grand nombre : la gauche, les socialistes. Moi j'étais vaguement socialiste. Le sentiment le plus fort chez nous était probablement la révolte contre la guerre, et de ce fait le pacifisme. J'étais pacifiste passionnément, à la fois par révolte contre la guerre, et aussi par révolte contre la manière dont un enfant avait vécu la guerre. J'avais neuf ans au moment où la guerre a éclaté, treize ans lorsqu'elle a été terminée. Après coup je me suis dit qu'à aucun moment je n'avais souffert de cette guerre, qu'à aucun moment je n'avais eu, disons, de la compassion pour les malheurs des peuples. Alors j'ai eu le sentiment que l'égoïsme des enfants est quelque chose d'horrible, et j'ai détesté la guerre avec autant de force que j'avais été patriote. Pendant la guerre j'avais dix ans, onze ans ; je voulais être un capitaine, le petit capitaine ! j'écrivais des dissertations sur la grandeur du petit capitaine. Quelques années plus tard, quand j'ai commencé à réfléchir, quand je suis entré en classe de philosophie, tout a basculé d'un coup ; tout a été différent. Au bout de trois mois, j'avais pris la décision de faire de la philosophie toute ma vie ! J'étais — comment dire ? — transfiguré par la classe de philosophie comparée à toutes les autres. Les autres, c'était quoi ? La littérature, le latin, le grec, l'arithmétique ou les mathématiques ! J'étais intéressé, plus ou moins, mais, au fond, j'étais plus passionné par la bicyclette ou par le tennis...

D. W. — *Vous étiez un bon joueur de tennis, non ?*

R. A. — Oui, mais surtout, si j'étais bon élève, jusqu'alors, c'était essentiellement par amour-propre, pour une motivation assez méprisable à mes yeux. Je voulais être le premier. Mais à partir du moment où il y a eu la philosophie, je ne voulais plus être le premier, je voulais être un philosophe ; c'est tout à fait autre chose. A l'Ecole normale, bien entendu, j'ai continué à faire de la philosophie, pas assez. Puis j'ai consacré une année entière à Kant, pour le diplôme d'études. Là il y avait Brunschvicg qui, à la fois, donnait le sens des grands philosophes et vous décourageait de les prolonger.

D. W. — *Considérez-vous que la formation que vous avez reçue vous a préparé à comprendre le monde ?*

R. A. — A ne pas le comprendre. Qu'apprend-on sous le nom de « philosophie » ? Platon, Aristote, Descartes et les suivants. Presque pas de Marx, sinon un peu en sociologie ! Pas de post-kantiens ou à peine. Pas de Hegel. Il y avait l'epistémologie, la discussion sur les mathématiques ou la physique, mais pas de cours sur la philosophie politique. Je n'ai jamais entendu le nom de Tocqueville lorsque j'étais à la Sorbonne ou à l'Ecole normale !

J.-L. M. — *Et Max Weber ?*

R. A. — Evidemment non. Max Weber c'est après, c'est la véritable formation. Celle que j'avais reçue pendant les quatre années de l'Ecole normale me préparait à devenir professeur de philosophie dans un lycée, mais à rien d'autre. En 1928, après avoir passé l'agrégation de philosophie, de manière brillante, comme on dit, puisque j'ai été le premier — Sartre a éprouvé le besoin de se faire recaler cette année-là — j'ai eu immédiatement une espèce de crise intérieure. J'étais presque désespéré d'avoir perdu des années à n'apprendre presque rien. J'exagérais car la formation par la lecture des grands philosophes n'est pas stérile. Mais tout de même je savais très peu de chose du monde, de la réalité sociale, de la science moderne. Alors quoi ? Faire de la philosophie sur quoi ? Sur rien ? Ou bien faire une thèse de plus sur Kant ? Alors j'ai fui, d'une certaine manière. J'ai quitté la France, ce milieu, et j'ai trouvé autre chose.

D. W. — *Dans votre leçon inaugurale au Collège de France, en 1970, on trouve une phrase sur votre formation : « La montée du*

27

national-socialisme, la révélation de la politique, m'inspiraient une sorte de révolte contre l'enseignement reçu à l'Université. »

R. A. — Je pense qu'il manque quelque chose à ceux qui ont été toute leur vie dans une université, d'abord comme étudiants puis comme professeurs. Le monde universitaire est trop doux. On y connaît insuffisamment la méchanceté, la dureté de l'existence humaine. Cela dit, je ne vais pas condamner la lecture de Kant à laquelle je me suis astreint pendant un an. La lecture difficile d'un grand philosophe, c'est ce qu'il y avait de plus fécond pendant ces années. Lorsque je suis parti pour l'Allemagne, après le service militaire, ma révolte était plus générale. J'étais révolté contre la précédente guerre, révolté contre le « poincarisme », révolté contre la politique étrangère de la France que je trouvais complètement dénuée de générosité, et je rêvais de la réconciliation entre la France et l'Allemagne.

D. W. — *Pourquoi aviez-vous choisi l'Allemagne plutôt que la Grande-Bretagne ou les Etats-Unis ?*

R. A. — C'était une tradition. Lorsqu'ils voulaient compléter leur formation, les philosophes allaient en Allemagne. Durkheim, deux générations avant moi, était allé en Allemagne et en avait rapporté un petit livre sur les sciences sociales en Allemagne. Mon patron, Bouglé, avait fait la même chose, et moi aussi, puisque j'ai écrit un petit livre qui s'appelle *la Sociologie allemande contemporaine.* Sartre y a été aussi, mais plutôt par accident et plus tard, par mon intermédiaire.

J.-L. M. — *Quelles sont les premières images que vous avez eues de l'Allemagne ?*

R. A. — Une première intuition plutôt qu'une image, un sentiment que je ne puis traduire que par la formule de Toynbee « History is again on the move », c'est-à-dire : l'histoire est de nouveau en marche. Ce qui m'a frappé, ce qui m'a choqué, ce qui m'a bouleversé, en arrivant en Allemagne au printemps 1930, c'était la violence nationaliste des Allemands et, trois mois après, en septembre 1930, la première grande victoire des nationaux-socialistes, l'élection de 107 députés nazis. A partir de ce moment-là, entre 30 et 33, j'ai vécu dans une psychologie complètement différente de la psychologie de l'Ecole normale. Le problème n'était plus les folies de la guerre précédente ; le problème, l'obsession, devenait : comment éviter la nouvelle guerre ?

Dès le contact avec l'Allemagne, j'ai eu le sentiment que ce peuple n'acceptait pas le sort qui lui avait été infligé, qu'il y avait une espèce de révolte foncière, fondamentale, aggravée par la crise économique. Du coup, j'hésitais entre mon pacifisme d'avant et la question décisive en politique : qu'est-ce qu'il faut faire ? Tous les articles que j'ai écrits quand j'étais en Allemagne sont détestables. Ils sont détestables parce que d'abord je ne savais pas encore observer la réalité politique ; en plus je ne savais pas distinguer de manière radicale le souhaitable et le possible. Je n'étais pas capable d'analyser la situation sans laisser paraître mes passions ou mes émotions, et mes émotions étaient partagées entre ma formation, ce que j'appelle « l'idéalisme universitaire », et la prise de conscience de la politique dans sa brutalité impitoyable. Or, face à Hitler, mes maîtres, que ce fussent Alain ou Brunschvicg, je n'ose pas le dire, mais ils ne faisaient pas le poids. Ou tout au moins ils étaient dans un monde différent de celui dans lequel je me trouvais quand je regardais, quand j'écoutais Hitler dans les manifestations publiques.

J.-L. M. — *Pourtant cette prise de conscience du phénomène nazi ne vous a pas empêché de continuer à étudier la philosophie allemande ?*

R. A. — Ah, mais non ! Vous savez, nous, dans notre génération, nous avons détesté, réellement, détesté et méprisé les intellectuels qui avaient condamné la culture allemande à cause de la guerre de 1914-18 contre l'Allemagne. Un de nos griefs les plus violents contre une partie de la génération précédente a été le bourrage de crânes. Selon ce bourrage de crânes, on ne devait plus écouter Wagner parce qu'il avait été allemand, ou, comme on pourrait le dire aujourd'hui, parce qu'il avait été antisémite. Alors la séparation radicale entre la culture allemande d'un côté, et la politique allemande de

29

l'autre, était pour moi évidente. En dépit de la guerre entre 39 et 45, en dépit du national-socialisme, je ne me suis jamais laissé aller à condamner un peuple et une culture à cause des conflits politiques.

J.-L. M. — *Et pourtant les intellectuels allemands que vous côtoyiez étaient séduits par le national-socialisme ?*

R. A. — Non, ce n'est pas vrai. Parmi les professeurs j'en ai peu rencontré. Parmi les étudiants, oui, mais tout de même il faut dire la vérité : quand j'ai été lecteur à l'université de Cologne, j'ai eu des relations avec beaucoup d'étudiants ; elles ont toujours été excellentes ; il n'y a jamais eu aucune espèce de manifestation d'antisémitisme à mon égard, ni à l'égard du professeur chez lequel je me trouvais, Léo Spitzer, qui était lui aussi un Juif. Il ne faut pas croire que les universités allemandes en 31 étaient absolument dominées par les nationaux-socialistes. Il y en avait certainement. Mais il ne faut pas transfigurer d'une manière excessive l'Allemagne d'alors à la lumière de ce qu'elle est devenue ensuite. L'Allemagne que j'ai connue en 31, n'était pas celle de 1942 ou de 43 !

D. W. — *Comment avez-vous vécu la montée du nazisme dans l'Allemagne de 31 et de quoi parliez-vous avec vos étudiants ? De politique, ou davantage de philosophie ?*

R. A. — Il y avait deux choses : la première, ces élections dont je vous ai parlé, la seconde, c'est l'extraordinaire passion nationaliste qui dominait ces hommes intelligents, amicaux, à qui j'avais affaire. Nous venions de France, d'un milieu plus ou moins de gauche, où le nationalisme était pour ainsi dire passé de mode. Et tout d'un coup, nous rencontrions des professeurs, des étudiants, des hommes pour lesquels les revendications allemandes étaient vitales ; des revendications à la fois nationales et personnelles. Qu'est-ce que j'ai vu alors quand j'étais professeur ou assistant à l'université de Cologne ? Des garçons, des filles, qui m'aimaient bien, à qui j'expliquais Mauriac, Claudel, oui, et à qui je parvenais à communiquer mon enthousiasme, ma passion pour tel roman de Mauriac, *Le Désert de l'amour,* ou telle pièce de Claudel, *L'annonce faite à Marie.*

Quand nous étions ensemble, à parler français, à vivre dans cette culture qui était à la fois la leur et la nôtre, nous pouvions oublier la politique. Mais peut-être parce que j'avais une certaine propension à penser politique, à lire les journaux, à regarder les événements si je puis dire, j'ai tout de même senti la montée nationale-socialiste dès les années 30, 31. Bientôt ce fut l'évidence pour tout le monde !

J.-L. M. — *Et les violences du national-socialisme, les autodafés, les persécutions, les avez-vous vus ?*

R. A. — Oh, mais bien plus tard. Nous sommes en 1931. Des écrivains français viennent faire des conférences à l'Université : Duhamel, Chamson et aussi Malraux. C'est là que je l'ai rencontré pour la première fois.

D. W. — *Vous êtes resté en Allemagne jusqu'à quand ?*

R. A. — Août 1933, mais je ne suis resté à Cologne comme assistant que pendant un an et demi. Entre 31 et 33, je suis à Berlin. Là, la crise allemande était beaucoup plus visible. On voyait beaucoup plus les chômeurs. On était au centre de la vie politique. J'allais aux réunions publiques. J'ai écouté, bien entendu, Goebbels, qui était un orateur et parlait un allemand de qualité. J'ai écouté Hitler dont l'allemand était épouvantable, et qui m'a inspiré immédiatement une espèce de peur et d'horreur. On voyait des uniformes bruns, mais surtout après l'arrivée au pouvoir de Hitler. Trois semaines après, le nombre des Allemands vêtus de brun avait augmenté d'une manière impressionnante. Même dans la maison universitaire que je fréquentais — le Humboldt Haus —, nombre d'étudiants que je connaissais depuis deux ans et qui n'étaient pas hitlériens se sont mis à porter cet uniforme. C'était cela la montée. Avant 1933, on la vivait au moment des élections. Il y en eut souvent. Au französisches Akademikerhaus où j'étais logé, nous écoutions les résultats et nous étions consternés. Ces chiffres prenaient pour nous la figure de Hitler montant progressivement vers la Chancellerie. Mais pour la plupart des Berlinois, l'arrivée au pouvoir de Hitler fut peu visible. Ils ne l'ont vu vraiment que lorsqu'il est apparu au balcon de la Chancellerie. Quant à moi, au début, j'étais encore un observateur un peu abstrait et philosophique. Je comprenais bien ce qui se passait mais je ne voyais pas encore bien la réalité. Je crois pourtant qu'en ce qui concerne la personne de Hitler j'ai eu la chance, ou la mauvaise chance, de percevoir presque tout de suite son satanisme. Ce n'était pas évident pour tout le monde au début.

D. W. — *Vous aviez le sentiment d'une marche vers la barbarie ?*

R. A. — De la marche à la guerre. J'ai pensé que la seule chose que Hitler pourrait faire, après avoir remis les Allemands au travail, c'était la guerre. Les Allemands voulaient remettre en question les résultats de la précédente guerre, et il me semblait chargé par une fraction de l'Allemagne de mener à bien cette entreprise. Ce qui est, si vous voulez, l'ironie tragique, c'est que les hommes qui l'ont aidé à arriver au pouvoir se seraient contentés de ce qu'il avait obtenu en 38, et n'auraient pas fait, après, cette guerre inexpiable...

D. W. — *Et l'antisémitisme, vous le voyiez en 1930 ?*

R. A. — Oui et l'antisémitisme des hitlériens était violent. Il est certain qu'il a joué un rôle dans ma prise de conscience du national-socialisme. Quand je suis arrivé en Allemagne, j'étais juif et je le savais mais, si j'ose dire, je le savais très peu. La conscience de ma judéité, comme on dit maintenant, était extraordinairement faible. Je n'avais jamais été dans une synagogue ou presque. Je me souviens qu'un jour, à onze ou douze ans, le matin de la rentrée de la classe, au lycée Hoche, alors qu'on conduisait les élèves à l'église, je les y ai suivis. Alors, en Allemagne, le choc, ce n'est pas seulement le national-socialisme allemand, mais l'antisémitisme. Ce serait un peu exagéré de dire qu'il n'était question que de cela. Mais tout de même, le national-socialisme, en dehors du nationalisme qui était partagé par d'autres partis, était singularisé par l'excès de l'antisémitisme, de telle sorte qu'à partir de cette année-là, 1930, je me suis toujours présenté d'abord comme Juif. Pour la première fois de ma vie, en 1934, à l'occasion d'une conférence à l'Ecole normale sur le national-socialisme, j'ai souligné que j'étais juif et qu'étant juif, je pouvais être suspect de ne pas être objectif.

D. W. — *Le fait d'être juif pouvait, selon vous, vous empêcher d'être objectif ?*

R. A. — Non. Bien sûr que non. Mais à partir de l'arrivée au pouvoir d'Hitler, tous les Juifs français ont été suspects. Ils ont été suspects d'être anti-allemands, anti-hitlériens, non pas en tant que Français mais en tant que juifs. En bonne partie, la propagande contre les « bellicistes » venait de ce fait très simple que les Juifs français, évidemment, avaient à l'égard du national-socialisme des sentiments plus vifs, non seulement en tant que Français, mais en tant que Juifs. J'ajoute cependant que mon judaïsme en profondeur étant plutôt faible, ma réaction au national-socialisme et au danger allemand a été essentiellement une réaction française, autant que je puisse en juger. Mais c'était justement cette réaction française qui, dans une large mesure, me paralysait. Il m'était difficile de dire, en dehors des cercles d'amis, ce que je pensais sur le national-socialisme, sans être suspect d'être emporté par ma passion juive.

D. W. — *Elle vous mettait en porte à faux ?*

R. A. — Non, c'était le temps du soupçon. J'ai employé cette expression, quarante ans plus tard, à propos d'une conférence de presse du général de Gaulle. Mais, le temps du soupçon, je l'ai vécu entre 1933 et 1939.

J.-L. M. — *C'est paradoxal comme raisonnement ! Parce que vous êtes juif, vous n'avez rien le droit de dire contre le national-socialisme ?*

R. A. — Non, non. Je ne dis pas que je n'ai pas le droit, mais voilà... J'avais un grand ami qui s'appelait Henri Moysset. Il était l'éditeur des œuvres de Proudhon. C'était un homme remarquable, que j'aimais beaucoup. Il a été le directeur du cabinet du ministre de la Marine, Leygues, et avait largement contribué à refaire la marine française entre les deux guerres. Il était très lié avec les amiraux, et il a été, finalement, un ministre du maréchal Pétain en 43, peut-être même en 44. Il n'était pas antisémite, pas du tout. Il m'a dit un jour, en 38, en évoquant la guerre : « Et vous, mon pauvre ami, qu'est-ce que vous deviendrez ? » Un autre jour, alors que je lui disais ce que je pensais de la politique étrangère française, il m'a dit : « Mon cher ami, faites attention : ne parlez pas trop fort étant donné ce que vous êtes ! »

D. W. — *Et vous dites qu'il n'était pas du tout antisémite ?*

R. A. — Non, mais il savait que, si je disais un certain nombre de choses, je devenais immédiatement suspect, suspect d'être emporté, non pas par l'analyse de la réalité, non pas par le patriotisme français, mais par ma haine de l'antisémitisme des hitlériens. Depuis on m'a dit parfois : « Pourquoi n'avez-vous rien écrit ? » D'abord, j'ai écrit à l'occasion un article en 34, un autre en 38 ou 39. Mais je n'avais pas de tribune. A l'époque je n'étais pas journaliste, et mon temps était essentiellement consacré à la lecture et à la rédaction de mes livres ; même si j'avais eu la possibilité d'écrire, j'aurais hésité.

D. W. — *A cause de ce temps du soupçon ?*

R. A. — Exactement. J'ajoute que le fait que le chef du parti socialiste, devenu le président du Conseil, Léon Blum, ait été un Juif, a contribué à exacerber les passions antisémitiques dans la bataille entre les « bellicistes » et les « pacifistes »...

D. W. — *Ce temps du soupçon a duré pour vous jusqu'à la guerre ?*

R. A. — Non. Disons qu'entre 31 et 33, tous les Français, juifs ou non, craignaient l'arrivée d'Hitler au pouvoir. Mais, à partir de l'arrivée de Hitler au pouvoir, les Français avaient peur de la guerre, et à juste titre ! A partir de ce moment-là, s'est engagée une bataille intellectuelle, et politique : que faire pour éviter la guerre ? Celui qui suggérait la résistance, à tel ou tel moment, était suspect évidemment d'entraîner la France dans la guerre !

Dans cette période, entre 33 et 39, il y a eu trois dates essentielles qui ont déterminé le cours de l'histoire. La première, c'est mars 1936 : les troupes allemandes entrent en Rhénanie. C'était l'occasion, la dernière occasion, d'arrêter Hitler sans guerre. Elle a été perdue, et par la faute de tous, je dis bien, de tous, car en mars 1936, les résistants de 38 n'étaient pas tous partisans, eux non plus, d'une réplique militaire à l'entrée des troupes allemandes en Rhénanie. Léon Blum, à cette époque, a écrit dans *le Populaire* un article extraordinaire. La France, rappelait-il, avait le droit, en fonction des traités, d'utiliser la force militaire contre l'Allemagne. Mais il ajoutait : personne n'a songé à employer la force militaire, c'est là un progrès moral de l'humanité, et le parti socialiste est fier d'avoir contribué au progrès. Ce progrès moral signifiait la fin du système français des alliances et la quasi-certitude de la guerre...

J.-L. M. — *Et la deuxième date ?*

R. A. — C'est Munich, en 1938. Pour être — je crois —, authentique, sincère, je dirais que, de manière affective, j'ai été contre Munich, mais intellectuellement, j'ai été, dans une certaine mesure, incertain. D'abord, j'étais très irrité par ceux qui prônaient la résistance à propos de la Tchécoslovaquie, avec comme argument majeur : « Résister est la meilleure manière d'éviter la guerre. » Or, je disais à l'époque : « Peut-être ! mais nous n'en savons rien ! »

D. W. — *Et la troisième date ?*

R. A. — C'est évidemment 1939, date de la garantie donnée à la Pologne. Ce fut une décision diplomatique extraordinaire. On n'avait risqué la guerre, ni pour la Rhénanie, ni pour la Tchécoslovaquie. Mais on décidait, à la suite de la Grande-Bretagne, de risquer la guerre pour la Pologne alors qu'on ne pouvait rien faire pour elle. Garantir la sécurité de ce pays, c'était alors accepter la destruction de la Pologne au bout de quelques semaines au plus tard, et faire une grande guerre pour essayer ensuite de détruire l'Allemagne. Nous pouvions encore ne pas honorer notre engagement. Mais, à ce moment-là, la Grande-Bretagne avait changé de politique et de psychologie.

Nous étions liés à la Grande-Bretagne. Donc, nous sommes entrés dans la guerre, une guerre que l'on a déclarée sans la faire, une guerre qu'on n'avait pas voulu faire...

D. W. — *Revenons à vos années de formation. Entre 1925 et 1930, quels étaient les maîtres à penser de la jeunesse, en France ?*

R. A. — Je ne suis pas convaincu qu'il y ait eu, à cette époque, ce que l'on appelle « des maîtres à penser ». Je crois que Barrès l'a été à une certaine époque. Sartre l'a été sans aucun doute pendant une vingtaine d'années. Mais quand je me souviens de ces années entre 24 et 28, lorsque j'étais à l'Ecole, bon... il y avait Alain et la secte des aliniens. Ceux-là avaient un grand homme qu'ils admiraient passionnément ; ils l'appelaient « l'homme » ; c'était l'homme par excellence, à la fois le philosophe, le pacifiste et le combattant. Peut-être cette combinaison n'est-elle pas rationnelle, mais elle était impressionnante. En revanche, la littérature était certainement brillante. Proust n'existait plus, mais tout de même, son ombre écrasante était sur nous. Il y avait Valéry et beaucoup d'autres, mais aucun n'était, me semble-t-il, un maître à penser. Parmi les philosophes, il y avait Brunschvicg. C'était, historiquement, un néo-kantien entre beaucoup d'autres. Il nous impressionnait, dans une certaine mesure, parce qu'il avait étudié le développement de la pensée mathématique, le développement de la physique. Il manifestait une espèce d'ascétisme dans la pensée. Pour lui la pensée philosophique devait être une réflexion sur la science et devait atteindre à la rigueur, précisément en prenant pour modèle la pensée scientifique. Il cultivait en permanence les grands philosophes, et il nous aidait à entrer dans le temple des grands philosophes, temple dont il s'excluait lui-même, disait-il.

J.-L. M. — *Et les penseurs politiques dans la France de l'entre-deux-guerres ?*

R. A. — Deux hommes ont suscité des passions, des fidélités, l'un est Maurras, l'autre est Alain. Maurras a représenté une théorie positiviste de la monarchie, avec une idéologie de l'ordre français. Je le lisais peu ; il m'ennuyait. Je trouvais qu'il était hexagonal à un degré exagéré. Même à l'époque où je ne connaissais pas encore le grand monde, je trouvais sa philosophie politique, strictement française, provençale... Bon ! Je l'ai lu un peu, mais avec une indifférence totale. L'autre, qui suscitait lui aussi des dévouements, des admirations, c'était Alain. Il se définissait par le citoyen contre les pouvoirs et par le pacifisme. Mais définir le citoyen par l'hostilité à l'égard du pouvoir, c'est très bien à condition que le pouvoir existe. Lorsque le pouvoir est faible, être contre lui cela ne va pas très loin. Alain le savait. Et lorsque je lui ai dit vers 1934-1935, ou un peu plus tard, que je voulais me consacrer à la philosophie politique, et que j'ai évoqué ses idées, il m'a dit — et cela est authentique : « Ne prenez pas au sérieux mes idées politiques ; je me suis contenté de dire ce que je pensais d'un certain nombre de gens que je détestais. » En d'autres termes, il était très conscient des limites de sa pensée politique. Il disait lui-même qu'il laissait de côté l'histoire, laquelle, pour la politique, est essentielle.

D. W. — *Et la France, était-elle ouverte sur le monde à cette époque ?*

R. A. — Faiblement, me semble-t-il. Les hommes politiques qui gouvernèrent la France connaissaient très peu les Etats-Unis, n'avaient pas une représentation de ce qu'était la puissance économique américaine. Ils comprenaient mal l'Union soviétique. Je me souviens du journaliste Pertinax, réputé à l'époque, qui, après la guerre, disait à peu près : « J'ai bien connu et compris la politique internationale de l'Europe, mais quand on va au-delà de l'Allemagne, on arrive à l'Union soviétique, alors, c'est indéfini, et vers l'ouest, ce sont les Etats-Unis, et alors là, c'est un autre monde. » Eh bien je dirais que cet article de Pertinax est un peu la vérité caricaturale des Français d'entre les deux guerres.

D. W. — *Du point de vue intellectuel, que vous a apporté le voyage en Allemagne ? Qu'avez-vous découvert là-bas, indépendamment des événements ?*

R. A. — J'étais sur le point de dire : « tout », ce qui est exagéré. Mais au moins tout ce que je n'avais pas trouvé en

37

France, principalement la philosophie de l'histoire et la pensée politique. L'Allemagne me donnait aussi la phénoménologie, c'est-à-dire une certaine manière d'approcher les sciences humaines. Après coup, j'ai redécouvert une partie de cela en France, mais tout de même, je dois beaucoup à la culture allemande et quand — il y a quelques années — j'ai écrit ce gros livre sur Clausewitz, j'ai été, de nouveau, saisi par l'espèce d'enthousiasme que j'avais connu dans ma jeunesse, en sortant de la France et en découvrant une autre culture, avec une langue philosophique. Lorsque je suis arrivé en Allemagne, j'ai d'abord été ébloui. Vous savez, la langue allemande est d'une souplesse exceptionnelle pour la philosophie, aussi avons-nous toujours tendance à croire les philosophes allemands plus profonds qu'ils ne le sont. Il y a deux langues pour la philosophie, l'allemand et le grec. Alors quand on commence à s'immerger dans la langue allemande, on se sent enrichi, avec le risque d'être noyé. Au début, j'ai pris tous les philosophes allemands pour grands. Cela n'a pas duré, mais j'en ai trouvé qui m'ont beaucoup appris. D'abord j'ai lu la phénoménologie de Husserl que l'on connaissait à peine. J'ai lu le premier Heidegger, et puis j'ai lu les philosophes de l'histoire, en particulier Max Weber.

C'est chez Max Weber que j'ai trouvé ce que je cherchais ; un homme qui avait à la fois l'expérience de l'histoire, la compréhension de la politique, la volonté de la vérité, et, au point d'arrivée, la décision et l'action. Or, la volonté de voir, de saisir la vérité, la réalité, d'un côté, et de l'autre côté agir : ce sont, me semble-t-il, les deux impératifs auxquels j'ai essayé d'obéir toute ma vie. Cette dualité des impératifs, je l'ai trouvée chez Max Weber. J'ai écrit dans mon petit livre sur la sociologie allemande un très long chapitre sur Max Weber, qui tient à peu près la moitié du livre. En France, les durkheimiens ne le connaissaient guère. Je crois avoir été le premier à présenter un portrait de Max Weber qui, aujourd'hui, est reconnu dans le monde entier comme un des très grands sociologues, comme il y en a au maximum une demi-douzaine dans l'histoire.

D. W. — *Quels étaient les intellectuels que vous fréquentiez à Berlin ? Les philosophes de l'Ecole de Francfort ?*

R. A. — Marcuse n'était pas à Berlin. Quant aux philosophes de l'Ecole de Francfort, je ne les ai connus qu'après 33, c'est-à-dire après leur exil vers la France et les Etats-Unis. En revanche, j'ai connu, en Allemagne, Karl Mannheim qui était professeur à Francfort mais qui n'appartenait pas au groupe de l'Ecole de Francfort. On l'a rattaché à l'Ecole du Marxisme hongrois. Il était hongrois comme Lukacs, mais il n'était pas réellement marxiste. Pourtant, il empruntait quelque chose au marxisme dans ce qu'il a appelé « la sociologie de la connaissance », c'est-à-dire la détermination partielle, au moins, de la manière de penser des hommes par les conditions sociales dans lesquelles ils vivent. A une certaine époque, j'ai été très marqué par Mannheim. Je l'ai rencontré à Francfort ; j'avais écrit un article sur lui, que je lui avais envoyé et qu'il a perdu, heureusement, parce que certainement il était très mauvais Pendant six mois, un an, j'ai été mannheimien. Quand j'ai écrit une longue étude sur Léon Brunschvicg, pour me débarrasser de son influence, il y avait même des passages où j'interprétais certains aspects de sa pensée par le fait qu'il était bourgeois, juif, et toute la suite ! Il n'a pas aimé cela du tout, pas du tout. Ce n'était pas dit d'une manière agressive, mais les philosophes français de la Sorbonne n'imaginaient pas qu'on pût les « sociologiser ». Je ne dis pas qu'on aurait eu raison de le faire, mais enfin, c'était au moins pensable.

J.-L. M. — *Et la psychanalyse ?*

R. A. — La psychanalyse faisait partie de la formation normale des philosophes de l'époque. J'ai lu Freud, un peu de Freud, comme tout le monde. Mais le freudisme n'était pas encore accepté par l'ensemble des sorbonnards. Bouglé, mon patron à l'Ecole normale, éclatait lorsqu'on parlait de psychanalyse. « C'est de la cochonnerie », disait-il. Les Français ont été parmi les derniers à accepter la psychanalyse. Encore aujourd'hui, ils l'acceptent avec réticence. Mais il y a eu, depuis la guerre, le phénomène Lacan. J'ai bien connu Lacan. Bon ! C'est un phénomène. C'était au séminaire de Kojève entre 1936 et 1938. C'est là qu'il a appris un peu de sa philosophie.

D. W. — *Qui venait encore à ce séminaire ?*

R. A. — Il y avait Queneau. C'est lui qui a publié le dernier cours de Kojève, qui est devenu *l'Introduction à la lecture de Hegel.* Il y avait Koyré, Marjolin. Il y avait Merleau-Ponty très souvent. Des gens très distingués qui se sont fait connaître ensuite.

Pour en revenir à la psychanalyse, le freudisme a été un de mes thèmes de discussions les plus permanents et les plus passionnés avec Jean-Paul Sartre. Il avait décrété une fois pour toutes que le freudisme était inacceptable parce qu'il utilisait la notion d'inconscient. Or Sartre refusait toute distinction entre le psychisme et le conscient et, par conséquent, pour lui, il ne pouvait pas y avoir de psychisme inconscient. Nous avons eu je ne sais pas combien de discussions là-dessus. D'ordinaire, ma conclusion, toujours la même, était : « Mon petit camarade, tu peux refuser l'inconscient, si tu veux, mais il faut que tu retiennes l'essentiel du contenu de la psychanalyse. » Et Sartre a trouvé le truc pour se tirer d'affaire.

D. W. — *Comment ça ?*

R. A. — Il a trouvé le truc : la mauvaise foi qui lui donne la possibilité de faire l'économie de l'inconscient tout en conservant l'essentiel de la psychanalyse, c'est-à-dire qui lui permet de traduire en conscient tout ce qui est inconscient dans le freudisme. C'est un très beau thème de la psychanalyse existentielle qu'il développe dans *l'Être et le Néant,* un des passages les plus beaux. Je ne dis pas du tout que c'est à cause de nos discussions, mais à partir d'un certain moment, lui, qui refusait de manière obstinée la psychanalyse, l'a réintroduite dans sa philosophie avec l'aide de la mauvaise foi.

J.-L. M. — *Et chez vous, quel rôle joue la psychanalyse ?*

R. A. — Je suis tenté de vous répondre : « Et pour vous ? » Pour chacun de nous, la psychanalyse est une interrogation, une mise en question, un examen de conscience nécessaire. Mais pour vivre, il faut le plus possible l'oublier. Il ne faut pas, chaque fois que l'on oublie quelque chose, se dire comme Koestler le fait, qu'on a voulu l'oublier. De temps en temps seulement il faut se le dire. Mais enfin je ne suis pas psychanalyste et je n'ai rien à dire d'intéressant là-dessus, sinon que cela fait partie de mon auto-interrogation, de ma vie intime.

J.-L. M. — *Je voulais parler de l'analyse des faits politiques et sociaux. Vous n'avez pas tenté d'utiliser — comme certains autres — la psychanalyse ?*

R. A. — Oui, bien sûr. L'intériorisation des valeurs et des impératifs d'une société dans l'inconscient s'explique, s'interprète en psychanalyse. Il y a de la psychanalyse dans Talcott Parsons. D'une manière ou d'une autre, on l'utilise. Cela dit, je ne suis pas très excité, par exemple, par l'interprétation de l'antisémitisme allemand par la psychanalyse. Au bout du compte, je n'ai pas utilisé beaucoup la psychanalyse ; j'aurais dû le faire davantage ; j'en connais l'existence, mais, vous savez, toujours, j'ai tendance à rationaliser à la fois mes arguments et les manières de penser des autres. J'ai le sentiment que ce n'est pas de jeu que de démolir la façon de penser des autres, soit en les sociologisant, soit en les psychanalysant. Mannheim, dont je vous ai parlé, sociologise toutes les manières de penser. C'est-à-dire qu'il les explique par leur place dans la société, par l'influence du milieu social. Parmi les jeunes, enfin, les jeunes par rapport à moi, Bourdieu par exemple, a tendance à sociologiser tout. Il fait une critique de la théorie esthétique de Kant à partir de la sociologie. Il a écrit un article sur Heidegger, où il le « sociologise » ; je veux dire où il veut mettre à jour le sens social de sa philosophie.

D. W. — *Vous dites : je préfère ne pas trop sociologiser quelqu'un ou trop le psychanalyser pour expliquer sa pensée.*

R. A. — Oui je préfère, quant à moi, la discussion sur le plan intellectuel. Prenons Sartre. Je n'ai jamais cherché les motivations profondes de telle ou telle de ses affirmations, ou seulement les motivations tellement visibles, tellement proches de la surface, qu'on ne peut pas dire qu'en tenir compte soit une manière de psychanalyser.

41

D. W. — *Revenons à l'Allemagne. Qu'est-ce qui a été le plus important pour vous, là-bas ? La formation intellectuelle ? La prise de conscience du judaïsme ? Ou les événements politiques ?*

R. A. — Oh, les trois ! Les trois. En ce qui concerne le contact avec l'Allemagne antisémitique, une prise de conscience et une décision. Prise de conscience d'accepter mon destin de juif, avec l'affirmation toujours multipliée : ce n'est ni un titre de fierté ni un motif de honte ; je suis juif comme un autre ne l'est pas. A partir du moment où il y a le risque d'être persécuté en tant que Juif, ou insulté en tant que Juif, il faut toujours dire qu'on est juif, autant que possible sans agressivité, sans ostentation, surtout puisque je ne suis pas religieux. Deuxièmement, mon contact avec la politique, c'est-à-dire l'arrivée au pouvoir de Hitler. C'était un homme que je regardais déjà comme un barbare, qui arrivait au pouvoir, soutenu par les masses. Cet événement ne pouvait pas ne pas me faire voir l'irrationalité fondamentale des mouvements de foule, l'irrationalité de la politique, et la nécessité, pour faire de la politique, de jouer des passions irrationnelles des hommes. Pour penser la politique, il faut être le plus rationnel possible, mais pour en faire il faut inévitablement utiliser les passions des autres hommes. L'activité politique est donc impure et c'est pourquoi je préfère la penser. Et puis, la troisième découverte, c'est la pensée allemande et, j'insiste un peu sur ce point, l'apprentissage de la langue allemande. Or, j'ai toujours eu le sentiment que la capacité de parler librement, dans deux langues différentes, vous assure une espèce de liberté par rapport à soi-même, qu'aucun autre moyen ne donne. Quand je parle anglais ou allemand, je pense un peu autrement qu'en français. De ce fait, je ne suis pas prisonnier de mes mots. Une des qualités que je m'attribue, disons avec vanité, c'est la capacité de comprendre les autres, et cette capacité de comprendre les façons de penser des autres, je la dois en partie au détachement possible de ma pensée, de mes mots, à la capacité de changer de mots. En passant du vocabulaire français au vocabulaire allemand ou anglais, je suis un peu plus libre que beaucoup d'autres qui sont véritablement prisonniers de leur système de pensée en même temps que de leurs mots.

Mais il y a un négatif. Les véritables créateurs sont largement prisonniers de leur système de pensée, mais pour le penseur critique, la capacité de se détacher de soi-même, c'est plutôt un avantage.

b) Le Front populaire : la gauche aime célébrer ses défaites

D. W. — *Vous avez quitté l'Allemagne en 1933. A votre retour en France, sur quel point étiez-vous le plus changé ?*

R. A. — J'ai pris conscience du monde. Autrement dit, j'ai fait mon éducation politique. Et pas mon éducation sentimentale. Au printemps 1930, arrivant en Allemagne, je suis un enfant de chœur. En 1933, je reviens en France en adulte. J'ai eu conscience de ce qu'est la politique dans ce qu'elle peut avoir d'horrible. Mais ce n'est pas l'Allemagne en tant que telle qui m'a changé. C'est Hitler dans une Allemagne devenue hitlérienne. Voilà. Ce n'est pas grand-chose. J'aurais pu apprendre tout cela en lisant les livres, mais je l'ai appris dans la réalité.

D. W. — *Vous croyez réellement qu'en lisant les livres ?...*

R. A. — Oui, Aristote et Machiavel. Il suffisait probablement de bien les comprendre ! Finalement j'avais renoncé à me demander quelle idéologie était la plus convenable, je me demandais à chaque instant : qu'est-ce qu'il faut faire ?

J.-L. M. — *Alors entre 1934 et 1938, en France, qu'est-ce que vous avez fait ?*

R. A. — Eh bien, je fais comme un bon garçon. Marié, responsable d'une petite fille, je fais ma thèse de doctorat. Tout d'abord, pendant un an, j'ai été professeur au lycée du Havre, pour remplacer Sartre qui était à la Maison académique de Berlin. Et puis, il était temps d'écrire. Je n'avais rien écrit encore, mais rien, sinon des articles sur l'Allemagne qui n'étaient pas bons. J'avais beaucoup lu, beaucoup réfléchi, et j'étais torturé par l'idée de l'incapacité d'écrire. Vous me direz que depuis, cela m'est bien passé ! Bon ! A l'époque, c'était le cas.

D. W. — *N'empêche qu'entre 34 et 38, vous avez écrit deux livres et votre thèse, non ?*

R. A. — Trois. Trois dont la thèse. J'ai écrit *la Sociologie allemande contemporaine*, qui a paru en 35. J'ai terminé en 35 l'*Essai sur la théorie de l'histoire dans l'Allemagne contemporaine*, et en 37 l'*Introduction à la philosophie de l'histoire*, qui a été ma thèse. Je l'ai soutenue au mois de mars 1938, trois jours environ après l'entrée des troupes allemandes à Vienne.

D. W. — *Vous avez écrit ces trois livres, mais vous n'aviez pas d'action publique. Pourquoi ? A votre retour d'Allemagne, pourquoi n'avez-vous pas alerté l'opinion publique ?*

R. A. — Oui, oui, d'autres encore, un jour ou l'autre, m'ont reproché aussi de ne pas avoir alerté l'opinion. Même aujourd'hui, au bout d'un demi-siècle, et avec sensiblement plus de notoriété, je n'ai pas une grande capacité d'alerter l'opinion française. En 1934 ou 1935, personne ne me connaissait, sauf trois douzaines de philosophes, ou quatre dizaines d'étudiants. Et puis, où écrire ? Et écrire quoi ? La politique entre 34 et 39, c'était essentiellement l'Allemagne. Bien. En 36, au moment de l'entrée des troupes allemandes en Rhénanie, je pensais — c'était évident — qu'il fallait répliquer d'une manière militaire, et que s'il n'y avait pas de réplique militaire, tout le système des alliances françaises était perdu. Bien. La décision devait être prise en 48 heures. Au bout de 48 heures, la décision a été prise, et elle était mauvaise. Que vouliez-vous que j'y fasse ?

D. W. — *Mais vous pouviez la commenter !*

R. A. — J'ai essayé. Tenez ! J'ai rencontré, boulevard Saint-Germain, Léon Brunschvicg. Il m'a dit : « Les Anglais essaient de nous calmer, heureusement. » Je lui ai répondu : « Mais vous vous trompez complètement », et je lui ai fait le même topo que je viens de vous faire. Alors il m'a dit : « Probablement vous avez raison. Heureusement je n'ai pas de responsabilité dans la politique. »

Quant à moi, je n'avais aucun moyen d'action politique. En outre, je ne pouvais pas démontrer ce que j'affirmais. Je pensais en même temps que Hitler ferait la guerre, mais qu'il dépendait des Français et des Anglais de l'empêcher de la faire ; la preuve, c'est qu'en 36 on pouvait encore arrêter Hitler. Mais, constatant ce qu'était la France, j'étais convaincu que la France et la Grande-Bretagne ne feraient pas ce qui était nécessaire pour éviter la guerre. Encore en 38 il était impossible de démontrer que Hitler ferait la guerre. Car au fond, en 38, on allait lui donner la domination de l'ensemble de l'Europe centrale, ce qui aurait pleinement satisfait les ambitions de l'Allemagne wilhelmienne. Il n'était donc pas facile de démontrer qu'il voudrait davantage. La conviction s'établissait à partir de la psychologie de Hitler, mais il fallait sentir Hitler ; il fallait sentir ce qu'était le national-socialisme. Ce n'était pas un objet de démonstration.

D. W. — *Mais il y a d'autres événements. Et le 6 février 34 ?*

R. A. — J'étais professeur au Havre.

D. W. — *Je sais, mais enfin vous en aviez tout de même entendu parler ! Et les lois de Nuremberg en septembre 35 qui étaient les premières lois officiellement anti-juives ?...*

R. A. — Oui.

D. W. — *Et le Front populaire, en France ? Et la guerre d'Espagne ?*

R. A. — Oui, oui.

D. W. — *Et la crise économique ?*

R. A. — Bon.

J.-L. M. — *Les intellectuels agissaient politiquement. Prenez le Comité des intellectuels anti-fascistes, par exemple. Pourquoi pas vous ?*

R. A. — Bon, bon, bon ! Je vois l'acte d'accusation : Raymond Aron, l'inactif, l'observateur glacé. Eh bien non, non, non ! Je reprends. 6 février : j'en ai discuté avec mes élèves au lycée du Havre. Je n'étais pas enthousiaste de tout cela. Je trouvais même cela parfaitement idiot. Déjà en 34, je considérais qu'il n'y avait qu'une seule question, c'était l'Allemagne. Tout ce qui divisait, tout ce qui affaiblissait le peuple français était dangereux face à l'Allemagne.

A partir du 6 février 1934, il y a eu un mouvement anti-fasciste. Bien ! Comme d'habitude, je n'étais pas d'accord. Je suis donc resté solitaire.

D. W. — *Pourquoi ?*

R. A. — J'étais bien évidemment contre le fascisme, mais à l'époque, à mon sens, il n'y avait pas de mouvement fasciste en France. D'autre part, comme l'impératif premier était de maintenir l'unité de la France face à l'Allemagne, je jugeais que tous les mouvements de passion partisane affaiblissaient le pays, et, par conséquent, accroissaient le danger face à l'Allemagne. Par-dessus le marché, le groupe des intellectuels anti-fascistes était composé simultanément de disciples d'Alain et de communistes. Les uns étaient pacifistes presque à tout prix, les autres étaient pour l'alliance avec l'Union soviétique à tout prix. Ils étaient donc en contradiction sur l'essentiel. Or, dès l'époque, j'avais un certain goût de la clarté et de la vérité. Je constatais que ce groupe des anti-fascistes était divisé à l'intérieur d'eux-mêmes, que le travail qu'ils faisaient n'était pas efficace...

D. W. — *Mais ne pouviez-vous agir à l'intérieur du Comité ? Que faisait Malraux à l'époque ?*

R. A. — Malraux, à l'époque, était para-soviétique. C'était mon ami, mais je n'étais pas para-soviétique.

D. W. — *Et Nizan ?*

R. A. — Nizan était intégralement communiste. Quand il écrivait dans *Ce soir,* le journal communiste, il développait les thèses et les analyses du parti communiste. C'étaient mes amis, mais à l'époque, on pouvait encore être amis sans être d'accord sur tout. Il faut dire pourtant que si j'ai été très lié avec Nizan à l'Ecole, quand il est devenu communiste, de manière active, je l'ai très rarement vu. Entre 34 et 39, une demi-douzaine de fois. Nous avions en commun d'être anti-fascistes, mais de manière très, très différente. D'autre part, ce même Nizan, qui avait écrit son livre épouvantable contre les professeurs de la Sorbonne, a écrit en 1937 ou 38 une lettre ou un livre avec une dédicace aimable ou respectueuse à Brunschvicg. Brunschvicg m'en avait parlé.

D. W. — *A l'époque, vous vous situiez à gauche ?*

R. A. — Oui. J'étais socialiste, vaguement, mais de moins en moins au fur et à mesure que j'étudiais l'économie politique. J'ai été socialiste aussi longtemps que je n'ai pas fait d'économie politique.

J.-L. M. — *Vous aviez alors 31 ans. Nous arrivons au Front populaire. Vous n'avez pas été emporté par l'enthousiasme. Pourquoi ?*

R. A. — Oh ! c'est très simple. Tous mes amis étaient plus ou moins pour le Front populaire. J'ai naturellement, moi aussi, voté pour le Front populaire. Il y avait pourtant une objection décisive : le programme économique du Front populaire était parfaitement absurde. Il était absurde dès le point de départ et il n'avait aucune chance de réussir. J'étais très ami, à l'époque, de Robert Marjolin avec lequel je suis resté lié. Il était socialiste, membre du parti socialiste, mais il n'a cessé d'envoyer des notes au gouvernement du Front populaire pour expliquer pourquoi ce programme était impossible. Par exemple, la loi des quarante heures. Elle aurait été acceptable si elle avait été une limite pour le calcul des heures supplémentaires. A partir du moment où elle imposait la limitation à quarante heures par semaine de la durée du travail, cela devenait absurde. La durée moyenne du travail à l'époque était entre quarante-cinq et quarante-six heures. La réduction à quarante heures ne pouvait que réduire les ressources disponibles et par suite le niveau de vie.

Lorsque le président du tribunal de Riom l'a dit à Léon Blum, celui-ci a déclaré : « C'est la première fois que je l'apprends. » En d'autres termes, l'ignorance économique des gouvernements, à l'époque, était inconcevable, totalement inconcevable aujourd'hui. Un certain nombre de gens, un petit groupe — il y avait Sauvy, il y avait Marjolin — nous étions tous de cœur avec le Front populaire mais nous étions consternés par les mesures économiques décidées dont les conséquences étaient prévisibles. Par-dessus le marché, le gouvernement du Front populaire refusait la dévaluation du franc, alors que cette dévaluation était évidemment nécessaire.

J.-L. M. — *Pourquoi cet aveuglement ?*

R. A. — L'ignorance. L'ignorance. Il ne faut pas sous-estimer l'ignorance et toujours penser à des intentions malignes. Non, simplement c'était l'ignorance. L'ignorance économique des hommes qui gouvernaient la France, à l'époque, était extraordinaire. Léon Blum inclus, bien que Léon Blum fût à sa manière un grand homme.

J.-L. M. — *Vous pensez qu'il aurait pu y avoir une politique sociale du Front populaire équivalente avec des mesures économiques plus positives ?*

R. A. — A coup sûr ! J'ai écrit — cela a été mon premier article politique —, j'ai écrit une réflexion sur l'expérience économique du Front populaire. Pour ne pas faciliter la propagande de droite, j'ai publié cet article dans la *Revue de métaphysique et de morale* pour limiter au minimum, si je puis dire, le nombre des lecteurs. Depuis lors, j'ai perdu ces scrupules d'universitaire, vous le savez. Cet article a fait une certaine impression, parce que j'expliquais pourquoi l'expérience avait échoué. D'ailleurs, aujourd'hui, à un certain nombre de détails près, tout le monde est d'accord là-dessus !

D. W. — *Vous n'auriez pas pu faire comme Marjolin, essayer d'agir de l'intérieur ?*

R. A. — Et obtenir les mêmes résultats que lui !

D. W. — *Ah ! non, attendez ! Il n'y a que l'Histoire qui a pu le dire. Puisque vous étiez sensible au Front populaire, mais que vous n'aimiez pas l'irréalisme du programme économique, pourquoi est-ce*

que vous n'avez pas essayé, comme d'autres intellectuels, de vous
engager dans le Front populaire et de faire entendre raison de
l'intérieur ?

R. A. — Bon. A l'époque, pour vous dire la vérité, je n'étais
pas un homme politique ; je n'étais pas un chroniqueur politique ou un éditorialiste. Ce qui m'intéressait le plus c'étaient
mes livres. Cela paraîtra un peu ridicule, mais j'étais pressé
d'aller jusqu'au bout, de les finir avant la guerre. Je vous l'ai
dit : je prévoyais la guerre. On ne pouvait pas savoir qui
survivrait ou qui ne survivrait pas. En tout état de cause je me
disais : si je n'ai pas terminé ma thèse avant la guerre, je suis sûr
que je ne pourrai pas la terminer.

D. W. — *Pourquoi ?*

R. A. — Parce que je ne pourrai pas reprendre le travail...
Finalement, entre 34 et 38, j'estime que je n'avais aucun moyen
d'exercer une influence quelconque sur qui que ce soit. Je crois
que j'ai écrit une lettre à Léon Blum, qui naturellement ne m'a
pas répondu. Il ne savait pas qui était Raymond Aron, pourquoi
aurait-il répondu ? Par-dessus le marché — je vous l'ai dit —,
j'étais juif, j'étais suspect... Pour en revenir au programme du
Front populaire, il a été rédigé comme cela, de manière
irresponsable, par un groupe quelconque, et le gouvernement
du Front populaire s'est tenu obligé de respecter les engagements qu'il avait pris. On sait pourtant aujourd'hui, qu'au
moment où il a pris la décision d'appliquer la loi de quarante
heures (qui avait été prévue par le P.C. mais pas par le
programme du Front populaire) de la manière la plus rigoureuse, il y a eu tout de même, dans le gouvernement, des
hésitations. Quelques-uns ont dit : « Peut-être on va trop loin. »
Mais finalement ils y sont allés. Alors, bon, une fois de plus,
comme d'habitude dans ma vie, j'étais dans un petit groupe,
solitaire, entre les blocs, c'est-à-dire entre le bloc de ceux qui
étaient déchaînés contre le Front populaire, et ceux qui
croyaient que c'était une aube nouvelle de la société...

D. W. — *Le rôle des intellectuels dans le Front populaire a-t-il*
été important ?

R. A. — Ah, certainement. Il est considérable, mais je n'aime pas rétrospectivement accuser les uns ou les autres. Le Front populaire a été partiellement une réplique politique aux événements de février — février 34. Daladier avait été, dans une large mesure, déconsidéré par son rôle dans les événements de 34 et pour revenir au pouvoir, il a entraîné le parti radical dans le Front populaire, c'est-à-dire l'alliance du parti communiste, du parti socialiste et du parti radical. Les intellectuels anti-fascistes ont encouragé le mouvement du Front populaire et ils ont contribué à la rédaction du programme du Front populaire. Alors qui a rédigé ce programme ? Pourquoi les hommes au pouvoir l'ont-ils accepté tel quel ? Encore une fois la raison essentielle est l'ignorance. Songez que les dirigeants de l'industrie française, les grands patrons, ont été tous contre la dévaluation du franc entre 34 et 36, alors que cette dévaluation aurait été dans l'intérêt de ces patrons eux-mêmes ! C'est ainsi que j'ai eu tendance souvent à penser que l'ignorance et la bêtise sont des facteurs considérables de l'Histoire. Et souvent je dis que le dernier livre que je voudrais écrire vers la fin porterait sur le rôle de la bêtise dans l'Histoire.

J.-L. M. — *Un gros livre sûrement… Vous parlez de l'ignorance économique du Front populaire. Mais votre compétence à vous, en matière d'économie, d'où venait-elle ?*

R. A. — Elle était très limitée. Je n'avais jamais étudié l'économie politique à l'Université mais j'avais lu des livres. Vous savez, ce n'est pas si difficile à apprendre tout seul. J'ai fait ensuite un cours d'économie politique à l'Ecole normale supérieure, avec Marjolin, en 36 ou 37. Nous avions beaucoup de normaliens au début, beaucoup moins à la fin. Cela leur paraissait en dehors de leur univers. Aujourd'hui, ce serait tout à fait différent. Je me souviens d'avoir fait, à l'Ecole normale, vers cette époque, une conférence sur la crise mondiale, où j'ai employé des mots comme liquidités internationales, capitaux flottants, prix mondiaux, et quelques autres du même genre. Ils ne savaient pas quel était le sens des mots. Ils avaient raison mais pour parler d'économie, ces mots étaient utiles.

D. W. — *Vous n'avez jamais été très séduit par le marxisme, en tout cas pas à cette époque...*

R. A. — C'est beaucoup plus compliqué. En réalité, j'ai été très séduit. Quand j'ai choisi mon itinéraire intellectuel, quand j'ai décidé d'être à la fois un spectateur et un acteur de l'histoire, j'ai commencé par étudier Marx et en particulier *le Capital*. Je souhaitais trouver une philosophie vraie de l'histoire qui aurait l'avantage incomparable de nous enseigner à la fois ce qui est et ce qui doit être. Or le marxisme, tel qu'il est vulgairement compris, est une interprétation globale de l'histoire, avec une conclusion : il faut être avec le prolétariat ; il faut aboutir au socialisme qui est la fin de la préhistoire. Mais après avoir étudié le marxisme, presque une année entière, j'ai conclu avec regret que, sous cette forme, il n'était pas exact. On ne pouvait pas, de l'analyse de l'histoire, déduire la politique à suivre et prévoir l'aboutissement d'une société d'où les contradictions entre les hommes seraient éliminées. C'est en ce sens que j'ai défini mes idées, pour commencer, par rapport au marxisme. Encore aujourd'hui, je conserve de l'intérêt pour le marxisme de Marx, pas pour celui de Brejnev qui est très ennuyeux. Mais le marxisme de Marx est très, très intéressant.

J.-L. M. — *Et le communisme, c'est-à-dire la révolution bolchevique et l'expérience soviétique ? Quelles ont été vos réactions ? Est-ce que vous avez subi cette attraction ? Vous n'avez pas fait le voyage de Moscou.*

R. A. — Je l'ai fait, mais très tardivement, à une époque où mes opinions étaient tout à fait fixées. Pourquoi ? C'est que les années 20 étaient vraiment très différentes de vos années de jeunesse. Aller à Moscou quand on n'était pas communiste, ce n'était pas tellement facile. Puis, si on y allait à la manière de Duhamel ou de Fabre-Luce, on allait d'un hôtel à un autre hôtel. On n'apprenait pas grand-chose sur la réalité de l'Union soviétique. J'étais à la fois ignorant de cette réalité, assez neutre, intéressé pourtant, mais pas attiré parce que je n'aime pas la violence et parce que, déjà à cette époque, j'étais, par tempérament, libéral. Je ne croyais pas au messianisme ou au millénarisme. Donc, pendant les années 20, le bolchevisme n'a pas été pour moi un objet privilégié de spéculations. Mais, dans les années 30, nous avons été de plus en plus obsédés par le totalitarisme. Et le totalitarisme, c'était Hitler mais aussi Staline.

D. W. — *Mais tout de même plus Hitler que Staline ?*

R. A. — Oui. Malraux, comme les autres, moi comme les autres, nous avons été avant tout anti-hitlériens. J'ai été anti-fasciste, avec simplement des réserves sur la manière d'utiliser le terme anti-fascisme où on mettait dans le fascisme tout ce qu'on n'aimait pas. Mais enfin, quand je m'interroge sur moi-même, je constate que dans ces années 30 Hitler représentait à mes yeux une telle menace pour la France que je me refusais à voir une partie de la réalité soviétique.

D. W. — *Vous ne mettiez pas sur le même plan Hitler et Staline à l'époque ?*

R A. — Je fis toujours des réserves sur la comparaison, tout en reconnaissant la similitude de certains phénomènes. Le national-socialisme n'a gouverné le pays en temps de paix que six années ; il n'est devenu vraiment totalitaire que pendant la guerre et il apparaît aujourd'hui l'aventure d'un homme génial et pathologique. Le communisme dure, grand mouvement historique qui a depuis dépassé les frontières de l'Union soviétique. Cela dit, nous savons aujourd'hui que Staline a fait périr un plus grand nombre encore d'innocents que Hitler.

D. W. — *Il y avait des gens qui pendant ces années dénonçaient les camps soviétiques ?*

R. A. — Oui, bien entendu : Souvarine par exemple. Il y avait le livre de Souvarine sur Staline, que j'ai lu à l'époque. Il a été publié, je crois, en 1937, avec beaucoup de peine. Gallimard l'a refusé. Il a été republié il y a deux ou trois ans. Il faut le lire. C'est encore un livre éblouissant de lucidité. Souvarine avait été communiste, et pendant quelques années il avait été le représentant de l'Internationale à Paris. Il était trotskiste, puis il avait rompu avec Trotski. Il avait été un des premiers Français à connaître telle qu'elle était l'organisation du régime soviétique. Mais je n'ai été vraiment — si je puis dire — libéré dans mon regard et mon jugement sur l'Union soviétique que par le pacte Hitler-Staline. Tant que nous espérions l'alliance avec l'Union soviétique pour gagner la guerre contre Hitler, nous étions à demi paralysés. Nous n'aurions pas dû l'être. Peut-être nous devions l'être ! C'est difficile à dire encore aujourd'hui. Par exemple mon ami Manès Sperber qui pensait le pire sur l'Union soviétique, pensait qu'il ne fallait pas tout dire parce que le danger numéro un, le plus immédiat, était celui de Hitler. Aujourd'hui j'ai des doutes sur l'attitude que nous avions adoptée, mais enfin c'était comme cela. La vérité, c'est qu'il est difficile d'admettre qu'on a à faire face à la fois et simultanément à deux menaces sataniques et qu'il est nécessaire d'être allié avec l'une des deux. Ce n'était pas plaisant, mais c'était la situation historique que nous avions beaucoup de peine à accepter.

J.-L. M. — *Vous aviez tendance à penser que Souvarine devait exagérer ?*

R. A. — Non, pas nécessairement. La vérité, c'est que j'y pensais le moins souvent possible. J'étais probablement, comme tous les autres, un peu lâche vis-à-vis d'une réalité que je pressentais. Il y avait toujours derrière : nous avons besoin de l'alliance soviétique.

D. W. — *Et puis il y avait l'idée que l'Union soviétique incarnait quand même le combat de la gauche, le prolétariat, le sens de l'histoire.*

R. A. — Oui ! En outre les gens qui étaient pour l'Union soviétique nous étaient beaucoup plus sympathiques que les autres. Les pro-hitlériens, nous les détestions, tandis que les pro-staliniens étaient souvent proches de nous en profondeur. De telle sorte que la parenté affective et intellectuelle du bloc anti-fasciste, encore aujourd'hui, est compréhensible. Politiquement, c'était une absurdité. Mais enfin il a fallu la guerre, l'après-guerre, pour que ces alliances tordues se dissolvent de manière définitive.

J.-L. M. — *Avez-vous été surpris par le pacte germano-soviétique en août 39 ?*

R. A. — Ma femme m'a rappelé récemment qu'en apprenant la nouvelle j'ai dit : « Ce n'est pas possible » pendant cinq minutes. Et puis j'ai réfléchi et j'ai trouvé qu'en somme c'était rationnel. J'ai retrouvé deux témoignages. Dans une communication à la Société française de philosophie, en juin 1939, j'ai dit qu'Hitler pourrait éventuellement, s'il en avait besoin, faire l'alliance avec Staline. J'ai eu tort d'ajouter : « Pour l'instant cela me paraît improbable. » D'autre part un de mes amis, Jean Duval, m'a raconté que je lui avais parlé, une fois, de l'alliance entre Hitler et Staline comme une des éventualités possibles, même probables. La vérité est que sur le moment j'ai été suffoqué et que j'ai presque refusé de l'accepter, parce qu'il était évident que c'était la guerre. Je me souviens d'une conversation au mois de juillet, à l'Ecole normale, un mois avant l'événement, avec Marcel Mauss, un grand sociologue, et avec Marc Bloch, le grand historien de la génération précédente. Marc Bloch nous a démontré de la manière la plus convaincante, par un raisonnement très simple, que la guerre allait éclater, nécessairement pendant cet été. « Les Occidentaux, disait-il, se sont engagés à défendre la Pologne. D'un autre côté, Hitler s'est engagé à liquider le problème polonais. Les belligérants se sont avancés à un point tel qu'il est improbable qu'aucun des deux recule... Donc, disait-il, la guerre me paraît à peu près inévitable. » J'ajoute, après coup, que c'est la garantie donnée par la Grande-Bretagne et la France à la Pologne qui est dans une très large mesure responsable du pacte entre Hitler et Staline. A partir du moment où l'on garantissait aux Soviétiques que l'on ferait la guerre pour la Pologne, ils pensaient avoir la certitude de ne pas être isolés contre l'Allemagne hitlérienne. Nous n'avions plus rien à donner à l'Union soviétique. Nous autres, enfants, au moment de la garantie donnée à la Pologne, nous avons sauté en l'air. Nous avons dit : « Enfin, c'est la résistance. » Nous espérions qu'elle permettrait d'arrêter la marche à la guerre. C'était absurde. La résistance intervenait trop tard. En donnant une chance au pacte Hitler-Staline, la résistance, dans ce cas, c'était la guerre.

D. W. — *Revenons maintenant à votre œuvre. C'est un an avant ces événements, en 1938, que vous publiez votre premier grand livre,* Introduction à la philosophie de l'histoire. *Ce livre traite des rapports entre les événements, leur explication et la vérité historique. Vous refusez à la fois l'idée d'un sens de l'Histoire, avec à l'horizon une société idéale à bâtir, aussi bien que l'idée d'une histoire sans signification. Pour vous il n'y a pas une explication déterminante de l'histoire, mais un ensemble de contraintes avec lesquelles l'homme essaye de jouer. Et c'est dans cette action qu'il trouve sa liberté. Pouvez-vous évoquer les idées principales du livre ?*

R. A. — Disons qu'il y avait au moins trois idées maîtresses qui continuent à être dirigeantes pour moi-même : la première c'est la pluralité des interprétations possibles des hommes et des œuvres des hommes. Cela, c'est ce que l'on appelle le relativisme historique dans l'interprétation du passé. Puis, il y a une deuxième idée maîtresse qui se trouve dans la deuxième partie du livre, sur le déterminisme. J'essaie de démontrer par des raisons logiques qu'il ne peut pas y avoir un déterminisme global de l'histoire comparable au déterminisme marxiste. Et puis, il y a une dernière partie, celle qui est à l'origine — si je puis dire — de mon attitude dans la vie politique. Elle traite des conditions de l'action politique. Je n'y utilise pas souvent le mot « sartrien » d'engagement, mais deux mots qui sont à peu près l'équivalent. Le premier est le mot « choix », le deuxième est le mot « décision ». Ce que j'essaie d'analyser, de marquer, c'est que pour penser politiquement dans une société, il faut d'abord faire un choix fondamental. Ce choix fondamental c'est l'acceptation de la sorte de société dans laquelle nous vivons, ou bien le refus. Ou bien on est révolutionnaire, ou bien on ne l'est pas. Si on est révolutionnaire, si on refuse la société dans laquelle on vit, on choisit la violence et l'aventure. A partir de ce choix fondamental, il y a des décisions, et des décisions ponctuelles, par lesquelles l'individu se définit lui-même. Après 1945, j'ai essayé d'expliquer pourquoi je n'étais pas pour la société qui représentait l'alternative à la société existante.

D. W. — *Quelle était l'alternative ?*

R. A. — Je n'étais pas pour la sorte de société qui se trouvait dans le monde soviétique. J'étais dans notre société, qu'elle soit américaine, française, anglaise, allemande, c'est-à-dire une société, disons, démocratique-libérale. Cependant, à l'intérieur de cette société, à chaque instant, il y a des décisions par lesquelles on se définit soi-même. Par exemple, la décision pour l'indépendance algérienne ou pour l'Algérie française, ou encore la décision d'être pour ou contre tel ou tel gouvernement.

L'accent que je mettais dans cette analyse, que je résume, de l'action politique, c'est que l'action politique dans le siècle où nous vivons n'est pas une distraction ; quelque chose de secondaire. C'est autre chose que de savoir si les radicaux-socialistes ou les modérés gouverneront la France. Je disais que la décision, dans notre siècle, est une décision non pas seulement sur notre société mais sur nous-mêmes. Etre dans un pays totalitaire ou un pays libéral, choisir l'un ou l'autre, c'est quelque chose de fondamental par quoi chacun affirme ce qu'il est et ce qu'il veut être. Je me suis efforcé de montrer qu'on pouvait penser philosophiquement la politique, et que par la politique on se faisait soi-même. En ce sens, peut-être, tout ce que j'ai écrit ensuite est inspiré par cette attitude à l'égard de la politique et de l'histoire.

D. W. — *On a parfois dit qu'*Introduction à la philosophie de l'histoire *était le premier livre existentialiste en France.*

R. A. — Ah, je ne sais pas. On disait volontiers, après la guerre, que c'était la philosophie existentialiste de l'histoire. Mais je ne sais pas très bien ce qu'est l'existentialisme ! Disons que les problèmes que Sartre et moi nous sommes posés sont les mêmes, dans une large mesure. Après la guerre, quand je l'ai retrouvé, il m'a donné *l'Etre et le Néant* avec la dédicace suivante : « Pour mon petit camarade, l'introduction ontologique à la philosophie ontique de l'histoire », ou quelque chose de cet ordre, c'est-à-dire que c'était une introduction ontologique tandis que dans le vocabulaire de la phénoménologie mon analyse de l'histoire était ontique ; c'était l'essence d'un domaine particulier de la réalité humaine, c'est-à-dire le domaine historique. Nous avons discuté souvent les mêmes problèmes, et il y a un certain nombre d'exemples qui se trouvent à la fois dans l'*Introduction à la philosophie de l'histoire* et dans *l'Etre et le Néant*.

D. W. — *A l'époque, vous employiez une triple formule :* « *L'homme est dans l'histoire ; l'homme est historique ; l'homme est histoire.* » *Est-ce bien cela ?*

R. A. — Oui, mais faut-il nous lancer dans la philosophie technique ? Nous sommes, en effet, dans l'histoire, dans la Ve République, qui sort de la IVe, qui sort de la IIIe. Nous sommes français. Il y a une France depuis 1000 ans, et ainsi de suite. Quant à la deuxième formule, « l'homme est historique », c'est dire que l'homme est formé par le milieu historique dans lequel il est né. Il existe *dans* et *par* le devenir des institutions et des sociétés. Enfin, « l'homme est histoire », signifie que l'humanité tout entière est une histoire, une aventure qui commence avec un animal carnivore et qui aboutira à je ne sais pas quoi, peut-être au moment où les hommes seront devenus réellement des hommes, où ils ne seront plus surtout des animaux carnivores. Comme je ne sais pas l'aboutissement, je dis que « l'homme est une histoire inachevée ».

D. W. — *A la fin de votre thèse, vous écrivez que l'histoire est libre parce qu'elle n'est pas écrite d'avance ni déterminée comme une nature ou une fatalité, qu'elle est imprévisible comme l'homme pour lui-même. Quarante ans plus tard, après tous les événements que vous avez vécus, souscrivez-vous encore à cette philosophie de l'histoire ?*

R. A. — Oui, certainement. Mais il faut être un peu plus subtil. Il y a des grands mouvements de l'histoire qui, en gros, sont prévisibles ; il y a ce que l'on appelle « les mouvements lourds » ; on peut naturellement prévoir approximativement quelle sera la population française d'ici à vingt ans, trente ans, en laissant de côté l'accident d'une guerre. Mais il n'y a pas un déterminisme global des événements historiques. Par conséquent ce qui nous concerne le plus, la qualité des institutions, la nature de l'Etat, la qualité de l'homme, tout cela, dans une large mesure, est imprévisible. Oui, je reprendrais la formule que j'aime assez : « L'histoire est imprévisible comme l'homme pour lui-même. » Nous pouvons espérer de chaque homme le pire et le meilleur et, personnellement, j'aimerais ne jamais désespérer d'aucun homme, en tout cas ne jamais désespérer des hommes, bien que le siècle nous ait donné beaucoup de raisons de désespoir.

c) La décadence de la France

J.-L. M. — *C'est hélas le pire qui est apparu en 1938, au moment où fut publié votre livre. La guerre apparaissait inévitable, et pourtant, en France, pendant cette période le pacifisme dominait dans toutes les classes sociales. Pourquoi ?*

R. A. — Parce que les Français avaient le sentiment, juste, que la guerre, quelle qu'en fût l'issue, était pour la France une catastrophe. La France, saignée par la Première Guerre mondiale, ne pouvait pas supporter une deuxième saignée, même si, au bout, il y avait la victoire. C'est un peu comme les hommes sous le coup d'une émotion, depuis 33 jusqu'en 39, les Français ont fait tout ce qui était nécessaire pour amener la guerre, parce qu'ils en avaient la peur, et là une peur justifiée. En 36, les intellectuels ont rédigé motion sur motion. Tous ont dit : « Heureusement, on n'a pas employé la force militaire. » Tous. En 38, ils ont tous dit : « On a évité la guerre, et rien que de l'avoir évitée, c'est bien. » Il a fallu que nous fussions acculés par les événements pour qu'il y eût une espèce d'acceptation d'un malheur.

J.-L. M. — *Pourtant à l'époque un des événements marquants était la guerre d'Espagne et il y a eu des gens qui étaient favorables à une intervention en Espagne.*

R. A. — Essentiellement les communistes et un petit nombre de gens proches des communistes. L'intervention ne représentait pas, pour la France, l'équivalent d'une guerre. Le problème espagnol était différent. Il y avait une révolution qui, elle, venait de droite, une révolution fascisante, si vous voulez. Elle était soutenue par Mussolini et Hitler, par les Italiens et par les Allemands. La question qui se posait au gouvernement du Front populaire était : faut-il soutenir de manière officielle, avouée, le parti républicain ? Ou bien faut-il réduire au minimum les interventions extérieures ? Léon Blum a pris la décision de ne pas intervenir en Espagne, parce que le gouvernement britannique lui avait dit que si, à la suite de l'intervention en Espagne, il y avait une guerre, la Grande-Bretagne ne le suivrait pas, ne le soutiendrait pas.

D. W. — *Vous étiez favorable, vous, à l'intervention en Espagne, ou bien vous étiez neutraliste ?*

R. A. — Je pensais que Léon Blum avait raison. Le gouvernement n'avait pas le droit d'intervenir en Espagne dans une cause qui divisait profondément les Français.

D. W. — *Oui, mais tout de même, la cause c'était la démocratie ! Et les hitlériens et les fascistes aidaient Franco.*

R. A. — La moitié des Français était contre l'intervention française en Espagne. Il était difficile de risquer une crise diplomatique avec la moitié du pays contre le gouvernement. Les accords diplomatiques ont réduit quelque peu les interventions allemandes et italiennes. Mais il faut ajouter que le gouvernement franquiste n'est pas intervenu dans la Grande Guerre. Ce qui prouve que pour une fois nous ne nous étions pas trompés.

J.-L. — *La classe dirigeante comprenait-elle les problèmes internationaux ? Les comprenait-elle mieux que les questions économiques ?*

R. A. — Ecoutez, je pense que dans l'ensemble, ni les conservateurs ni les socialistes, dans leur grande majorité, n'ont compris ni le national-socialisme ni le soviétisme. Dans les dernières années avant la guerre, j'ai rencontré très souvent Hermann Rauschnig qui est encore connu aujourd'hui puisqu'on a republié récemment ses livres, en particulier *la Révolution du nihilisme*. Son analyse approfondie du nazisme n'a été comprise que par très peu de Français. Les événements du xxᵉ siècle sont difficilement compréhensibles pour les hommes qui ont été formés dans le xixᵉ siècle. Léon Blum était un homme supérieur mais sa formation intellectuelle était antérieure à 1914. Il n'a jamais bien compris l'économie des années 30, la grande crise. Il n'a pas compris en profondeur le national-socialisme. Sur le communisme oui, il a été clairvoyant tout de suite. C'est lui qui a voulu sauver la vieille maison. Mais qu'il s'agisse de nazisme ou de communisme, même lui n'a pas pleinement compris, me semble-t-il, ce que nous comprenons maintenant : la nature du phénomène totalitaire. Songez qu'au xixᵉ siècle, à la fin du xixᵉ siècle, les 75 000 Russes qui étaient déportés en Sibérie faisaient le scandale de l'Europe. Le fait qu'il y avait un passeport ou un visa pour entrer en Russie, c'était la preuve que la Russie n'était pas un pays moderne, digne de ce nom. Or, depuis 1914, le monde est entré dans un processus de violence et de sur-violence, que les hommes du xixᵉ siècle ont eu beaucoup de peine à comprendre. Nous n'étions pas supérieurs, nous la génération suivante. Nous avons seulement compris plus vite que les anciens qu'il se passait quelque chose de nouveau qui était sorti de la première guerre. L'Europe démocratique et libérale de la fin du xixᵉ siècle, démocratique et libérale pour elle-même, et non pas pour l'Afrique ou pour l'Asie, cette Europe bourgeoise était morte. Les régimes que nous étions condamnés à affronter, étaient radicalement différents des nôtres. Encore aujourd'hui, nombre d'événements du national-socialisme restent difficiles à comprendre en raison, disons, de leur excès satanique. Et il en va de même pour l'Union soviétique. Il est difficile de comprendre qu'un régime qui se réclame du marxisme, de la prospérité, soit aujourd'hui essentiellement une puissance militaire, avec un niveau largement inférieur à celui de l'Espagne. Ce qui est extravagant pour les façons de penser traditionnelles. Créer un empire avec une puissance militaire, au nom du marxisme... Bon. Il a fallu du temps pour comprendre.

J.-L. M. — *Vous êtes sévère pour Blum. A vous entendre, il a échoué sur tout.*

R. A. — Non, écoutez, si je le cite, c'est qu'il est le meilleur de tous. Il est de beaucoup, moralement et intellectuellement, l'homme supérieur dans la classe dirigeante. Je ne cherche pas du tout à l'accabler, au contraire. Je le respecte profondément. Mais il est absurde de vouloir faire de Léon Blum l'homme qui a toujours eu raison. Non, il a été toujours un homme courageux, respectable, mais il n'a pas compris l'économie. Il n'a pas compris le programme du Front populaire. Il s'est trompé souvent, comme tout le monde. Mais comparé à beaucoup d'autres, il avait un style intellectuel et moral qui le mettait à part.

J.-L. M. — *Quels sont les autres hommes remarquables de la classe dirigeante de l'époque ?*

R. A. — Il y avait un homme intelligent : Paul Reynaud, et c'était le seul. Je l'ai connu assez bien après la guerre ; je crois qu'il avait de l'amitié pour moi, et j'en avais pour lui. Il a compris avant tous les autres la nécessité de la dévaluation du franc, et il a plaidé pour les mesures économiques nécessaires deux ans auparavant. Il a compris ce que représentaient le national-socialisme et l'hitlérisme, et il a essayé de convaincre ses amis qui étaient modérés. Il a compris ce qu'étaient les divisions blindées. Il a compris le général de Gaulle ou, le colonel de Gaulle. Ce qui signifie que sur les questions fondamentales des années 30, Reynaud, et lui tout seul, a eu raison. Mais il y a ce que j'appellerai « la tragédie de l'histoire ». Cet homme, qui avait eu si longtemps raison avant les autres, est arrivé au pouvoir à un moment où il n'a pu que présider au désastre, et quel désastre ! Il a transmis le pouvoir au Maréchal, au parti qui le détestait. Je dirai simplement que Reynaud, c'est la tragédie d'un homme destiné à être l'homme phare de sa génération, et qui n'a eu l'occasion du pouvoir qu'à la veille de la catastrophe qui l'a emporté. Cela me fait penser un peu à Caillaux dans la génération précédente, pendant la guerre de 14-18.

J.-L. M. — *Et Daladier ?*

R. A. — Je ne le connaissais pas avant la guerre, parce que je n'étais pas un homme politique, et même pas un journaliste. Je l'ai vu une fois ou deux. Mon souvenir le plus précis c'est à La Haye, en 47. Il y avait une réunion pour l'Europe. Je le revois. Il était tout seul. Il se promenait dans une place de la ville comme dans le passé. Personne n'allait le trouver. J'ai eu le sentiment que c'était une espèce d'injustice. Je suis allé vers lui — je le connaissais à peine — et j'ai causé avec lui un bon moment pour le ramener dans le présent. Depuis lors, je l'ai vu deux ou trois fois. Il a été beaucoup plus conscient qu'on ne le dit. Je ne crois pas qu'il ait eu la volonté nécessaire pour faire face aux événements. Mais je pense que la responsabilité des individus est largement dépassée par la responsabilité collective de la nation. C'est-à-dire que, à partir de 1936, on ne pouvait plus arrêter Hitler que par la guerre, et par une guerre que les Français ne voulaient pas !

D. W. — *C'est cela le fond de l'histoire ?*

R. A. — C'est le fond de l'histoire. Et cette guerre, ils avaient raison de ne pas la vouloir.

D. W. — *Mais on aurait pu arrêter Hitler sans risque de guerre quand il a occupé la Rhénanie en 36 ?*

R. A. — Sans aucun risque. On le sait. Aucun. Hitler avait donné l'ordre à la Bundeswehr d'entrer en Rhénanie, avec une réserve imposée par le haut commandement. Si les troupes françaises avançaient, les troupes allemandes se retiraient. On le sait aujourd'hui. On sait que, en mars 1936, on aurait pu changer le cours de l'histoire. Cela fait partie de ma philosophie de l'histoire. C'est une date, une date fondamentale, où il suffisait de lucidité et d'un peu de courage pour changer le cours de l'histoire. Mais, malheureusement, Hitler avait raison. Il n'y avait aucune chance de trouver en France un gouvernement pour prendre cette décision.

J.-L. M. — *En France, il n'y avait pas de gouvernement à ce moment-là ?*

R. A. — Vous vous trompez. C'est au moment où les troupes allemandes sont entrées à Vienne, en 1938, que la France se trouvait sans gouvernement. En mars 36, il y avait Albert Sarraut qui a déjà donné l'exemple de ce qu'on appelle « l'inacceptable ». Il a dit qu'il était inacceptable que Strasbourg fût sous le feu des canons allemands, mais dire que c'est inacceptable, c'est dire qu'on accepte.

D. W. — *La dernière grande date importante avant la guerre, ce fut Munich, les accords de Munich, en 1938. Finalement, Munich c'était le déshonneur, la démission ?*

R. A. — C'est difficile à dire. A cette époque, je faisais des cours à l'Ecole normale de Saint-Cloud. Au lendemain de Munich, j'ai commencé mon cours en expliquant pendant une demi-heure que ce que nous avions fait, ce que la France avait fait, n'était pas très honorable. Mais j'ai ajouté que ceux qui prônaient la résistance pour éviter la guerre se donnaient une tâche trop facile : on ne pouvait absolument pas savoir, disais-je, si Hitler ferait ou non la guerre dans le cas où nous résisterions. Aujourd'hui, nous savons qu'Hitler avait pris la décision de faire la guerre si la France et l'Angleterre s'opposaient à ses visées. Mais nous savons aussi qu'il y avait un complot des militaires, dont m'avait parlé mon ami Rauschnig. De telle sorte qu'il reste encore aujourd'hui une incertitude. Mon jugement actuel est beaucoup plus nuancé que le jugement qui est aujourd'hui conventionnel, selon lequel Munich c'est à la fois le déshonneur et la guerre. En réalité, résister en 38, c'était accepter le risque de guerre. Bien. Est-ce que la guerre aurait été préférable en 38 plutôt qu'en 39 ? On n'en sait rien. Ce qui est certain, c'est que les accords de Munich n'étaient pas honorables. Mais, sur le plan de la politique réaliste, on peut encore aujourd'hui en discuter. En tout cas, il me paraît injuste et absurde de faire une distinction radicale entre les gens « bien » et les gens « mal », selon qu'ils ont été pour ou contre Munich. Je vais vous donner un exemple éclatant. En 1938, après Munich, j'ai eu un déjeuner avec Sartre et Simone de Beauvoir. Tous les deux étaient pour Munich, par pacifisme, parce que — disaient-ils — on n'a pas le droit de disposer de la vie des autres. Ensuite, Sartre a écrit un roman où tous ceux qui étaient pour Munich étaient des salauds, ce qui prouve que l'on peut, sur la question de Munich, avoir des jugements contradictoires sans être, une fois pour toutes, condamné ou encensé.

J.-L. M. — *L'I.F.O.P. a fait à l'époque, sur Munich, le premier sondage d'opinions réalisé en France. Il y avait deux questions : « Approuvez-vous les accords de Munich ? »* — *oui : 57 %, non : 37 %. Deuxième question : « Pensez-vous que la France et l'Angleterre doivent désormais résister à toute nouvelle exigence d'Hitler ? »* — *oui : 70 %, non : 17 %. N'est-ce pas contradictoire ?*

R. A. — Non. Non. C'est compréhensible. Quand Ted Kennedy n'était pas candidat à la présidence des Etats-Unis, il avait un score formidable. Du jour au lendemain, quand il a été candidat, son score est tombé de moitié. Ce sondage sur Munich exprime un peu la même chose. Quand 70 % des Français étaient partisans de résister les fois suivantes, c'était dans une situation qui n'était pas encore donnée. A la suite de Munich, il y a eu une majorité de Français, parfaitement sincères pour dire : « Non, cela ne peut pas continuer comme cela ! Il faut qu'il y ait une limite ! » Mais que signifie cette volonté de résistance quand on n'a pas encore l'occasion de résister réellement ? Et que signifie le sondage qui l'exprime ?

J.-L. M. — *Les munichois et les anti-munichois étaient-ils des caractères humains ? Ou incarnaient-ils plutôt des forces sociales et politiques ?*

R. A. — C'est difficile à dire. Il y avait du côté des anti-munichois, les communistes, un certain nombre de nationalistes comme Kérillis ou Reynaud. Il y avait des demi-anti-munichois comme Léon Blum. Vous savez, la formule « le lâche soulagement ». D'un autre côté, il y avait un certain nombre de Français qui détestaient le Front populaire. Je ne dirais pas qu'ils avaient de la sympathie pour le régime nazi, mais ils étaient de ce fait plutôt enclins à être pour Munich que contre. En ce qui concerne le type humain, il y a eu des munichois qui sont devenus des héros de la Résistance. Il y a eu des anti-munichois qui n'ont pas été des héros de la Résistance. Bon. Je dirai qu'en gros, probablement, ceux qui étaient anti-munichois ont été ensuite du côté de la Résistance, mais je n'en suis pas sûr, et personne ne peut l'affirmer avec certitude.

Pour en revenir à l'essentiel, je crois que dans une question aussi grave, qui engageait l'existence même de la France, il fallait nécessairement calculer, c'est-à-dire calculer les forces en présence, et d'abord les forces militaires. Les Anglais n'avaient pas les « Spitfire » à l'époque. Ces « Spitfire » qui ont gagné la bataille d'Angleterre, ils ne les auraient pas eus en 38. Ils les ont eus en 40. Il y avait une autre difficulté : la revendication allemande en ce qui concernait les Sudètes n'était pas complètement injustifiée. Les Allemands des Sudètes étaient des Allemands. Faire une guerre mondiale pour maintenir des Allemands à l'intérieur de la Tchécoslovaquie, même pour des hommes de... moralité, c'était au moins une question que l'on pouvait se poser. Alors Munich, du fait des engagements français, ce qu'il s'est passé n'était pas honorable, mais d'un autre côté, Bénès pouvait refuser les accords de Munich !

D. W. — *Mais comment le pouvait-il puisque les accords étaient signés entre la Grande-Bretagne, la France et Hitler ? Et lui n'était pas présent, ni convié !*

R. A. — Il pouvait refuser. Savez-vous ce qu'a dit Bénès après la guerre ? En 46, il recevait une personne que je ne vais pas citer ; il a ouvert la fenêtre ; il a dit : « Regardez, Prague est là, intacte, c'est tout de même grâce à moi. »

D. W. — *Soit : il pouvait peut-être refuser les accords. Mais alors c'était probablement la guerre un an plus tôt, vous l'avez dit. En reculant l'échéance jusqu'en septembre 39, aurions-nous pu au moins nous préparer militairement ?*

R. A. — Non, il aurait fallu au moins une année de plus.

J.-L. M. — *En deux ans était-il possible de nous préparer militairement ?*

R. A. — Oui, les chars d'assaut modernes auraient été plus nombreux, les avions également. Cela dit, vous comprenez, la défaite de 40 n'a pas été une défaite due seulement à l'insuffisance de matériels, mais essentiellement une défaite militaire stratégique. Alors il est très difficile de savoir ce qui se serait passé s'il y avait eu la guerre en 38.

J.-L. M. — *Les lois sociales du Front populaire portent-elles une responsabilité dans l'impréparation militaire ?*

R. A. — Très, très faible. Léon Blum avait fait une exception à la loi de 40 heures pour la durée du travail dans les industries d'armement. Les désordres qui ont suivi le Front populaire ont certainement ralenti le travail industriel pendant un certain nombre de mois. Mais je ne considère pas du tout que les décisions du Front populaire ont été directement responsables de la défaite. Ce serait ridicule. J'ajoute même que le gouvernement du Front populaire a voté des fonds considérables pour les armements. Sur ce point il faut l'innocenter.

J.-L. M. — *Et la responsabilité des militaires dans la défaite ?*

R. A. — J'ai beaucoup écrit là-dessus et j'aurais beaucoup de choses à dire, mais je ne trouve pas que ce soit l'occasion. Je pense que la défaite de 40 a été essentiellement une défaite d'ordre militaire. Elle a été déterminée par une manœuvre réussie de l'adversaire contre une armée française qui existait, mais qui n'était pas capable de réagir aux circonstances telles qu'elles se sont présentées. Ne me faites pas revenir sur les responsabilités de la défaite de 40. Je n'ai aucune autorité pour le faire, surtout ici, en quelques mots. Il faudrait un débat.

Pour m'en tenir à ces années précédant la guerre, à cette marche à la guerre, je pense que seule la menace de guerre pouvait arrêter Hitler et que, après 1936, cette menace a été de plus en plus inefficace, au fur et à mesure que Hitler était militairement plus fort que ceux qui le menaçaient. Lui voulait cette guerre, et les autres ne la voulaient pas. La part d'accident dans le cours des événements, c'est ceci : à partir de 36, on ne pouvait arrêter Hitler que par la menace d'une guerre générale ; on l'a menacé en 38 ; il ne nous a pas crus, et il a eu raison puisque nous avons capitulé. En 39, il n'a pas non plus beaucoup cru à la menace. Mais la guerre, cette fois, survenant, il l'a acceptée puisqu'il la voulait. Mais il s'y est lancé sans l'avoir vraiment préparée, en improvisant. Le plus étonnant c'est que nous avons cru, sur le moment, qu'il avait accumulé des armements énormes, formidables. Ce n'est pas vrai. Quand il a commencé la campagne de France, il avait moins de 2 000 avions de ligne. L'Allemagne a commencé la guerre en 39, sans être mobilisée. Elle ne s'est mobilisée complètement qu'après la défaite de Stalingrad. Ce qui signifie que tout cela, c'est une histoire, une aventure dont l'acteur principal a été Hitler, et dont les autres ont été les victimes.

D. W. — *Quand avez-vous cessé d'être pacifiste ?*

R. A. — En un sens je le suis resté toute ma vie. Je déteste la guerre, c'est pourquoi j'ai tellement écrit sur la guerre. Mais, pacifiste au sens d'Alain, refuser une fois pour toutes l'éventualité de la guerre, c'est en 32 ou 33 que j'ai cessé de l'être. Alain utilisait volontiers la formule de Bertrand Russel : « Tous les maux que nous voulons éviter par la guerre sont moindres que la guerre elle-même. » A partir de 32 ou 33, j'ai pensé que cette formule était fausse, c'est-à-dire que les résultats de la victoire de l'ennemi peuvent être pires que les malheurs de la guerre.

D. W. — *La guerre n'est pas pire forcément que tous les maux ?*

R. A. — Qu'est-ce que vous en pensez aujourd'hui ? On peut toujours discuter indéfiniment. On peut dire que si on avait accepté l'Allemagne hitlérienne, après trois générations, elle aurait été viable ou vivable !...

J.-L. M. — *La France était-elle encore pacifiste au moment où elle entra en guerre ?*

R. A. — A demi. Elle était résignée à la guerre. Mais était-elle résolue à la guerre ? C'est une autre question.

J.-L. M. — *Quand avez-vous pensé que la guerre était inévitable ?*

R. A. — Ecoutez, à partir de 36, je croyais la guerre très probable, mais je m'accrochais tout de même à l'espoir de l'éviter. Après 38, par exemple, l'homme le plus intelligent que j'aie connu, c'est-à-dire A. Kojève, ne croyait pas à la guerre. Il considérait que la Grande-Bretagne, le capitalisme anglais, avait déjà livré l'Europe à Hitler. Il ne voyait donc pas de raison pour qu'Hitler fît la guerre puisque, après 38, il était victorieux. Il se trompait parce qu'il essayait d'interpréter l'histoire à partir de concepts, de grandes forces fondamentales, alors que le national-socialisme a été essentiellement Hitler, la personnalité d'Hitler. Vous savez ce qu'il a dit un jour à l'ambassadeur de Grande-Bretagne, je crois. Il a dit : « Je préfère faire la guerre au moment où je suis dans la force de l'âge, à 50 ans et non plus tard. » Cela, c'est donner un caractère personnel, presque extravagant, à l'action politique. Il a dit, souvent : « Je suis seul capable de diriger cette guerre. » Donc il fallait que cette guerre éclatât lorsque, lui, était là, et dans la force de l'âge, comme il disait.

J.-L. M. — *Vous avez perçu cette dimension d'aventure personnelle à l'époque ?*

R. A. — Dans une certaine mesure, oui. L'hitlérisme me paraissait être, en effet, l'aventure d'une personne, plus qu'un mouvement historique comme le communisme. Je sais qu'on pourrait me répondre que si Hitler avait détruit l'Union soviétique et le communisme, l'hitlérisme serait peut-être devenu un mouvement historique, et que, peut-être, la diffusion actuelle du communisme n'aurait pas eu lieu. Je pense que, tout de même, il y avait plus de substance intellectuelle et idéologique dans le communisme. Parce que si on veut créer un empire, il faut faire comme les Soviétiques, c'est-à-dire proclamer l'égalité de tous les peuples et prétendre hypocritement qu'ils se gouvernent eux-mêmes. Alors là, on fait un empire, dans le style hypocrite du xxe siècle, mais commencer par proclamer, comme Hitler, la supériorité du peuple maître et déclarer inférieurs les autres peuples, ce n'est pas un bon moyen de domination. C'est une absurdité.

J.-L. M. — *Faire dépendre une guerre mondiale de la volonté d'un seul homme, n'est-ce pas pousser un peu loin le rôle des individus dans l'histoire ?*

R. A. — Ce n'est pas ce que je veux dire. Après la Première Guerre mondiale, toutes les conditions nécessaires d'une seconde étaient réunies. L'Europe créée à Versailles n'était pas stable. Comme l'avait dit Bainville : « Le traité de Versailles était trop dur pour ce qu'il avait de mou, trop mou pour ce qu'il avait de dur. » L'Allemagne ne pouvait accepter le statut de Versailles. Les alliances françaises étaient fragiles. Les pays de l'Est de l'Europe entre l'Union soviétique et l'Allemagne étaient une proie offerte à l'une ou l'autre, ou aux deux. Donc, il y avait toutes les conditions nécessaires pour la répétition de la Première Guerre. J'ai parlé « des guerres en chaîne », voulant dire par là que c'est la première qui a déclenché la seconde. Mais la forme particulière qu'a prise celle-ci, la date, les modalités, tout cela doit beaucoup à Hitler, comme les guerres françaises de la Révolution et de l'Empire doivent tout de même quelque chose à Napoléon. Que les troupes françaises aient été jusqu'à Lisbonne d'un côté, et jusqu'à Moscou de l'autre, c'est aussi délirant, quand on y songe, que ce qu'Hitler a fait. Et à pied, par-dessus le marché ! Comme Napoléon est français, que c'est une gloire nationale, tout le monde trouve que c'est normal, mais ça ne l'est pas du tout !

D. W. — *Etes-vous retourné en Allemagne entre 34 et 38 ?*

R. A. — Jamais. Je n'y suis retourné pour la première fois qu'en 45 ou 46, au milieu des ruines.

J.-L. M. — *Revenons à la situation de la France peu avant la guerre. Le grand événement à l'époque était le Front populaire. Vous nous en avez parlé surtout d'un point de vue économique. Mais le Front populaire, c'est aussi un état d'esprit, une atmosphère, des manifestations. Cette ferveur, vous ne semblez pas la partager. Pourquoi ?*

R. A. — Vous y revenez ! Bon. Pour les hommes de gauche, le Front populaire est une grande date de l'histoire sociale et de la réforme sociale en France. Ils songent évidemment aux manifestations, à l'enthousiasme, aux vacances payées. Ils songent à la réduction de la durée du travail, à l'augmentation des salaires. Il y a eu certainement pendant quelques semaines, pour beaucoup, une illusion lyrique de semi-révolution pacifique. Mais il y a une moitié de la France, une petite moitié de la France, qui se souvient de son côté de l'espèce d'anarchie, de l'occupation des usines, de la mise en question de leur ordre. Ceux qui ne sont ni de droite ni de gauche, ou tout au moins qui s'efforcent d'être au-dessus des deux, sont, comme moi-même, partagés entre deux sentiments forts. D'un côté, à coup sûr, cela a été un grand mouvement de réformes sociales, et de l'autre cela a été une politique économique absurde, dont les conséquences ont été lamentables. Alors quand on célèbre le Front populaire dans la gauche, c'est un peu la propension de la gauche à célébrer ses défaites, car, au bout de six mois ou de douze mois, le Front populaire était perdu, et la défaite était due à une politique économique déraisonnable.

D. W. — *Oui, mais il faut dire que la situation internationale était particulièrement tendue !*

R. A. — Certainement, mais cela faisait partie des circonstances dont il fallait tenir compte.

D. W. — *Vous dites, il y a eu des grèves, des occupations d'usines, mais dans un régime démocratique, ce n'est pas extraordinaire !*

R. A. — Bien entendu. Je ne proteste pas contre les grèves. J'explique simplement l'état d'esprit d'une partie de la France dans une situation où le pays se sentait menacé par la montée de la puissance hitlérienne. Si nous avions été en France dans une île, cela aurait été différent, mais nous étions dans une situation historique qui était politiquement dangereuse, sinon déjà dramatique.

J.-L. M. — *Vous dites, en somme : « C'était déraisonnable », mais est-ce qu'une émancipation, par rapport à une domination sociale, n'est pas toujours déraisonnable ?*

R. A. — Non ! Il n'était pas raisonnable de réduire à quarante heures par semaine la durée du travail, à une époque où la durée moyenne du travail était de quarante-cinq heures. Je ne vois pas de nécessité, pour améliorer la condition des hommes, de réduire les ressources disponibles — c'est ce qu'a fait le Front populaire. Je ne vois pas de nécessité, quand on est de gauche et qu'on veut le bien-être de la population, d'appliquer des mesures économiques parfaitement déraisonnables dont les conséquences ont été évidentes. Vous voulez me pousser? Soit! Vous appartenez à une autre génération; vous n'avez pas vécu ces années. Moi, je les ai vécues exactement comme je les raconte aujourd'hui, c'est-à-dire dans l'exaspération contre des erreurs économiques manifestes, dans le désespoir qu'un mouvement de réformes — qui aurait pu être glorieux — dût se terminer par une défaite plus ou moins lamentable. Et ces sentiments contradictoires ont toujours défini ma personne et, dans ce cas, mon attitude face aux événements.

D. W. — *Mais n'est-ce pas ce qui s'est passé avant qui est responsable de cet échec ?*

R. A. — Dire que je n'étais pas d'accord avec la politique du Front populaire ne signifie pas que j'étais d'accord avec la politique antérieure; je la trouvais parfaitement déraisonnable également, dans l'autre sens. Une bonne partie de la droite, celle des hebdomadaires *Je suis partout, Candide, Gringoire,* qui étaient horribles, une droite extrême, me rendait non seulement de gauche mais fou furieux. Bon. Par-dessus le marché, entre 33 et 36, la politique économique a eu pour conséquence de prolonger la crise, et du même coup d'assurer la victoire du Front populaire. Le désordre en 36 était provoqué et justifié dans une large mesure par l'absurdité des mesures antérieures prises par la droite. Alors, vous n'arriverez pas à me classer d'un côté ou de l'autre ! Vous voulez absolument y aboutir, mais non, vous n'avez aucune chance.

D. W. — *Non. On voudrait seulement comprendre pourquoi, devant un des grands moments d'émancipation sociale et politique dans l'histoire de la France ou dans l'histoire de la gauche, en fait, vous balancez...*

R. A. — Je répète qu'on a fait des réformes sociales nécessaires et qu'elles auraient dû avoir lieu bien plus tôt, mais que simultanément ces réformes ont été accompagnées par une politique économique, disons peu heureuse, si bien qu'on peut aujourd'hui célébrer les réformes sociales à condition d'oublier le négatif du Front populaire. Mais certains, comme moi, ont une certaine peine à oublier qu'au bout de quinze jours de pouvoir du Front populaire, ils ont dit : « L'expérience économique est ratée. »

J.-L. M. — *Vous avez dit : « La gauche adore célébrer ses défaites. » Qu'est-ce que cela veut dire ?*

R. A. — Prenons la Commune, qui est un épisode horrible, détestable à tous les points de vue, même si dans la Commune il y avait des hommes admirables. C'est une révolte populaire qui a été une fois de plus vaincue, et avec des moyens terribles : l'armée française vaincue par les Prussiens et les Allemands a triomphé du peuple de Paris devant les yeux des Allemands. Je ne connais pas d'épisode de l'histoire française aussi déchirant pour un Français. Or, on célèbre toujours cette période qui me donne envie de pleurer parce qu'il n'y a rien de plus horrible qu'une armée défaite qui remporte une victoire sur son peuple ! Tous les ans pourtant on rappelle la grandeur de la Commune. Il y avait des hommes admirables dans la Commune, c'est sûr ! Mais comme épisode de l'histoire française c'est déchirant. Non ? Pas pour vous ?

D. W. — *Si c'est déchirant, c'est parce que c'est vécu comme un écrasement du peuple, et non comme une victoire de la gauche.*

R. A. — Je n'ai pas envie de célébrer, disons, les guerres civiles. Je déteste les guerres civiles, et la guerre civile de la Commune a été une des plus détestables de l'histoire de France, car rien n'en est sorti, sinon des morts.

J.-L. M. — *De 36, il en est tout de même sorti quelque chose ?*

R. A. — Ah oui. D'abord, cela n'a pas été horrible. Ensuite il en est sorti des réformes. Mais surtout il en est resté un grand souvenir. Il est normal que le peuple vive d'un certain nombre de souvenirs, même si l'économiste se souvient d'autre chose, c'est-à-dire des échecs, des mesures mal conçues. Un souvenir de libération, bon, je conçois que des ouvriers puissent en vivre. Mais je ne peux pas jouer la comédie. Je n'ai jamais été un ouvrier. Je suis né dans une famille de bourgeois, donc je suis un bourgeois, ce qui ne m'empêche pas d'avoir souhaité avant 1936 les réformes sociales qui ont été accomplies en 1937. J'aurais voulu que le gouvernement du Front populaire réussît. Et j'ai été, non pas désespéré, c'est peut-être exagéré, mais déçu d'un échec prévisible qu'on aurait pu éviter si l'on avait été mieux averti de la réalité économique.

J.-L. M. — *Vous avez dit : « La presse de droite et d'extrême-droite était horrible. » Qu'avait-elle d'horrible ?*

R. A. — Tout. Elle vivait de la haine, elle nourrissait la haine, elle créait en France un climat de guerre civile permanente. De la manière dont on parlait de Léon Blum, des Juifs, de la gauche, des syndicats, des ouvriers, il y avait de quoi devenir fou furieux. Vous n'avez pas connu la droite d'avant-guerre. Il n'était pas concevable pour un homme comme moi d'être avec elle. Tout ce qu'on pouvait faire c'était d'écrire dans la *Revue de métaphysique et de morale* qu'il y avait eu des erreurs commises par le Front populaire. Mais être avec ce qu'on appelle aujourd'hui la droite — disons Guy Mollet ou Giscard d'Estaing — c'est possible. Peut-être pas pour vous, mais pour moi, c'est possible.

La droite d'avant-guerre était à la fois mal instruite de la réalité économique et farouche dans la défense de ses privilèges et de son pouvoir. Elle n'avait pas encore compris l'essence de l'économie moderne, c'est-à-dire la croissance. Donc elle était, me semble-t-il, essentiellement différente de la droite d'aujourd'hui. De la droite maurrassienne il ne reste presque plus rien. Quant à la nouvelle droite, c'est autre chose encore.

D. W. — *Vous dites que cette droite était horrible. Et pourtant, quand vous êtes rentré d'Allemagne, vous jugiez qu'il n'y avait pas de danger fasciste en France.*

R. A. — Pour la raison suivante : c'est parce qu'aux élections les élus de droite étaient des modérés et non des extrémistes. Les Croix de Feu n'étaient pas réellement des fascistes. C'étaient des anciens combattants. Le colonel de La Rocque n'était pas un chef charismatique susceptible de devenir un chef fasciste. Il y a eu des élections où la droite était majoritaire. Mais ce n'était pas une droite fasciste. Bon ! On y trouvait un type de patron qui, si je m'exprime avec modération, était peu intelligent, qui n'était pas même conscient de ses intérêts et qui était accroché à ses positions. Il y avait, d'un autre côté, des intellectuels qui étaient quelquefois d'extrême droite ou fascisants. Il y avait des sectes fascistes. Mais il n'y avait pas un grand parti fasciste. Il n'y a jamais eu l'équivalent des élections allemandes avec une masse de députés du parti national-socialiste. C'est en ce sens que je disais, à l'époque, qu'il n'y avait pas un péril fasciste au sens où il y avait eu, en Allemagne, un péril national-socialiste.

J.-L. M. — *La description que vous faites de la France d'avant-guerre donne l'impression d'un pays dans une impasse, d'un pays qui n'a aucune conscience de lui-même.*

R. A. — Non, d'un pays en décadence. J'ai vécu les années 30 dans le désespoir de la décadence française, avec le sentiment que la France s'enfonçait dans le néant. La catastrophe de la guerre, on aurait dû la pressentir. Au fond, la France n'existait plus. Elle n'existait que par les haines des Français les uns contre les autres.

J.-L. M. — *Mais pourquoi cette décadence ?*

R. A. — Ah, je ne sais pas ! je ne peux pas répondre en quelques mots. Je l'ai vécue intensément, avec une tristesse profonde et avec simplement une obsession : éviter la guerre civile. J'aurais voulu expliquer aux hommes de gauche que s'il avait une guerre à faire, ce n'était pas contre d'autres Français, mais tous ensemble contre le véritable ennemi, à l'époque l'Allemagne nazie. J'aurais voulu expliquer la même chose aux gens de droite qui ne comprenaient rien à la situation. Comme souvent dans ma vie, j'étais entre deux blocs, sans grande chance de pouvoir m'exprimer et d'être écouté. Beaucoup d'autres Français autour de moi comprenaient la décadence. La circonstance atténuante pour ceux qui sont devenus fascistes ou même collaborateurs pendant la guerre, c'est la révolte contre la décadence française dans les années 30. Pour un homme comme Drieu La Rochelle par exemple, qui en avait souffert, le fascisme était une manière d'en finir avec la France décadente, une espèce de rêve de retrouver une France dans une Europe nationale-socialiste. Ce qui était idiot d'ailleurs.

J.-L. M. — *Le désespoir et la tristesse sont-ils les sentiments dominants de votre jeunesse ?*

R. A. — Pendant les années 30, oui. Mais j'étais jeune alors et heureux en tant que personne privée. On peut être heureux avec sa famille, heureux avec ses amis, heureux dans son travail, et en même temps désespéré de la décadence nationale. Quand j'essaie d'évoquer ces années 30, ce sont les deux à la fois, avec une intensité exceptionnelle, d'un côté comme de l'autre. Mes compagnons, mes amis, étaient des gens d'une intelligence exceptionnelle : Eric Weil, A. Kojève, A. Koyre, R. Marjolin, Malraux, Sartre, enfin tous ceux qui ont eu un nom, et qui ont fait quelque chose. Nous discutions de l'histoire du monde avec Kojève, de la reconstruction économique avec Marjolin. A. Koyre et Eric Weil étaient des philosophes du niveau le plus élevé. Eux aussi voyaient avec le même désespoir la décadence de la France et l'approche de la guerre. Comment dire au-delà ? Jamais je n'ai vécu dans un milieu aussi éclatant d'intelligence et aussi chaud d'amitié que dans les années 30, et jamais je n'ai connu, disons, le désespoir historique au même degré. Car, après 45, la France était transformée, mais c'est une autre histoire !

II

LES ANNÉES SOMBRES, 1940-1945

a) Partir pour Londres

J.-L. MISSIKA. — *La guerre a éclaté en septembre 39. Vous avez été mobilisé.*

RAYMOND ARON. — Oui, bien sûr. J'avais fait mon service militaire dans la météorologie — ce qui n'est pas glorieux — comme Jean-Paul Sartre après moi. J'ai été envoyé dans un poste météorologique qui s'appelait l'O.M.I. à côté de Charleville. Au bout de quelques semaines, le capitaine puis le lieutenant qui étaient des techniciens ont été affectés ailleurs. Je suis devenu alors le chef de ce détachement d'une douzaine ou d'une quinzaine de personnes. Nous sommes restés près de Charleville pendant la drôle de guerre. Il n'y avait pas grand-chose à faire en dehors du lancement de petits ballons. J'ai pu travailler. J'ai, en particulier, contribué à la mise au point de l'*Histoire du socialisme* d'Elie Halévy. Je travaillais aussi à Machiavel. C'était un travail que j'avais commencé avant la guerre. Et puis il y a eu l'offensive, exactement dans la région où je me trouvais. Ce furent les semaines de la bataille et du désastre, qui ont été moralement intolérables. On avait le sentiment d'être totalement inutile, de ne rien pouvoir faire. Ensuite, nous avons été saisis par l'armée en déroute, puis emportés par l'exode civil. Vous ne pouvez pas imaginer ce qu'ont été ces semaines pour ceux qui les ont vécues.

J.-L. M. — *Vous receviez des ordres ?*

R. A. — Oh, pas toujours. Quand on voyait ou que l'on sentait que les Allemands arrivaient, on s'en allait. C'est par bonne chance que nous n'avons pas été faits prisonniers. Nous avons traversé la Loire à Gien. Il y a eu des bombes et nous avons eu un ou deux blessés. Voilà : on regardait tomber les bombes, on ne faisait rien, comme les autres. Les « météo » avaient comme armement le fusil de 1885 ou de 88. C'était tout. On n'a jamais vu les Allemands. Si, on a vu les avions qui se promenaient au-dessus de nous, mais enfin pour tirer avec le fusil de 1885, et les atteindre, on avait peu de chances.

J'avais un sentiment de honte, d'indignité. C'était insupportable de vivre dans ces conditions une période pareille. Vers le 20 ou le 22 juin, nous nous sommes trouvés du côté de Bordeaux. Nous avons entendu les discours du maréchal Pétain. J'ai conservé un souvenir, d'ailleurs inexact. J'ai cru qu'il avait dit : « Nous allons tâcher de mettre fin à la lutte. » Mais je crois qu'il n'y avait pas « tâcher » ; ce doit être une imagination du souvenir. Alors, j'ai pris une moto et je me suis rendu à Toulouse où se trouvait ma femme. Là, j'ai pris avec elle la décision de partir pour la Grande-Bretagne où je suis arrivé le 26 juin.

D. WOLTON. — *Quand vous avez entendu le maréchal Pétain à la radio, quelle fut votre réaction ?*

R. A. — Celle de tous les Français autour de moi, j'éprouvais plutôt du soulagement. Il était très difficile, au milieu de ces soldats vaincus, de ces Français dispersés, de dire : « C'est épouvantable de faire l'armistice ! » On ressentait de l'indignation mais aussi de la compassion. Il était presque impossible de ne pas partager d'une certaine manière le lâche soulagement. Mais pour moi, l'armistice ne signifiait pas la fin de la guerre, même si elle marquait pour la France une fin temporaire de la guerre. Je n'avais pas d'illusion sur le gouvernement Pétain qui arrivait au pouvoir. Il représentait la partie des Français qui était contre ce qu'ils appelaient « le bellicisme » et qui cherche-rait un accommodement avec l'Allemagne. Mais, pour moi, à ce moment-là, au mois de juin, la question était : la Grande-

Bretagne tiendra-t-elle l'été 1940 ? Quant on partait pour l'Angleterre en juin 40, on partait pour la guerre. C'était le sentiment de ceux qui voulaient s'en aller. Autour de moi il y en avait très peu.

D. W. — *Justement quel était votre sentiment par rapport au maréchal Pétain, au moment de l'armistice en juin 40 ?*

R. A. — J'essaie d'être sincère : ni indignation ni fureur. Pétain me semblait être l'expression des sentiments dominants de la majorité des Français. Quand je suis arrivé à Toulouse, où j'ai retrouvé ma femme et mes amis, le climat était tout à fait différent. Parce que les gens autour de moi étaient déjà des résistants. Il y avait par exemple Canguilhem, qui a été un grand résistant et qui dès le 22 ou le 23 juin était déjà contre l'armistice. Mais il se trouvait dans une ville où l'on ne percevait peut-être pas encore le désastre national que j'avais vécu à travers les départements, en pleine retraite, au milieu des soldats et des civils.

J.-L. M. — *Sur les routes de la débâcle, vous aviez le sentiment d'être dépassé, de ne plus comprendre ?*

R. A. — Non, pas du tout. A partir du moment où l'on a su que les meilleures divisions françaises avaient été perdues en Belgique, il était clair que la défaite était consommée. On l'a su au bout d'une dizaine de jours après le début de la bataille. La bataille a été perdue en quatre jours. Les gens qui n'avaient aucune information, comme moi, l'ont su au bout de dix jours. La résistance sur la Somme ne pouvait réussir. Les Allemands avaient alors une supériorité numérique et une supériorité de matériel évidentes. La bataille a été perdue du fait qu'on s'est précipité en Belgique et en Hollande avec les meilleures divisions. Elles n'ont pas été battues sur le terrain mais encerclées. A partir de ce moment-là, c'était fini.

J.-L. M. — *Comment une armée aussi puissante que l'armée française pouvait-elle perdre une bataille comme celle-là en quatre ou cinq jours ?*

R. A. — En face de Napoléon, l'armée prussienne de Iéna a disparu en vingt-quatre heures. En 40, il y avait une centaine de divisions françaises, ce n'est pas rien. Mais à partir du moment où le fer de lance de l'armée était détruit en Belgique, la bataille, encore une fois, était perdue. C'était le résultat d'une manœuvre d'encerclement classique. En 1914, le plan Schlieffen avait prévu d'encercler l'ensemble de l'armée française en passant par la Belgique. En 40, le maréchal von Manstein a eu l'idée de passer à travers les Ardennes, ce qui a permis de couper les unités françaises et anglaises du reste de l'armée. La suite n'est que détails. Il ne faut pas oublier d'ailleurs que les Russes ont perdu dans les deux premières semaines de la bataille plus de divisions que les Français n'en avaient, entre cent et cent cinquante divisions. La vérité, c'est que l'armée allemande surclassait toutes les autres. Elle a été vaincue finalement, comme l'armée française en 1812, par l'hiver, par l'espace et par le caractère encore primitif de l'Union soviétique.

D. W. — *Quand vous arrivez en Angleterre, que trouvez-vous ? La panique ?*

R. A. — Non, pas du tout. Je venais de France, où la population errait sur les routes, où il y avait des ruines un peu partout, et le désespoir. Je parlais à peine l'anglais à ce moment-là. J'ai tout de même compris les paroles d'encouragement d'un brave Anglais qui me disait : « On vous rendra votre pays à Noël. » Les Anglais étaient alors dans leur « finest hour », dans leur moment le plus glorieux, mais la masse de la population ne comprenait pas le danger. Les gazons étaient impeccables, comme d'habitude. Dans leur île, les Anglais étaient très tranquilles. Mais pour moi, venant de France, cette tranquillité dans ce pays menacé où je n'étais jamais allé, ce fut un choc.

D. W. — *Quand vous avez décidé de partir pour l'Angleterre, vous avez entendu parler de l'appel du général de Gaulle ? Autrement dit : vous partiez pour l'Angleterre où vous rejoigniez le général de Gaulle ?*

R. A. — Je ne l'ai pas entendu personnellement. Je crois qu'on m'en a parlé quand je suis passé par Toulouse. Et sur le bateau, oui, certainement, j'en ai entendu parler. Mais à l'époque, la question : partir pour rejoindre de Gaulle ou partir simplement pour se rendre en Grande-Bretagne, ne se posait pas dans ces termes. Ou bien on voulait être du côté de ceux qui continuaient la guerre, ou bien on se résignait en France. C'était une conception fausse, parce que la France n'était pas vouée à la résignation. Il y a eu la Résistance et d'autres phénomènes. Mais à ce moment, le choix était : aider ceux qui continuent la guerre, ou rentrer chez soi. J'ai choisi le premier terme, d'accord avec ma femme.

D. W. — *Comment avez-vous quitté la France ?*

R. A. — J'ai quitté mon détachement qui était proche de Bordeaux. Je suis allé à Bayonne où je suis resté une nuit. J'ai dormi dans un train qui contenait toutes les valeurs de la Bourse de Paris. Cela me paraissait extraordinairement comique, et même philosophique. Au moment de la catastrophe apparaissait le caractère futile des valeurs mobilières. C'est la seule fois où j'ai été en familiarité avec les valeurs mobilières.

De Bayonne, je me suis rendu à Saint-Jean-de-Luz, probablement en voiture. A Saint-Jean-de-Luz, il y avait une division polonaise qui partait très officiellement vers la Grande-Bretagne. Avec quelques dizaines de pelés et de galeux comme moi, je me suis glissé à bord du bateau au milieu des Polonais. Le bateau s'appelait l'*Ettrick*. C'est là que j'ai entendu l'annonce de l'armistice. Ce n'était pas une surprise. A partir du moment où on commence les négociations, on y aboutit presque nécessairement. Ensuite Londres, Olympia Hall, où étaient rassemblés quelques milliers de soldats français de toutes origines. Nous avons alors été transférés dans un camp où des officiers anglais ont demandé à chacun : « Voulez-vous être rapatrié en France ? » « Voulez-vous rester en Angleterre comme civils ou comme soldats anglais ? » « Voulez-vous vous joindre au mouvement gaulliste ? » Naturellement j'ai joint le mouvement gaulliste. C'était, je crois, au début du mois de juillet.

J.-L. M. — *Et les autres Français ? Beaucoup voulaient-ils rester en Angleterre ?*

R. A. — Parmi ceux qui étaient là, une infime minorité. Presque tous voulaient rentrer en France. Pour eux, la guerre était finie. La France était battue, occupée. Bon. C'était fini. Ils n'étaient pas partis pour l'Angleterre ou pour de Gaulle ; ils avaient été rapatriés en Grande-Bretagne, soit à partir de Dunkerque, soit à partir de l'un ou l'autre des ports de la Manche ou de la mer du Nord qui avaient été encerclés par les Allemands et d'où ils n'avaient pas pu faire retraite en France. Alors combien en est-il resté ? Je ne sais pas, mais pas beaucoup. Moi je me suis engagé dans la compagnie des chars d'assaut. Il y avait là au moins deux hommes qui sont devenus très connus. L'un était François Jacob, futur prix Nobel, qui était alors étudiant de médecine. L'autre, c'est Galley, le ministre. J'aurais voulu aller dans un char parce que j'avais le souvenir de ces semaines d'insupportable inaction. Mais on a trouvé que j'étais déjà trop âgé pour être dans un char. Comme je savais écrire et calculer, on m'a transformé en comptable de la compagnie. Pendant quelques semaines, j'ai additionné des livres, des shillings et des pences. J'avais acquis une certaine virtuosité dans ces calculs relativement difficiles pour les Français. Et j'étais exaspéré par cette fonction.

J.-L. M. — *Comment êtes-vous sorti de là ?*

R. A. — Ma destinée, pendant la guerre, et peut-être pour toute ma vie, a été transformée à la suite d'une rencontre. Un chef du département de technique à l'état-major du général de Gaulle, qui s'appelait André Labarthe, et que je ne connaissais pas, avait lu mes livres. Un jour, il m'écrit en m'invitant à lui rendre visite à Londres. Le Général l'avait chargé de créer une revue mensuelle française. Je vais le voir trois jours avant de partir pour Dakar avec les quelques Français de Londres qui devaient rallier l'Afrique occidentale française au général de Gaulle. Tout le monde savait que l'on partait pour Dakar ! A Londres, Labarthe a fait la grande scène de séduction. « N'importe qui peut faire les comptes de la compagnie des chars. Une revue française est indispensable, et on ne peut pas la faire sans vous », etc. Je lui ai demandé la permission de réfléchir. J'étais déchiré entre les deux arguments. L'un que j'étais venu pour me battre. L'autre que faire une revue à ce moment-là avait une certaine signification, puisqu'il n'y avait plus de présence française en dehors de la France. A tort ou à raison, pour des motifs que moi-même je ne peux pas déchiffrer, j'ai décidé de contribuer à cette revue.

D. W.— *Vous nous rappelez son titre ?*

R. A. — *La France libre.* Cette revue est bientôt devenue importante, à la fois par son retentissement en Grande-Bretagne, par sa diffusion dans le monde entier, et par le fait que pendant quelques années il ne venait presque rien de la France occupée. Jean-Paul Sartre a publié sur elle un article dans *Combat*. Il y a quelques jours, j'ai rencontré un historien anglais, très connu en France, Cobb, le meilleur historien anglais de la Révolution française. Il m'a dit : « Je vous ai déjà rencontré une fois ; je suis allé vous voir à *la France libre* pendant la guerre. Pour moi, votre revue était alors la seule présence intellectuelle de la France. » Pendant des années il en avait été le lecteur. Au début, c'était une revue du mouvement gaulliste. Mais elle a vite pris ses distances. « Ce que nous aimions dans cette revue, m'a dit Cobb, c'est que ce n'était pas de la propagande. »

D. W. — *C'est vous qui la dirigiez ?*

R. A. — Non, c'était Labarthe. Simplement je travaillais davantage que lui. Lui était spécialisé dans les relations publiques. Elle était mensuelle. Deux ou trois personnes surtout la faisaient. Il y avait Staro — c'était ainsi que nous l'appelions. Il était tchèque, de la région de Teschen. Il avait fait la Première Guerre, avait été communiste pendant longtemps et il était devenu très anticommuniste. Il avait une espèce de génie. Sa compétence dans les affaires militaires était exceptionnelle. Il citait toujours Clausewitz. C'était la deuxième fois, par son intermédiaire, que je fus en contact avec la pensée de Clausewitz (la première fois, c'était pendant mon séjour en Allemagne avant la guerre). Les articles de Staro étaient les meilleurs articles militaires publiés en Angleterre. Les spécialistes les lisaient attentivement. Il écrivait en allemand, quelquefois vingt-cinq pages, quarante pages. Moi je traduisais, j'adaptais, je récrivais. Dans le premier numéro de *la France libre*, il y a eu un article dont l'inspiration venait de Staro et dont le style était le mien sur la défaite française. Il a été lu par le général de Gaulle. J'ai conservé la dactylographie avec les annotations en marge du Général lui-même.

D. W. — *Il a approuvé l'analyse ?*

R. A. — Oui. Quand il y avait une bonne phrase, il mettait comme un professeur, « B » en marge. C'était bien. Par exemple, il avait mis « B » pour une phrase qui disait à peu près : la France avait le meilleur réseau de routes et une armée statique.

D. W. — *Il y avait des « TB », des très bien ?*

R. A. — Non. Non. Son approbation n'allait pas au-delà de « B ».

D. W. — *Il y avait donc ce Staro et vous. Et qui encore ?*

R. A. — Mais Labarthe, et une dame qui s'appelait Lecoutre. Elle avait le génie des relations publiques. Elle lisait en outre tous les articles, les corrigeait. Dans chaque numéro, il y avait un éditorial et un article de ma plume. Ces articles ont été reproduits dans mon livre *l'Homme contre les tyrans*, d'abord aux Etats-Unis, puis en France. Il y avait une chronique de France, qui analysait ce qui se passait en France. Ces textes sont devenus mon livre *De l'armistice à l'insurrection nationale*. Il y avait l'article militaire, et puis ceux que nous arrivions à dénicher ici et là. C'est ainsi que nous avons trouvé à Londres, mais plus tard, en 43, deux écrivains, Jules Roy et Romain Gary. J'ai été, je crois, le premier lecteur du premier roman de Romain Gary, *l'Education européenne*, qui m'avait enthousiasmé. J'ai gardé par la suite avec lui des relations d'amitié qui remontent à cette période.

J.-L. M. — *Moralement, quels étaient vos sentiments vis-à-vis de la France occupée ?*

R. A. — Dans l'hiver 40-41, ce n'était pas embarrassant, moralement, d'être à Londres parce qu'à ce moment-là on était bombardé alors que les Français ne l'étaient plus. Cela dit, en 43, quand j'avais des conversations avec Jules Roy ou avec Romain Gary, évidemment j'avais un sentiment d'humiliation. Eux faisaient des opérations comme pilotes au-dessus de la France ; ils risquaient leur vie, et moi je ne risquais rien du tout. De ce point de vue, la période, disons la moins pénible de l'exil, fut pour moi la période du « blitz », celle des grands bombardements.

D. W. — *Pourquoi ? C'était pourtant une période troublée et violente.*

R. A. — Non ce n'était pas grand-chose. Cela a été très amplifié. C'était désagréable car Londres était bombardée toutes les nuits. Mais à côté des bombardements alliés de 43 et 44, ce n'était presque rien. Les deux grands bombardements sur Londres de cette période ont été de cinq cents tonnes. Or, cinq cents tonnes, en 43 ou 44, ce n'était qu'un bombardement moyen. D'autre part, sur une ville comme Londres, le risque pour chacun était très faible. En fait, je restais dans mon lit, « sous la protection du calcul des probabilités », comme disait l'un de mes amis.

J.-L. M. — *Vous ne descendiez pas dans les abris ?*

R. A. — Jamais. Je n'ai jamais aussi bien dormi que sous le « blitz », pour des raisons que le psychologue expliquera immédiatement. Quand on dort mal comme moi, c'est que l'on est névrosé. Quand on est névrosé et qu'il y a des événements catastrophiques, on dort mieux. Donc je dormais mieux.

b) De Gaulle et Pétain

J.-L. M. — *Quels rapports aviez-vous avec le général de Gaulle à ce moment-là ?*

R. A. — Au début, les relations ont été normales. Je me tenais en retrait.

D. W. — *Pourquoi ?*

R. A. — Parce que j'étais juif. Ce n'était pas nécessaire de se mettre en avant. En plus de cela, j'étais obligé de signer sous un autre nom. L'administration française ne devait pas savoir que j'étais à Londres puisque ma femme était restée en France et qu'elle continuait à vivre de mon traitement. Celui qui avait le plus de relations avec le général de Gaulle c'était naturellement Labarthe. Au début, ces relations étaient très amicales. Progressivement, elles sont devenues détestables. Il a été très lié à l'amiral Muselier et impliqué de ce fait dans les querelles entre Muselier et de Gaulle. J'ai été moi aussi, dans une certaine mesure, impliqué dans ces affaires, dont je garde un souvenir pénible. C'étaient des querelles d'exilés. Mais il y avait par-derrière des différends politiques sérieux. Par exemple, personnellement, entre l'armistice et l'arrivée des Alliés en Afrique du Nord, je ne pensais pas qu'il fût souhaitable que le mouvement gaulliste se transformât en gouvernement. Je conservais obstinément le vague espoir qu'au moment où les Alliés arriveraient en Afrique du Nord — j'étais convaincu qu'ils commenceraient la reconquête de l'Europe par l'Afrique du Nord — une bonne partie du gouvernement de Vichy ou des forces liées à Vichy prendraient contact avec les Alliés et reviendraient dans la guerre. Donc, je trouvais que sous sa forme extrême la propagande gaulliste, qui dénonçait tout ce qui était attaché d'une manière ou d'une autre à Vichy, allait dans le sens contraire à ce que je souhaitais sans l'espérer. Il était souhaitable, en effet, d'éviter la guerre civile par la réconciliation, à un moment donné, des Français qui étaient d'un côté et de ceux qui étaient de l'autre. Finalement cela s'est fait. Mais en Afrique du Nord. L'armée française qui se trouvait là-bas a fait sa liaison, son unité, avec les gaullistes.

D'autre part, à Londres, j'étais en relation avec un des rares diplomates qui étaient simultanément à Vichy et à Londres. C'était Dupuy, l'ambassadeur du Canada, qui me mettait régulièrement au courant des conversations qu'il tenait à Vichy et des différentes tendances de Vichy. Cela a duré jusqu'au

11 novembre 42. Il ne faut pas oublier qu'en 1940, toutes les grandes puissances étaient représentées auprès du gouvernement de Vichy. C'était le cas aussi bien de l'Union soviétique que des Etats-Unis. Il y avait donc d'un côté le général de Gaulle qui réclamait pour lui-même, disons la légitimité française, avec seulement quelques milliers de Français, mais avec son nom et son verbe. De l'autre, il y avait la marine, l'empire, l'administration, le maréchal Pétain, de telle sorte que la revendication de légitimité du général de Gaulle, qui rétrospectivement lui a été accordée, sur le moment était difficilement acceptable.

J.-L. M. — *Sur le fond votre désaccord avec de Gaulle portait sur la légalité du régime de Vichy ?*

R. A. — Non, car la légalité du gouvernement de Vichy était peu discutable, en ce sens qu'il y avait eu un vote de l'Assemblée nationale. Pourtant, c'était une légalité discutable parce que l'armée allemande était alors très proche. Ce n'est pas ce vote qui était décisif. C'était que presque tous les Etats reconnaissaient le gouvernement de Vichy ; aussi les cadres de l'armée française, ce qui restait de la marine, l'empire. C'était tout cela qu'il fallait rallier à la cause des Alliés et ne pas laisser à Vichy. Or, après la guerre de Syrie, la plupart des Français qui s'étaient battus du côté de Vichy et contre les gaullistes n'ont pas voulu se rallier à de Gaulle. L'immense majorité a voulu être rapatriée en France. Bien entendu, cette espèce de guerre civile entre Vichy et de Gaulle, ce n'est pas de Gaulle seul qui en a la responsabilité, ce serait absurde ! Les Français sont portés à la guerre civile, donc ils l'ont commencée tout de suite, dès la fin du mois de juin 40.

D. W. — *Je ne comprends pas. Vous étiez en Angleterre, vous animiez une revue qui s'appelait* la France Libre *et qui était une revue de la résistance, et gaulliste. Mais vous, vous étiez gaulliste, ou vous défendiez le régime de Vichy ?*

R. A. — Non. Je disais que les vichystes n'étaient pas, par définition, des traîtres. Je disais d'autre part que l'armistice étant signé, il fallait attendre le bon moment pour rentrer dans la guerre, le moment où les Alliés auraient des armes à nous donner. Je disais donc que pour l'instant, ce que l'on pouvait espérer de mieux, c'était que le gouvernement de Vichy réservât l'essentiel. L'essentiel, c'était la marine, l'Afrique du Nord et ce qu'il restait d'armée. Il était absurde de demander au gouvernement de Vichy d'entrer dans la guerre sans en avoir la possibilité, sans attendre que le rapport des forces fût modifié entre les Alliés et l'Allemagne.

J.-L. M. — *Mais la démarche de De Gaulle avait pour but de mobiliser les énergies nationales. Or on ne mobilise pas ces énergies en disant : il y a Vichy d'un côté, qu'il faut préserver, et il y a les Français libres de l'autre.*

R. A. — Je n'étais pas le général de Gaulle. J'étais un écrivain politique. Je n'étais pas en désaccord avec lui sur ce point capital : il fallait que la France fût du côté des Alliés. Mais je souhaitais, je le répète, je souhaitais qu'il n'y eût pas de guerre civile ; et que d'autre part fussent du côté des Alliés non seulement le général de Gaulle avec les quelques milliers de Français qu'il avait recrutés immédiatement, mais également ceux qui pouvaient ultérieurement s'y rallier.

Alors en ce qui concerne notre revue, elle a été considérée dans le monde comme la revue gaulliste, celle de la France libre par excellence. Elle avait cette qualité que peut-être le Général n'admirait pas tellement : c'était une revue d'analyse plus qu'une revue de propagande. Mais qu'est-ce qui était le plus utile pour la cause de la France libre ? Une revue de propagande comme il y en avait un certain nombre — c'est ce que m'a rappelé Cobb récemment —, ou bien une revue d'un haut niveau intellectuel ?

D. W. — *Finalement, vous étiez gaulliste ?*

R. A. — A ma manière. Je n'aimais pas le culte de la personnalité qui avait commencé de manière immédiate. J'ai même écrit un ou deux articles, que je regrette aujourd'hui, en particulier un article qui était plutôt bon mais avait des implications agressives. Son titre était : « L'ombre des Bonaparte ». Il y a eu tout de suite une espèce de fanatisme gaullien ou gaulliste, qui n'était pas en accord avec ma sensibilité, laquelle était différente, comme je vous l'ai dit, sur l'armistice et ses suites. De ce fait, je ne participais pas à la propagande de Maurice Schumann, la meilleure peut-être, la forme extrême de la propagande gaulliste, ce qui explique en partie qu'il ait été consacré, si je puis dire, comme gaulliste n° 2 après le général de Gaulle. Je ne peux pas le moins du monde rivaliser avec ses titres que je respecte, sans les partager.

Je souhaitais que la propagande ne fût pas telle que les fonctionnaires et surtout les militaires fussent atteints dans leur honneur. Or, elle donnait le sentiment aux soldats, aux officiers qui étaient de l'autre côté, qu'ils étaient coupables, d'où la difficulté pour eux de se rallier au général de Gaulle. Pouvait-on au début leur reprocher d'obéir au maréchal Pétain, qui était une gloire nationale et non au général de Gaulle que personne ne connaissait ? Mais soit, j'avais tort. Les Français, certains d'entre eux, étant ce qu'ils sont, la guerre étant ce qu'elle est, on ne pouvait être que dans l'extrême. Quand on s'y refuse, comme moi-même, on ne peut plus qu'écrire des livres et on est plus ou moins isolé... Ce que je souhaitais pourtant, c'était ce que la majorité des Français pensait. Ils pensaient qu'au fond, le maréchal Pétain et le général de Gaulle avaient les mêmes objectifs et que leur querelle n'était pas inexpiable. La majorité rêvait de la réconciliation des deux hommes. Lorsqu'il y a eu le débarquement allié en Afrique du Nord, de Gaulle lui-même a dit à ses collaborateurs : « Si Pétain part pour Alger, nous n'existons plus à côté de lui. » Ce n'était pas vrai. Il aurait été le successeur de Pétain. Mais il est vrai que si Pétain était parti pour l'Afrique du Nord au mois de novembre 1942, comme le général Weygand et un certain nombre de ministres l'en ont supplié, il aurait été un héros national pour tous les Français. A mon avis, l'accusation la plus grave contre le gouvernement de Vichy et contre Pétain, c'est de n'avoir pas compris, en novembre 42, qu'ils pouvaient tout sauver, c'est-à-dire sauver les ressources de la France dans la guerre et sauver l'unité de la France. En novembre 42, la différence de sensibilité entre beaucoup des gaullistes de Londres et moi-même, c'est que ceux-ci, quand il a été question du départ du gouvernement de Vichy pour l'Afrique du Nord, étaient inquiets, pour ne pas dire désemparés. Quant à moi, sans l'espérer, je le souhaitais passionnément. Je trouvais que si Pétain partait pour Alger, l'essentiel était sauvé, l'unité de la France rétablie. Il ne restait plus que les collaborateurs, qui n'étaient plus rien s'ils n'étaient plus couverts et, d'une certaine manière justifiés, par le Maréchal. Du jour où le Maréchal était de l'autre côté, la France tout entière était du bon côté. Naturellement, on peut me répondre que Pétain n'est pas parti pour l'Afrique du Nord, qu'il n'y avait aucune chance qu'il partît pour l'Afrique du Nord et que ces spéculations ne sont que des spéculations d'intellectuel. Pour moi, la date de la rupture essentielle, radicale, finale, a été novembre 42. Jusque-là, à partir du moment où l'armistice était signé, il fallait se conduire d'une manière convenable, ce que n'ont pas fait toujours les hommes de Vichy, et surtout réserver les possibilités de rentrer dans la guerre. A partir de novembre 42, le gouvernement de Vichy, le maréchal Pétain, comportaient infiniment plus d'inconvénients et de pertes pour la France que d'avantages. La légende selon laquelle la personne, la présence du Maréchal, protégeaient les Français n'avait plus aucun sens. Il donnait au contraire une espèce d'investiture aux mouvements les plus détestables.

J.-L. M. — *Voulez-vous dire qu'il y avait une sorte de troisième voie possible entre la Résistance et la collaboration ?*

R. A. — Non, je ne dis pas cela. Je dis qu'à partir de l'armistice, le gouvernement français, par une série d'accidents, a eu un certain nombre d'atouts. Il a conservé sa flotte ; il a conservé l'Afrique du Nord et des forces qui ont été neutralisées. Or, ces forces neutralisées pouvaient passer d'un côté ou de l'autre. L'intérêt de la France était qu'elles passent au bon moment du bon côté. En ce sens, entre l'armistice et novembre 42, une politique attentiste pouvait se justifier. Mais le général de Gaulle était un homme de passion qui détestait par-dessus tout les attentistes. Il était prêt à comprendre ceux qui jouaient la carte allemande ; il n'arrivait pas à accepter, disons, l'espèce de lâcheté que représentait pour lui le gouvernement de Vichy. Son jugement était peut-être juste quand il portait sur les responsables au niveau supérieur, mais discutable lorsqu'il s'agissait des militaires, des officiers, des généraux, qui ne pouvaient partir dans la guerre du jour au lendemain. Pour ceux-là se posait la question du moment où il faudrait choisir. Elle s'est posée en novembre 42. A cette date, Pétain n'est pas parti pour l'Afrique du Nord où il serait devenu un héros national et où il aurait réconcilié tous les Français. Il fallait expliquer pourquoi et je l'ai fait. Mais, si l'on veut, l'histoire m'a donné tort puisque les partisans d'un attentisme qui aurait pu être utile à la France ont mal tourné. Mais, comme toujours dans les situations extrêmes, j'essaie de trouver les moyens d'éviter le pire et le pire, pour moi, pour un pays, c'est la guerre civile. C'est dans cet esprit que bien plus tard j'ai pris position pour l'indépendance algérienne.

D. W. — *Ce qui est frappant chez vous, c'est la hantise de la division et de la guerre civile.*

R. A. — C'est vrai. Cela a commencé chez moi dans les années 30, à mon retour d'Allemagne, puis en 34, en 36 et pendant la guerre d'Espagne. J'ai eu toujours le sentiment que le pays était en train de s'engager dans une guerre civile au moment où il aurait à affronter les dangers extrêmes de la guerre extérieure. J'ai toujours eu l'obsession d'éviter la guerre civile et j'ai vécu dans une période où les Français étaient toujours à la limite de la guerre civile. Alors, si vous voulez, j'ai réagi aux événements, d'une part avec mes prises de position qui étaient toujours catégoriques et, intellectuellement, avec la volonté de faire comprendre à ceux qui voulaient la même chose que moi, que les autres, qui étaient de l'autre côté, n'étaient pas nécessairement des traîtres. Je l'ai fait toute ma vie. C'était, disons, une petite mission que je m'attribuais.

J.-L. M. — *Pouvons-nous revenir un peu sur l'armistice, date si importante pour la sensibilité historique des Français. Vous le compreniez, nous dites-vous. Mais l'approuviez-vous alors ?*

R. A. — Oui, je vous ai dit qu'il était difficile de condamner l'armistice après avoir traversé toute la France au milieu des réfugiés, dans la déroute et la débâcle. Cependant, pour autant que je me souvienne, ma réaction affective avait été d'être contre, avec des arguments primitifs : on ne discute pas avec Hitler, ou bien on se défend, ou bien on est écrasé. C'était une réaction immédiate, non réfléchie, mais dans mon cas, la première réaction, même émotionnelle, est immédiatement compensée par une réflexion plus complexe et nuancée. Je me suis posé une première question : quelles seront les clauses ? Qu'en sera-t-il de la flotte ? de l'Afrique du Nord ? On pouvait craindre que la flotte et l'Afrique du Nord fussent contrôlées par l'ennemi. Autre question liée à l'armistice : avait-on les moyens de résister en Afrique du Nord ? Dès l'époque, mon sentiment était que si on avait voulu aller en Afrique du Nord, on aurait dû prendre la décision au plus tard au début du mois de juin, et non pas faire le contraire, c'est-à-dire amener en France les divisions d'Afrique du Nord. Si on était parti au dernier moment pour l'Afrique du Nord, on n'avait pas grand-chose pour la défendre. Les Anglais n'avaient rien du tout et les Américains donnaient ce qu'ils avaient à la Grande-Bretagne. Pour avoir une opinion fondée de l'armistice, il fallait pouvoir répondre à ces questions : quelles clauses ? Quelles chances de résister en Afrique du Nord ? Lorsque l'ensemble des données a été connu, j'ai plutôt été enclin à penser qu'au mois de juin l'armistice était pratiquement inévitable. Plus tard, j'ai pensé — comme d'ailleurs Churchill lui-même — que l'armistice avait bien tourné, en particulier pour les Alliés, sinon pour la France.

En effet, si la France avait résisté en Afrique du Nord, c'est-à-dire s'il y avait eu dans cette zone une force anglo-française importante, menaçant l'Italie, inévitablement l'Allemagne aurait été obligée d'aller au secours de son alliée. Il y aurait eu une grande bataille en Méditerranée en 41. Du coup, l'attaque contre l'Union soviétique, selon toute probabilité, aurait été retardée. Or la décision fatale pour Hitler a été d'attaquer l'Union soviétique. D'une certaine manière, l'armistice en France a contribué à rejeter les Allemands vers leurs ambitions orientales. Bien entendu, les Français qui ont voulu l'armistice n'ont pas pensé si loin. Mais telle en fut sans doute la conséquence. Le résultat, d'ailleurs, c'est qu'aucun tribunal, même au moment de la Libération, n'a inscrit l'armistice comme chef d'accusation contre les collaborateurs.

J.-L. M. — *Oui, c'est pour cela que vous avez dit que l'armistice était une réplique au pacte germano-soviétique.*

R. A. — Oui, je l'ai écrit et d'une certaine manière historiquement l'armistice est une réplique au pacte germano-soviétique. C'est une ironie de l'histoire. Au bout du compte, qu'est-ce que c'était le pacte entre Hitler et Staline ? Une invitation de Staline aux Français de se battre jusqu'au dernier pour l'Union soviétique. Les Français ont répondu galamment : pourquoi ne feriez-vous pas la même chose pour nous ? Bien entendu ils ne l'ont pas pensé mais ils l'ont fait.

D. W. — *A votre avis, la France a été sauvée par la rapidité de sa défaite ?*

R. A. — C'est une phrase que vous empruntez à un de mes livres et c'est une autre question. La France avait été terriblement affaiblie par ses pertes d'hommes dans la Première Guerre : quinze cent mille hommes. Je pensais qu'une nouvelle hémorragie, une nouvelle perte d'un million ou de deux millions d'hommes pourrait lui être fatale, qu'elle pourrait ne pas s'en relever. Or si l'armée française avait résisté en 1940 au lieu d'être vaincue en quelques semaines, si finalement elle avait été battue en 1941, les pertes auraient été beaucoup plus grandes. Pour dire les choses de manière brutale : dans toutes les guerres il y a une donnée démographique. En ce sens le désastre, qui a eu des conséquences morales et matérielles dramatiques, a néanmoins rendu possible par sa rapidité le relèvement ultérieur démographique, économique et politique de la France. Il n'est pas agréable de penser ni de dire que l'on a été sauvé par un désastre, c'est même assez horrible. C'est pourtant ce que je pense profondément, même si ces propositions semblent un peu paradoxales.

J.-L. M. — *La rapidité du désastre a peut-être été utile d'un point de vue démographique, mais l'a-t-elle été sur le plan moral ?*

R. A. — C'est ce que je vous disais. L'armistice, utile peut-être aux Alliés, favorable peut-être à l'avenir démographique de la France, n'en a pas moins eu certaines conséquences désastreuses, en ce sens qu'il divisait les Français. Il créait, inévitablement, un début de guerre civile. S'il n'y avait pas eu le gouvernement de Vichy, s'il n'y avait pas eu Pétain pour couvrir

Laval, très rapidement l'unité française se serait rétablie contre les Allemands. En ce sens, le négatif du gouvernement de Vichy est considérable. Il a coupé la France en deux blocs, et cette division s'est perpétuée presque jusqu'à aujourd'hui. Tous ceux qui ont vécu cette période ont été d'un côté ou de l'autre. Vous, qui ne l'avez pas vécue, vous trouvez peut-être mes subtilités hors de saison.

J.-L. M. — *Nous avons été formés avec une vision plus manichéenne de l'histoire.*

R. A. — Alors je vais vous dire un mot de Malraux ; il a dit : « C'est vrai, la politique est manichéenne, mais il ne faut pas en remettre. » Il ne faut pas en remettre, en particulier dans l'histoire que nous avons vécue, les années 30, 38, 39, l'armistice, 42, 44, l'Algérie. Chaque fois il y avait une occasion de guerre civile. Chaque fois on pouvait penser de manière manichéenne. Il fallait bien qu'il y en eût un qui refusât de penser de manière manichéenne. Aujourd'hui, il y en a bien d'autres. Dans une très large mesure, sur beaucoup de points, la présentation, disons nuancée, est presque l'opinion historique, sauf sur le gouvernement de Vichy sur lequel l'historien, dans l'ensemble, est plus sévère que moi.

D. W. — *Comment vivaient les Français à Londres ?*

R. A. — Cela dépend desquels. Il y avait les Français qui vivaient en Angleterre et qui n'étaient pas rentrés en France. Ceux-là, dans leur majorité, étaient passionnément gaullistes. Il y avait ceux qui étaient gaullistes purement et simplement. Et il y avait des gens comme Roger Cambon par exemple, le numéro deux de l'ambassade de France en Grande-Bretagne avant la guerre et pendant la guerre resté à Londres après l'armistice, qui n'est jamais devenu gaulliste. Aux Etats-Unis, Alexis Léger, lui non plus, n'est jamais devenu gaulliste parce qu'il était contre l'idée de créer un gouvernement provisoire en exil. A Londres, ceux qui écrivaient le journal *France* n'étaient pas gaullistes parce qu'ils étaient typiquement des hommes de la IIIe République. Ils soupçonnèrent immédiatement le général de Gaulle d'intentions despotiques et dictatoriales. A leurs yeux, c'était un militaire de formation maurrassienne, donc ils n'étaient pas gaullistes. Il y avait aussi un homme comme Pierre Bourdan, mort tragiquement un ou deux ans après la guerre, et qui avait un succès énorme en France. Lui non plus n'était pas gaulliste, sans être anti-gaulliste. Donc, il y avait toutes les nuances. Ces gens se rencontraient, causaient, se disputaient. C'était une espèce de petite France politique, légèrement ridicule, qui faisait typiquement une politique d'exilés. On discutait dans l'abstrait des problèmes qui ne deviendraient réels qu'après la libération de la France : quel gouvernement ferait de Gaulle, quelle serait la reconstruction des partis, etc. Et puis il y a eu à l'intérieur du mouvement gaulliste cette scission, dont je vous ai déjà dit un mot, cette querelle entre l'amiral Muselier et le général de Gaulle, le départ de Muselier pour l'Afrique du Nord. C'est à ce moment-là que Labarthe avec l'amiral Muselier s'est rangé du côté du général Giraud. Il y a eu toutes sortes de querelles que les Français de l'intérieur ne soupçonnaient pas. Elles n'étaient pas intéressantes ou, du moins, elles ne m'apparaissent plus intéressantes.

J.-L. M. — *Et la vie quotidienne à Londres ?*

R. A. — Après le « blitz » dont je vous ai parlé, à partir du moment où Hitler a attaqué la Russie, les bombardements de Londres sont devenus rares. La vie de Londres a été sensiblement différente du Londres ordinaire, parce que c'était, pour la première et la dernière fois, la capitale de l'Europe continentale. On rencontrait des Tchèques, des Polonais, des Belges, des Hollandais, etc. On discutait indéfiniment de tous les problèmes européens. Il y avait une espèce de société européenne à l'intérieur du grand Londres.

Puis il y a eu la période des V1 en 1944 qui, elle non plus, n'a pas été aussi tragique qu'on l'a représentée. Même quand une centaine de V1 tombaient un jour sur la capitale, on pouvait continuer à travailler tranquillement. D'abord, on entendait venir ces V1. Avec un peu de sang-froid, on pouvait calculer si la bombe allait tomber près de soi ou plus loin. Si elle devait tomber tout près, on se mettait sous une table. Je l'ai fait une fois. Le V1 est tombé à proximité car les vitres ont été brisées.

Mais comme dominait l'effet de souffle, la table souvent suffisait à vous protéger.

D. W. — *Les Allemands envahirent l'U.R.S.S. en juin 41. Avez-vous eu conscience que le cours de la guerre changeait ?*

R. A. — Je ne suis pas un historien de la guerre, mais, nous avons eu le sentiment qu'Hitler était en train de créer la guerre sur deux fronts, alors qu'il avait juré de ne jamais répéter cette faute après l'expérience de la Première Guerre. Après Pearl Harbor, où les Japonais ont attaqué les Etats-Unis, date encore plus importante, Hitler, pour des raisons qui encore aujourd'hui sont restées obscures, incompréhensibles, a déclaré la guerre aux Etats-Unis. Récemment, il est paru sur Hitler un livre remarquable, *Bemerkungen zu Hitler,* de l'écrivain allemand Sebastian Haffner. Selon l'auteur, parmi les erreurs ou les crimes de Hitler, il y a la déclaration de guerre aux Etats-Unis, bien que le traité avec le Japon ne l'y obligeât pas. Or Roosevelt aurait eu une certaine difficulté à convaincre le peuple américain de déclarer la guerre à Hitler si celui-ci n'avait pas déclaré la guerre aux Etats-Unis. Hitler depuis 1940 acceptait avec patience des Etats-Unis une pratique de la neutralité absolument contraire aux règles du droit international. Les Etats-Unis, en effet, se conduisaient en demi-belligérants. Hitler n'en refusait pas moins, obstinément, d'entrer en guerre contre eux. Soudain il s'y décide. Nous avons eu alors le sentiment que la guerre était gagnée. Ce n'était plus qu'une question d'années. A partir du moment où il y avait les Etats-Unis, l'Union soviétique et la Grande-Bretagne dans la guerre, notre optimisme n'était plus simplement un optimisme de foi et de volonté. Il se fondait sur des raisons convaincantes. Bien entendu, les premières défaites de l'Union soviétique, au début de la campagne, ont suscité l'incertitude ou l'inquiétude. Mais après l'hiver 41, il était probable que l'Allemagne avait perdu la guerre.

J.-L. M. — *Pendant ces années de guerre, vous avez fait dans* La France libre *une analyse mensuelle, — « la Chronique de France » — de la situation de la France de Vichy. Pourquoi ?*

Qu'est-ce que Vichy avait de si intéressant pour un résistant de Londres ?

R. A. — Ecoutez, j'aurais peut-être mieux fait de rester comptable dans ma compagnie de chars. Mais si je suis le rédacteur en chef d'une revue où je dois écrire au moins deux grands articles par mois, il y a un sujet qui ne peut pas ne pas intéresser les lecteurs à la fois français et anglais, c'est ce qui se passe en France. Or j'ai découvert que, même dans une presse censurée comme celle de Vichy, on peut trouver presque tout. Quand on connaît le pays, quand on lit la presse — une seule fois dans ma vie, pendant trois ou quatre ans, j'ai lu véritablement une presse —, on peut reconstituer une bonne partie de ce qui s'y passe. Ces articles n'ont plus aujourd'hui qu'un intérêt anecdotique ou historique. Il y a des livres d'historiens qui ont disposé des archives que je ne possédais pas. Mais mes analyses n'étaient pas tellement fausses étant donné les informations dont je disposais. Expliquer ce qui s'était passé le 13 décembre, le renvoi de Laval, expliquer aux Français et aux Anglais quels étaient les hommes politiques qui étaient ici où là, quelles étaient leurs positions par rapport à la Grande-Bretagne, par rapport aux Etats-Unis, les batailles à l'intérieur de Vichy, n'était pas inutile. Tout cela on le devinait, et j'essayais de l'analyser. D'un autre côté, j'analysais aussi l'économie française, et là on avait beaucoup de données. Pourquoi ne pas le faire ? C'était une des fonctions normales de cette revue : maintenir le contact entre les Français hors de France et les Français de France, le faire autant que possible avec le maximum d'objectivité, étant bien entendu qu'on était d'un côté et que les dirigeants de Vichy étaient de l'autre.

D. W. — *Ce qui est frappant quand on relit le livre qui rassemble l'ensemble de ces chroniques, c'est que jusqu'en novembre 42, vous avez analysé le régime de Vichy sans colère. Vous le preniez comme un fait. C'est tout de même étrange.*

R. A. — C'est de nouveau le même reproche ! Que voulez-vous, je n'aime pas les gens qui éructent devant le papier blanc. Bon. Je vous rappelle d'abord que nous avons publié dans *la France libre* un article de René Cassin qui, lui, rejetait même la légalité du gouvernement de Vichy. Il y a eu aussi, au début, un article contre l'armistice. Mais à partir du moment où l'armistice est un fait, où le gouvernement de Vichy est un fait, j'essaie de comprendre ce qui se passe. Il est vrai que cette attitude ne me vaut pas que des approbations. A Londres on jugeait que j'étais trop indulgent pour le gouvernement de Vichy ; on expliquait cette indulgence par la sur-compensation du Juif, nécessairement anti-Vichy. Certains reconnaissaient que c'était simplement ma manière. D'une façon générale je préfère comprendre, analyser, plutôt que de vitupérer les adversaires.

J.-L. M. — *La France de Vichy, c'est aussi la France. Mais laquelle ? Puis-je la présenter ainsi : un puissant courant fasciant, corporatiste, antisémite qui accède au pouvoir, mais qui existait déjà avant guerre ?*

R. A. — Enfin, oui et non. La première équipe du maréchal Pétain est dominée par des maurrassiens. Raphaël Allibert, le légiste au début du gouvernement du Maréchal, était un maurrassien de stricte observance. Or, *l'Action française* n'a pas pu faire élire un seul député pendant des années en France.

Un grand mouvement corporatiste ? Il y avait des sectes, il y avait des groupes, il y avait des intellectuels qui parlaient de corporatisme à propos du fascisme italien. Mais tout cela était assez flou.

Non, ce qui s'est passé, c'est qu'à l'occasion de la défaite un certain nombre de gens sont arrivés au pouvoir. Parmi eux, il y a eu, au début, des maurrassiens. Mais il y avait aussi Pierre Laval, qui autant que je sache n'était pas maurrassien ni spécialement corporatiste.

Il y a eu en outre des survivants de la IIIe République, des socialistes, des gouvernants du Front populaire, par exemple Spinasse. Il y a eu donc la rencontre d'hommes politiques qui venaient de différents horizons et qui se sont trouvés d'accord, après la défaite, avec le gouvernement tel qu'il était, d'accord pour l'acceptation temporaire ou définitive de la défaite.

Quant à l'antisémitisme, oui, il existe, et c'est Maurras. Mais finalement j'hésite à être d'accord avec votre formule, selon laquelle Vichy a fait apparaître des forces profondes qui existaient en France. Vichy a fait apparaître des mouvements, des groupes, des idées, des hommes qui existaient, mais qui n'étaient pas majoritaires dans la France de la IIIe République

D. W. — *Tout ça c'est le Vichy du début. Mais ce qui me frappe, c'est que même après le retour de Pierre Laval au pouvoir en avril 42, largement sous la pression allemande, il est vrai, même après novembre 42, vous étiez toujours aussi peu passionné dans vos « Chroniques de France ». Et pourtant vous saviez très bien que le régime de Vichy n'allait pas changer, qu'il allait s'enfoncer de plus en plus dans la collaboration. De nouveau je pose la question : pourquoi cette mansuétude ?*

R. A. — Je ne sais pas très bien pourquoi vous me reprochez d'écrire dans mon style ordinaire, même lorsqu'il s'agit d'événements que de toute évidence je déteste. Si mes articles étaient écrits dans le même style, ils décrivaient, ils analysaient l'aggravation du régime de Vichy. Je n'ai cessé de le démontrer. A la fin, il y avait un article qui s'appelait « les gangsters au pouvoir ». Peut-être aurais-je dû écrire dans un style différent, mais les autres s'en chargeaient. Les autres publications écrivaient toujours dans le style que vous semblez souhaiter, avec des adjectifs, de l'indignation, de la fureur. Il faut choisir : ou bien on trouve le ton de Bernanos, mais alors il faut un certain talent particulier, ou bien on n'a pas ce talent, alors il ne faut pas tomber dans les invectives vulgaires.

D. W. — *J'insiste, car je constate une attitude comparable, qu'il s'agisse du Front populaire, de la Résistance, du régime de Vichy. Vous faites des choix et on dirait que vous n'y adhérez pas. D'où vient cette espèce de besoin, cette capacité de rester décalé par rapport à vos propres choix ?*

R. A. — Avez-vous lu les grands écrivains politiques ? Tocqueville, Machiavel ? Avez-vous observé chez eux des indignations faciles ? Jamais. C'est par des formules ironiques, par un certain nombre de mots que se font jour leurs sentiments. Je crois que vous exagérez un peu la manière dont les « Chroniques de France » étaient écrites. Mes sentiments étaient aisément perceptibles. Mais j'écrivais pour les Français qui étaient en dehors de la France, pour les Anglais qui voulaient comprendre et qui n'avaient aucune difficulté à détester tout ce qui se passait en France. Bon! si j'avais été Bernanos, probablement j'aurais écrit autre chose.

Je vois encore une autre raison pour laquelle je n'avais pas à me lancer dans l'indignation. A Londres, dans la tranquillité de Londres, elle me paraissait insupportable. C'était trop facile d'être héroïque. On avait plutôt le devoir et le droit de se dire, en pensant aux Français de France : « Qu'est-ce que je ferais à leur place ? » Vous avez retrouvé dans mes chroniques de la guerre mon style ordinaire. Je crois que beaucoup de ceux qui m'ont lu à cette époque m'ont tenu gré d'avoir conservé, disons, une certaine décence dans l'expression et de ne pas avoir été entraîné par des passions faciles — que j'éprouvais.

Je vous ai déjà dit un mot de cette attitude à propos des Français et de Pétain. Vous me parlez d'un sondage de l'I.F.O.P., de septembre 1944, selon lequel, avant que Pétain ne revienne d'Allemagne, de Sigmaringen, 58 % des Français refusaient d'envisager qu'il pût être poursuivi et condamné. Je ne suis pas convaincu de la valeur de ce sondage. En revanche, je le répète, je suis persuadé que la masse des Français n'a pas considéré le maréchal Pétain comme un traître, que beaucoup se sont raccrochés à son image, à la gloire du passé, à un grand homme qui, selon eux, se sacrifiait, disons pour épargner aux Français des souffrances supplémentaires. Ils respectaient un vieillard qui restait avec eux au moment du malheur. Des Français ont détesté Pétain. Les résistants l'ont détesté. Mais il y a eu, disons, une France profonde ou silencieuse qui a été à la fois gaulliste et pétainiste. Je le disais et je l'écrivais. Pourquoi nier la réalité ? Les Français ne sont pas quarante ou cinquante millions de héros. Vous n'imaginez pas aujourd'hui l'effondrement de ce pays. Les Français étaient malheureux. De Gaulle était inconnu et loin. Pétain était la gloire de la veille. Il était là ; eux, ils avaient besoin de lui et ils ont accepté, dans une certaine mesure, le mythe du maréchal Pétain protégeant les Français de la même façon qu'un bon nombre de Français, ensuite, ont accepté le mythe du général de Gaulle représentant la légitimité française dès le mois de juin 1940, à un moment où il était presque seul en Angleterre. Vous me direz que voilà beaucoup de mythes en peu de temps. Mais en politique les mythes jouent un rôle considérable. Et puis dans les grands malheurs, mais aussi, comme ce fut le cas plus tard, dans les grands bonheurs... la vérité est prosaïque et insupportable. La preuve, vous trouvez insupportable que j'aie voulu décrire la réalité de Vichy. Vous voudriez qu'il y eût d'un côté les héros et de l'autre côté les vilains.

D. W. — *C'est souvent ainsi qu'on nous a appris, à nous, cette histoire. Aussi j'ai toujours du mal à distinguer entre ce que vous compreniez parce que vous l'analysiez, et ce que vous approuvez ou n'approuvez pas.*

R. A. — Il ne suffit pas de comprendre pour excuser. Il s'agit de comprendre et d'expliquer. Ça ne signifie pas que l'on ne condamne pas. Mais je n'aime pas jouer à la conscience universelle. Je trouve ça indécent. Beaucoup de ceux qui écrivent sur la politique, ou bien écrivent avec fureur contre leurs adversaires — passe encore quand c'est Bernanos, ça va — ou bien ils se posent en interprètes de la conscience universelle. Jean-Paul Sartre, lui, prend les deux rôles à la fois. Il condamne de haut les prises de position des uns ou des autres et, en même temps, il écrit des choses épouvantables contre les gens qu'il n'aime pas. J'en parle sans aucune espèce de ressentiment parce que j'ai conservé pour lui à la fois admiration et amitié en dépit de tout. Il était à la fois la conscience universelle et l'orage déchaîné. Moi, je ne suis ni l'un ni l'autre. J'ai été sévère parfois pour les écrivains français proches de la collaboration, dans certains cas trop sévère, mais je n'étais pas tenté d'être sévère pour les Français tels qu'ils sont. Des peuples ont été plus héroïques que le peuple français, c'est vrai, le peuple polonais ou danois par exemple. Mais les Français sont ce qu'ils sont. Depuis, on a tourné des films, écrit des livres qui les accablent...

c) L'holocauste

J.-L. M. — *Justement, cela nous conduit à l'antisémitisme en France. Le gouvernement a voté des lois contre les Juifs. Mais on ne trouve dans la revue* la France libre *aucune chronique sur la politique de Vichy contre les Juifs. Pourquoi ?*

R. A. — C'est vrai. J'aurais dû en parler. Les lois anti-juives ont été promulguées le 30 octobre 1940, avant que les Allemands ne l'exigent. C'était une initiative de Vichy. Et puis il y a eu l'exposition : *Les Juifs et la France*. Et surtout la rafle du Vélodrome d'hiver en 1942. Pourquoi est-ce que je ne commente pas ces événements ? J'aurais envie de vous dire : je ne sais pas moi-même pourquoi. En réfléchissant je trouve plusieurs raisons. La première c'est que nous étions à Londres des résistants français. En tant que Français, nous étions évidemment contre toutes ces mesures antisémites. Mais il y avait une espèce de convention d'en parler le moins possible. Probablement parce que moi-même j'étais juif, j'en parlais le moins possible.

Il y a probablement une autre raison plus profonde et qui n'est pas à mon honneur, mais qui est compréhensible : toutes les mesures que pouvaient prendre les Français contre les Juifs me touchaient en profondeur précisément parce que je suis français, si je puis dire, avant d'être juif. C'était une espèce de précaution émotionnelle pour moi-même de songer le moins possible à ce que certains Français faisaient aux Juifs. De ce fait, j'ai parlé moins que je n'aurais dû de cet aspect de la réalité, moins que des autres aspects de la réalité française.

Il y a une raison supplémentaire pour expliquer que l'on ait relativement peu parlé de la question juive dans les journaux anglais ou américains. La propagande hitlérienne ne cessait de répéter que c'était la guerre des Juifs. De ce fait, il y avait une espèce de convention de silence que j'ai, consciemment ou inconsciemment, respectée. Il y avait aussi du côté des Alliés des antisémites. Une des manières les plus faciles et les plus grossières de parer cette propagande hitlérienne, c'était de ne pas proclamer que l'on faisait la guerre pour libérer les Juifs. On la faisait pour libérer la France, contre le totalitarisme, contre le despotisme, et non pas pour les Juifs. C'est une attitude, la mienne et celle de beaucoup d'autres — aujourd'hui je la juge plutôt sévèrement — qui a conduit à traiter moins du sort fait aux Juifs qu'on aurait dû le faire.

Si Churchill et Roosevelt n'ont rien dit pour dénoncer l'extermination des Juifs, la raison est la même. Un diplomate américain a écrit un livre : *Quand les Juifs mouraient*. Il raconte ses efforts pour obtenir de Roosevelt et de Churchill qu'ils prononcent les mots qui peut-être auraient sauvé un certain nombre de Juifs. En vain. Les hommes qui dirigeaient cette guerre n'ont rien voulu faire de manière explicite pour les Juifs. Ils n'ont pas dit aux hitlériens : « Vous paierez si cette extermination continue. » De la même manière, le pape, qui a essayé d'agir, discrètement, presque clandestinement, n'a rien dit publiquement.

J.-L. M. — *Quelles étaient les informations qui arrivaient en Angleterre sur le génocide, sur la solution finale ?*

R. A. — La vérité, c'est que je ne sais pas exactement ce que j'ai su. Bien entendu, j'ai su qu'il y avait des persécutions. Je suis sûr que je n'ai pas connu à Londres l'existence des chambres à gaz. Est-ce que j'ai su que des millions de Juifs étaient exterminés ? Je crois que je ne l'ai pas su, mais je suis tenté aujourd'hui de penser que c'était encore une forme de confort émotionnel. Je ne voulais pas y songer. Je savais naturellement que les Juifs de l'Ouest étaient déportés vers l'Est. Je savais qu'il y avait des camps de concentration.

D. W. — *Vous le saviez ?*

R. A. — Comment ne pas le savoir.

J.-L. M. — *Mais le génocide lui-même ?*

R. A. — Je n'ai jamais imaginé le génocide. J'avais vécu en Allemagne. Je connaissais ce peuple. J'attendais le pire des hitlériens, mais je dois dire à ma honte et honnêtement que je n'ai jamais imaginé l'extermination d'un peuple, comme ça, à froid ; les Juifs, les Tziganes, pourquoi ? En Angleterre deux Juifs polonais socialistes se sont suicidés à cause de l'indifférence des Anglais et des Alliés à l'égard du sort des Juifs. Ça, nous l'avons su à Londres. Mais probablement nous avons été coupables, comme tous les autres, de ne pas en savoir plus. Si je suis sévère pour moi-même, je dirai que j'aurais pu le savoir si je l'avais voulu.

D. W. — *Et pourquoi à votre avis les gens ne voulaient-ils pas savoir ?*

R. A. — Partiellement, c'était inconcevable. Et d'un autre côté ils ne voulaient pas faire la guerre pour les Juifs. Je pense que c'est assez horrible à dire, mais je pense que c'est vrai. Bien entendu, les Anglais, les Américains, condamnaient la conduite des hitlériens à l'égard des Juifs. On peut dire même que, dans une certaine mesure, l'Allemagne a perdu la guerre à cause de la manière dont elle a traité les Juifs, car elle a chassé les grands savants juifs d'Allemagne et elle a créé aux Etats-Unis et même en Angleterre, une passion contre l'antisémitisme, contre l'antisémitisme des Allemands. Mais, pendant la guerre, je l'ai dit, il y a eu la convention du silence. On condamnait, mais il y avait en même temps au sujet du sort des Juifs une forme de lâcheté intellectuelle ou une lâcheté affective. Quand Himmler a proposé l'échange de quelques dizaines de milliers de Juifs contre des camions, les Alliés ont refusé.

D. W. — *Donc c'était un comportement relativement général ?*

R. A. — Je crois même qu'on peut enlever le mot relativement.

Il y a beaucoup de choses que les Alliés n'ont pas voulu connaître, y compris au procès de Nuremberg. On avait pour alliée l'Union soviétique. Les Anglais et les Américains savaient très bien qui avait exterminé les dix mille officiers polonais à Katyn. Ce n'étaient pas les hitlériens mais les Soviétiques. C'est à cette occasion qu'il y a eu rupture entre le gouvernement polonais à Londres et le gouvernement de Moscou. Il y avait en Union soviétique même de terribles crimes.

Finalement, quand ai-je connu de manière certaine le génocide ? En France, plus tard, quand ça a été publié, quand ça a été écrit.

J.-L. M. — *Quelles ont été vos réactions à ce moment-là ?*

R. A. — Est-ce que vous pouvez l'assumer ? Personne, étant juif, ne peut, d'une manière définitive, dire qu'il a assumé, qu'il a accepté. La seule chose que je puisse dire, à titre de témoignage personnel, c'est que depuis lors je me considère moi-même comme un survivant gâté par la fortune. Le reste, on ne peut pas le dire. Vous appartenez à une autre génération, mais pour vous qui êtes juif comme moi, l'événement continue à exister comme s'il était tout proche. Cela ne me transforme pas en pourchasseur d'Allemands ou de coupables. Non, je ne suis pas la conscience universelle. Simplement l'événement reste tout proche de moi.

D. W. — *Pourquoi n'avez-vous rien écrit là-dessus après la guerre ?*

R. A. — Que peut-on écrire ? Vous avez lu le livre de Poliakov, *le Bréviaire de la haine ?* Bon. Il est écrit exactement dans le style que vous me reprochez à propos de Vichy. C'est une analyse. On sent que celui qui écrit est chaleureux, qu'il ressent profondément les événements. Mais c'est un livre d'histoire. Je pense que, à moins d'avoir du génie, on ne peut écrire sur ces événements que dans et par l'analyse. Le reste est vain. J'en ai parlé dans des cours, plusieurs fois, à l'Institut d'études politiques, mais d'une manière tellement émotionnelle que jamais je n'ai songé à en écrire. Mon mode d'écriture échoue devant les événements de cet ordre. Quant à écrire pour se purifier de ces émotions, de toutes ces horreurs, on ne peut pas. Elles restent. Pourtant il faudra bien que les Juifs les surmontent et vivent, non pas comme si l'événement n'avait pas eu lieu, mais non plus dans l'obsession du souvenir.

J.-L. M. — *Et le livre de Sartre* Réflexion sur la question juive ?

R. A. — C'est un beau livre, mais Sartre ignore les Juifs. Il imagine que les Juifs sont tous comparables à son petit camarade Raymond Aron, totalement déjudaïsé, essentiellement français, qui ignore dans une large mesure la tradition juive et qui, de ce fait, n'est juif que parce que les autres l'appellent juif. Sartre écrit un texte qui laisse de côté la réalité des Juifs, de ceux qui sont authentiquement juifs, étant bien entendu que ceux qui n'étaient pas plus juifs que moi ont été persécutés de la même manière. De ce fait, ceux qui n'étaient pour ainsi dire pas juifs avant sont pour la plupart redevenus juifs lorsqu'ils ont découvert qu'ils devaient partager le destin de leurs coreligionnaires qui, eux, étaient restés juifs.

J.-L. M. — *Et le sionisme ? Comment réagissez-vous par rapport aux mouvements sionistes qui se développent activement dès 1945 ?*

R. A. — Je n'ai jamais été sioniste et je ne le serai jamais, d'abord parce que je ne suis pas juif croyant, d'autre part parce que j'ai toujours pensé que la création de l'Etat d'Israël au Proche-Orient serait l'origine d'une suite de guerres. Je croyais qu'une fois de plus, les Juifs s'étaient établis, non pas, je dirai, dans un endroit maudit, mais dans un lieu où la paix était prêchée mais non pas pratiquée. Je me souviens d'avoir parlé de cette question à l'université de Jérusalem quand j'y ai été reçu docteur *honoris causa*. J'ai dit : « Jérusalem, ville sacrée pour les croyants des trois religions du Livre, Jérusalem qui fut le théâtre de tant de guerres, Jérusalem qui retentit encore des plaintes des vaincus », etc. Mais Israël existe, et continuera à exister, je l'espère. Je suis d'une certaine manière attaché à Israël, mais je suis citoyen français.

D. W. — *A la fin de la guerre vous dites : l'événement est trop horrible pour que l'on puisse écrire dessus ou pour que l'on puisse le commenter. Mais la seule manière de l'inscrire dans l'Histoire n'était-ce pas de soutenir la création de l'Etat d'Israël ?*

R. A. — Les Juifs ont la liberté de se choisir Juifs dans la diaspora. Ils peuvent se choisir Juifs en Israël. Mais s'ils se choisissent Juifs en France et citoyens français, s'ils réclament l'égalité des droits avec leurs compatriotes français, alors ils doivent accepter que leur patrie soit la France et non pas Israël. Il est possible d'avoir une patrie charnelle et une patrie spirituelle. De la même manière que les chrétiens sont français et d'une certaine manière ils sont chrétiens avant d'être français. Seulement Israël n'est pas un Etat religieux. C'est un Etat à demi religieux et un Etat militaire. Donc, du moment que je suis un citoyen français, ma critique politique, je la fais en tant que Français et non pas en tant que Juif.

Je suis allé en Israël pour la première fois en 56. Vous pouvez sur ce point aussi vous interroger. En 48, date de la création d'Israël, bien sûr ma sympathie était avec les Israéliens. Mais ça n'a pas été pour moi un grand événement spirituel. Je l'avoue parce que c'est vrai. Aujourd'hui je réagis autrement : je regrette plutôt de n'avoir pas été plus passionné en 48. J'ai été bouleversé, oui, en 67 au moment de la guerre des Six jours. J'ai cru pendant quelques instants, à tort d'ailleurs, qu'Israël était en danger de mort. Depuis lors, j'ai fait la paix avec les Israéliens qui m'aiment bien et m'acceptent tel que je suis : un ami d'Israël mais non pas un sioniste, non pas un Israélien mais un Français. Cependant je suis plus sensible aujourd'hui à l'Etat d'Israël qu'en 48. D'une certaine manière, les événements de la guerre se sont progressivement enfoncés dans mon être. Ils signifient davantage pour moi aujourd'hui qu'en 45 ou 46. C'est paradoxal, mais c'est comme ça.

J.-L. M. — *On a le sentiment que se produit chez vous une espèce de très lente décantation. 1930, Raymond Aron, le Juif intégré dans la société française, entièrement laïcisé et dont la référence au judaïsme est très faible. Puis le contact avec l'antisémitisme allemand, puis la révélation de l'holocauste en 1945, et tout cela conduit à une transformation telle que vous cessez de jouer l'intégration.*

R. A. — Je ne cesse pas. Je ne cesse pas. Je ne plaide rien du tout. Je pense que chaque Juif est libre de se choisir lui-même. Je me suis choisi une fois pour toutes comme Français, en dépit de Vichy, en dépit de l'antisémitisme, et je reste citoyen français, avec cependant des relations que je puis avoir avec d'autres Etats. Mais je ne suis pas moins intégré dans la société française, je le suis beaucoup plus que je ne l'ai jamais été. D'abord à cause de l'âge, ensuite à cause de ce qu'on appelle la notoriété. C'est ce que je dis toujours quand on me pose des questions sur l'antisémitisme. Je réponds : « Moi, je ne sens rien de l'antisémitisme aujourd'hui, mais je suis maintenant en France un peu comme ceux que l'on appelait jadis les Juifs de cour. » A partir d'un certain niveau dans le statut social, l'individu n'est plus perçu comme Juif. Aujourd'hui, je ne suis pas tellement perçu comme Juif dans la société française. On sait bien que je le suis. Mais enfin, disons que je suis plutôt

Raymond Aron, accidentellement juif, avec de curieuses réactions aux événements.

D. W. — *Vous revendiquez davantage votre judaïsme aujourd'hui qu'il y a une trentaine d'années ?*

R. A. — Certainement. Quand il se produit un événement comme l'attentat de la rue Copernic, il y a toujours une télévision qui me demande de parler.

III

LES DÉSILLUSIONS DE LA LIBÉRATION

a) Refaire la France

D. WOLTON. — *Quand vous rentrez de Londres, comment trouvez-vous les Français ? Ils ont changé ?*

RAYMOND ARON. — Commençons par les amis. J'ai retrouvé Malraux, et Malraux était devenu passionnément anti-communiste. Ma dernière conversation avec lui remontait à la drôle de guerre. Au cours d'un dîner à quatre je l'avais conjuré de rompre avec le parti communiste. Pendant toute la soirée, nous avions discuté. Il avait refusé cette rupture. « Je le ferais si Daladier n'avait pas mis les communistes en prison », disait-il. J'ai retrouvé Sartre. Il était devenu dans le monde intellectuel, littéraire, le grand homme qu'il n'était pas encore en 38 ou en 39. En même temps, il était beaucoup plus proche des communistes qu'auparavant. Il était politisé alors qu'il ne l'était pas auparavant. Il y avait une espèce de renversement des attitudes entre ces deux hommes qui ne s'aimaient pas. Moi, j'aimais les deux mais jamais les deux à la fois parce qu'il n'y avait pratiquement pas de conversation entre Malraux et Sartre.

En ce qui concerne les Français, bon, juger les Français après les années de guerre, ça n'a pas de sens. Les conditions de la vie étaient très difficiles. C'était encore la guerre. C'était le marché noir. D'autre part, quand j'ai rencontré les résistants, j'avais un sentiment d'infériorité. Par le fait des circonstances, ma décision de partir en 1940 prenait rétrospectivement une signification tout autre. Je m'apparaissais à moi-même comme ayant évité les souffrances et les risques des Français qui étaient restés en France — ce qui n'était manifestement pas mon désir ni la signification de mon geste en juin 1940.

J.-L. MISSIKA. — *Quel jugement portiez-vous sur vos amis qui avaient publié sous l'Occupation ?*

R. A. — Je crois vous l'avoir déjà dit : je ne suis pas porté à formuler des jugements d'ordre moral sur les autres personnes. Etant donné que je n'avais pas souffert et que je n'avais pas couru des risques sérieux pendant la guerre, je ne considérais pas que j'avais le droit de porter des jugements moraux sur le comportement de l'un et de l'autre. De plus, mes amis proches n'avaient rien fait de coupable. Bon, Sartre avait fait jouer une pièce pendant la guerre, sous l'Occupation, mais c'était une pièce qui, disons entre les reparties, était anti-Vichy, anti-allemande ; les journalistes du *Figaro* avaient été plus ou moins vichystes jusqu'en novembre 42. Mais l'idée ne me venait pas de les condamner, d'autant plus que j'avais écrit dans *la France libre,* un article à la louange de ce qu'écrivait *le Figaro littéraire. Le Figaro littéraire* défendait la littérature française contre ceux qui, à l'époque, déblatéraient contre la France et l'excès d'intelligence des Français et mettaient sur le compte de l'intelligence l'insuffisance de caractère et la défaite militaire. Donc, pour moi, en dépit d'un certain nombre de textes que je n'aimais pas, j'avais toujours mis *le Figaro* du bon côté de la barricade.

J.-L. M. — *Et l'épuration ?*

R. A. — Que vous dire ? Je n'ai rien écrit là-dessus. D'abord, je n'en avais pas l'occasion. L'épuration a eu lieu surtout en 44-45 et je continuais alors essentiellement à écrire dans *la France libre* et un petit peu dans un hebdomadaire illustré, de manière assez ridicule. En outre, je ne me considérais pas comme une autorité morale suffisante pour prendre position sur la question. Personnellement, je détestais l'épuration, mais je savais que quelque chose comme l'épuration était inévitable. J'ai écrit quelques phrases à ce sujet dans la conclusion des « Chroniques de France » de *la France libre*. J'étais plutôt du côté de Mauriac, avec cette réserve que, pour certains, les résistants, les Juifs, il était plus difficile d'être entièrement du côté de Mauriac.

D. W. — *Quelle était l'atmosphère au moment de la paix, en mai 45 ?*

R. A. — Alors là, je dois remonter très loin en arrière. Novembre 1918, j'avais 13 ans. J'habitais Versailles. Mes parents m'ont conduit à Paris. Et j'ai connu la journée unique, inoubliable, de l'unité d'un peuple dans la joie. Ce qu'était le Paris le jour de l'armistice, le lendemain de l'armistice, personne ne peut l'imaginer, il faut l'avoir vu. Les gens s'embrassaient dans la rue. Tous : les bourgeois, les ouviers, les employés, les jeunes, les vieux ; c'était une folie populaire, mais une folie joyeuse. Il n'y avait pas de haine, il y avait surtout une espèce de joie et de soulagement. Tous répétaient indéfiniment : « On les a eus. » Mais c'était surtout la joie.

Au contraire, au mois de mai 1945, Paris a été mortellement triste. Tel que je l'ai vécu. Je me souviens une conversation avec Jules Roy, ce jour-là. Il était frappé comme moi par cette tristesse, l'absence d'espoir. C'était la fin de la guerre, mais c'était la victoire des Alliés plus que celle de la France. Rien de comparable au transport d'enthousiasme des jours de novembre 1918. Je n'ai qu'un souvenir précis du 8 mai. Je me promenais à Paris, tout de même, pour vivre avec les Parisiens l'événement. J'ai vu, je ne sais plus où, le général Giraud. Il était tout seul. L'air triste, il marchait comme perdu. Je suis alors allé vers lui pour le saluer, pour faire une espèce de démonstration, puis je l'ai vu partir sans rien dire. C'était la tristesse d'un homme qui aurait pu jouer un rôle, qui avait échoué bien qu'il fût courageux. Personne ne s'est souvenu de lui ce jour-là. La politique est comme ça.

J.-L. M. — *Malheur aux vaincus.*

R. A. — Il faut gagner en politique, ou bien il ne faut pas en faire.

D. W. — *Les Français à l'époque ne voulaient-ils pas oublier ces cinq années de guerre, où la France n'avait pas été au-dessus de tout soupçon ?*

R. A. — C'est difficile à dire. Je ne sais pas si les Français pourraient répondre. Il ne faut pas oublier que le général de Gaulle, qui était le président du gouvernement provisoire, a immédiatement transfiguré les événements de cette période. Il se pensait comme la légitimité permanente de la France. Puisque lui avait toujours été du bon côté, la France avait été du bon côté. D'une manière très frappante, un certain nombre des événements des années 40-44 ont été pour ainsi dire effacés. Je me souviens d'une conversation avec Sartre. Nous nous sommes posé la question : pourquoi n'y a-t-il pas eu un seul article, un seul, qui ait écrit : « Bienvenue aux Juifs de retour dans la communauté française ? » — même pas un article de Mauriac. La raison profonde de ce silence, c'est qu'on avait pour ainsi dire gommé ce qui s'était passé. Parmi les résistants, il y avait beaucoup de Juifs. Dans la Résistance, les Juifs avaient été des Français comme les autres. De telle sorte que personne n'a songé à écrire cet article. Les Français sont rentrés dans la France comme si les Juifs n'en avaient jamais été chassés. J'ai ressenti cet événement comme une volonté d'oublier et aussi une espèce de retour de la France à elle-même.

J.-L. M. — *La France a-t-elle refusé son examen de conscience, comme l'ont fait davantage les Allemands par exemple ?*

R. A. — Est-ce qu'il y a eu un examen de conscience en Allemagne, sinon sous la contrainte de la défaite et des vainqueurs ?

J.-L. M. — *Contrainte ou pas, il y a eu quand même une certaine interrogation.*

R. A. — La responsabilité des Français n'était pas comparable à celle du peuple allemand. Et puis n'y a-t-il pas eu d'examen de conscience ? Beaucoup de Français l'ont fait, probablement à titre individuel. Mais il y a eu quelque chose de plus important : la transformation du climat français, du peuple français à la suite de la guerre. A partir de 44-45, la France que j'ai vécue était vraiment en profondeur, tout à fait différente de celle des années 30. La droite n'était plus la même, la gauche n'était plus la même. Quelque chose me donnait espoir : les gens autour de moi, ma génération, étaient animés d'une passion authentique, c'était une passion nationale. Nous avions le souvenir de la décadence des années 30 dont je vous ai parlé. En 44, en 45, se manifestait vraiment une volonté profonde, résolue, de refaire le pays.

D. W. — *Cela apparaît effectivement dans vos articles du journal* Combat. *Il y a là un optimisme, un volontarisme, extraordinaires. Qu'est-ce qui vous a conduit à* Combat ?

R. A. — J'y suis entré en mars 1946, après avoir passé deux mois comme directeur du cabinet de Malraux dans le deuxième ministère du général de Gaulle, où j'ai eu ma première expérience, disons, de personnalité officielle, à un niveau modeste, sinon médiocre. J'ai vu un peu comment les choses se passaient dans un ministère, et cela ne m'a pas donné très envie d'y rester !

D'abord, il fallait pendant huit à dix heures par jour recevoir des gens. La question décisive était les journaux. Or, quand je suis arrivé, à la fin de l'année 45, tout était fait, ou à peu de chose près. Les journaux avaient été ou recréés ou éliminés. Des résistants et des non-résistants avaient pris les anciens journaux avec des titres plus ou moins modifiés. Je recevais des visites de personnalités qui étaient liées aux anciens journaux, qui avaient été considérées comme collaborateurs à tort ou à raison. J'ai reçu la visite de Chastenet, qui avait été le directeur du *Temps*. Je lui ai dit ce que je pensais, c'est-à-dire que je n'aimais rien de tout cela, mais que je n'y pouvais absolument rien.

La seule chose que j'ai essayé de faire et que j'aurais faite si le gouvernement du général de Gaulle avait duré quelques mois de plus, c'était d'empêcher la naissance de cette Société, créée par Defferre ensuite — qui devait regrouper toutes les imprimeries confisquées par l'Etat. Cette proposition d'une Société englobant toutes ces imprimeries me paraissait stupide. J'étais convaincu que cette Société étatique serait incapable de les gérer, que celles-ci se décomposeraient en quelques années. J'avais donc refusé la proposition qui était faite par le juriste du ministère et fait rédiger un texte absolument différent. Les imprimeries devaient le plus rapidement possible être transférées aux responsables, aux journaux et ainsi de suite. J'ai conservé ce texte pendant un certain nombre d'années, et puis je l'ai jeté à la poubelle. Il ne reste rien de ce programme qui, à mon avis, était raisonnable et aurait évité un certain nombre d'inconvénients de l'autre décision. Pour le reste, je n'ai pas fait grand-chose. Tout de même, Malraux et moi nous avons autorisé *le Figaro littéraire*. Et puis, de temps en temps, on avait des discussions sur la répartition du papier. Un beau jour, nous avons reçu un coup de téléphone de Palewski, le directeur du cabinet du général de Gaulle. Il nous disait de supprimer l'autorisation de paraître. A l'époque il y avait, en effet, des autorisations de paraître. Mais, autoriser des journaux à paraître sans avoir de papier à leur donner n'avait pas grande signification. La même question continuait donc à se poser : comment répartir. Cette répartition était faite en fonction des non-vendus des journaux. Plus le bouillon était important, moins on recevait de papier. Quand il y avait beaucoup de bouillon, on s'engageait ainsi sur une pente qui vous entraînait de plus en plus vers le bas. C'était un système à la fois très mauvais et inévitable. Il s'était créé quantité de journaux, mais, en un an ou un an et demi, il en a disparu beaucoup.

Il n'y avait pas que le papier. Nous recevions des gens qui demandaient diverses choses, celles que l'on obtient dans une société prospère sans les demander. Mais alors tout était difficile, y compris avoir de l'essence. Tout ça ne m'a pas passionné mais m'a un peu instruit, un peu amusé. D'autre part, j'ai eu le sentiment que travailler huit ou dix heures dans un bureau de ministère, c'est moins fatigant que de lire trois heures la *Critique de la Raison pure*. C'est un travail énervant, irritant, mais qui n'exige pas un effort intellectuel.

b) Le virus de la politique

D. W. — *Revenons à vos activités de journaliste. Vous êtes entré donc à* Combat *en mars 46.*

R. A. — Attendez, avant cela il faut mentionner une décision que j'ai prise dont les conséquences ont été presque illimitées

113

pour mon existence. Je la considère aujourd'hui comme parfaitement déraisonnable, mais je l'ai prise en toute conscience : je ne suis revenu ni à l'université de Toulouse où j'avais été nommé au mois d'août 1939, ni à l'université de Bordeaux où j'avais fait un remplacement avant la guerre, et où la faculté des lettres m'offrait la chaire de sociologie.

J'ai refusé, d'abord parce que j'étais intoxiqué par la politique. Virus de la politique. Je l'ai perdu. Mais à l'époque j'étais vraiment intoxiqué. En plus, je voulais habiter Paris. J'avais été en exil pendant un certain nombre d'années, tous mes amis étaient à Paris, l'idée d'habiter Bordeaux m'était déplaisante. Quant à habiter Paris et enseigner à Bordeaux, je me disais que ce n'était pas bien. Mais ce n'était qu'une justification que je me donnais à moi-même. Je crois que la raison profonde était double : d'une part la politique, d'autre part le sentiment qu'enseigner la sociologie à Bordeaux à trois douzaines d'étudiants, ce n'était pas collaborer réellement au relèvement de la France. J'avais l'illusion qu'une activité para-politique à Paris serait une contribution plus efficace, plus directe, à ce que nous voulions faire. C'était un peu de la naïveté. Le résultat a été que ma carrière universitaire a été retardée d'une dizaine d'années, ce qui est sans importance, mais, par ailleurs, je suis devenu un journaliste, ce que je ne serais jamais devenu si j'avais accepté la chaire de Bordeaux. Je n'avais jamais écrit un seul article dans les journaux. Mes articles de guerre étaient des articles de revue, plutôt académiques, quelque chose entre le journalisme et le travail sérieux. Mon premier article de journal, je l'ai écrit à *Combat*.

Je vous ai dit que ma décision était déraisonnable. A la réflexion je n'en sais rien. Il est extraordinairement difficile de me dire à moi-même que j'ai choisi bien ou mal. Trente années de journalisme au *Figaro* ont-elles été une contribution à la vie politique française ? une contribution valable ? Ce n'est pas à moi de dire oui ou non. D'un autre côté, si j'étais resté pleinement professeur, j'aurais été élu à Paris, à la Sorbonne, selon toute probabilité, en 47 et non pas en 55. Je ne vois pas pourquoi je serais alors entré dans le journalisme.

Ma carrière de journaliste a commencé essentiellement parce que je devais gagner ma vie. Je n'avais pas un sou. J'avais rejeté le poste universitaire de fonctionnaire tranquille, et il fallait bien vivre. Malraux était un grand ami de Pascal Pia, le directeur de *Combat*...

J.-L. M. — *Quelle était l'atmosphère à* Combat ?

R. A. — C'était une entreprise merveilleuse, typiquement française, à peu près folle. Il y avait dans les pièces de *Combat* une densité de substance grise au centimètre carré absolument exceptionnelle. Sept ou huit personnes qui faisaient les faits divers sont devenues des professeurs d'université, des gens comme P. Kaufmann, Merleau-Ponty, le cousin de Maurice, etc. Quant à moi, j'ai tout d'abord écrit une demi-douzaine d'articles sur les différents partis politiques français. Je ne sais pas pourquoi, ils ont eu un vrai succès dans le petit milieu parisien. Ensuite, je suis devenu un des éditorialistes. L'autre était Albert Ollivier. Donc, j'ai commencé le journalisme tout de suite par en haut.

A l'époque, ça m'amusait. Et puis, il y a toujours ce sacré amour-propre. J'arrivais comme un professeur de philosophie ayant écrit des livres obscurs que la plupart n'avait pas lus. Je voulais donc démontrer que je pouvais moi aussi faire ce métier. Mais la démonstration faite, après quelques semaines ou quelques mois, j'ai été beaucoup moins passionné. Un certain nombre de philosophes qui écrivaient d'ailleurs dans *Combat* me disaient : « C'est curieux que vous préfériez écrire des articles plutôt que l'*Introduction à la philosophie de l'histoire.* » Je trouvais qu'ils avaient raison, mais il y avait cette intoxication de la politique, comme je vous l'ai dit, et l'idée, l'illusion, la volonté, de participer à la vie politique, au redressement de la France. Je suis donc resté à *Combat* entre mars 46 et avril 47, l'époque des premières batailles politiques. J'ai été un de ceux qui ont mené la campagne contre la première Constitution défendue par le parti socialiste et le parti communiste. Je me souviens de mon éditorial écrit le lendemain du référendum qui a dit « non » à cette Constitution. Il avait pour titre : « Sauvé par la défaite. » Je parlais du parti socialiste qui, au fond de lui-même, était très heureux d'avoir été battu au référendum. Il n'avait aucun désir de se trouver en tête à tête avec le parti communiste.

Il y avait alors quelque chose qui n'existe plus : les débats entre les éditorialistes. Ils avaient existé dans la IIIᵉ République, ils revinrent à la Libération en partie grâce à Camus, Ollivier, peut-être à moi-même, et à Mauriac de l'autre côté, et à Léon Blum. C'était un débat à la fois politique et intellectuel, quelquefois trop intellectuel, mais je crois souvent d'un niveau convenable. En France, aujourd'hui, il n'y a plus d'éditorialisme quotidien ni de dialogue entre les éditorialistes. Lorsque j'écris un article où je relève tel ou tel article du *Monde,* cela n'apparaît pas comme partie d'un dialogue normal mais comme une agression.

A l'époque, il y avait discussion : discussion sur l'épuration, discussion sur le général de Gaulle par rapport au gouvernement provisoire, sur les événements quotidiens et sur l'avenir de la France. C'est pourquoi je conserve de *Combat* un souvenir probablement plus agréable que tous mes autres souvenirs du journalisme. C'était beaucoup plus vivant qu'aujourd'hui. Il n'y a plus que des monologues en France ou des injures.

D. W. — *Il y a eu dans cette période une autre date intéressante. Avec Jean-Paul Sartre, Simone de Beauvoir, Merleau-Ponty, Malraux, vous êtes un des fondateurs de la revue* les Temps modernes. *Qu'en attendiez-vous ?*

R. A. — C'était la revue de Sartre. Il avait déjà fait des romans, des livres de philosophie, des pièces de théâtre. Il voulait entrer dans l'action politique. Aussi a-t-il immédiatement conçu *les Temps modernes* comme une revue, je ne dirai pas essentiellement politique, mais qui a été tout de suite beaucoup moins une revue littéraire qu'une revue d'action, disons de para-politique. Il a alors demandé à ses amis, comme moi, et d'autre part à des personnalités intellectuelles supérieures comme Jean Paulhan ou André Malraux, de faire partie du comité dirigeant des *Temps modernes.* Mais, d'après mes souvenirs, Paulhan n'y est jamais venu et Malraux non plus. Moi j'ai écrit trois ou quatre articles dans *les Temps modernes* dont un était relativement acceptable. C'était sur le procès Pétain. Il n'était pas du tout conformiste, mais il a passé dans *les Temps modernes* sans difficulté. Les autres ne valaient pas grand-chose. J'ai quitté *les Temps modernes* quand je suis entré dans le cabinet de Malraux. Je n'y suis pas revenu. L'illusion de la Libération s'était dissipée, l'illusion que tous les résistants allaient constituer un bloc, une unité républicaine pour reconstruire la France. Or dans le bloc, il y avait les communistes. Etant donné les relations qui se sont établies immédiatement entre l'Union soviétique et les Etats-Unis, j'étais absolument convaincu que la rupture à l'intérieur du bloc de la Résistance en France devait survenir plus ou moins rapidement.

Ce que j'expliquais toujours à l'époque, à Sartre par exemple, c'est qu'il y avait une connexion telle entre les relations internationales et la politique intérieure de la France, que dans le cas de tension entre les deux grandes puissances, l'unité de la Résistance n'y résisterait pas.

D'ailleurs, la quasi-rupture à l'intérieur de la Résistance a commencé avant la guerre froide. Si l'illusion s'est prolongée un peu aux *Temps modernes,* c'est qu'il n'y avait pas de communistes dans le comité directeur. Mais Sartre lui-même disait volontiers, Merleau-Ponty aussi, « mes querelles avec les communistes sont des querelles de famille »... expression que j'avais trouvée à l'époque un peu naïve.

D'autre part, je m'étais fait immédiatement une représentation globale du monde. Dès la fin de l'année 45, j'ai été convaincu que les Soviétiques resteraient dans l'Allemagne de l'Est. Par conséquent, il n'y aurait pas reconstitution de l'unité allemande, il y aurait deux Allemagnes. J'en tirais la conclusion que l'alliance franco-allemande était déjà consacrée. J'anticipais seulement un peu sur les événements.

D. W. — *Revenons au* Combat *de cette époque. C'est un journal qui a trouvé un grand succès et qui cependant s'est effondré très vite. Pourquoi ?*

R. A. — Je disais souvent en plaisantant : « A Paris, tout le monde lit *Combat,* malheureusement tout le monde ça fait quarante mille. » C'était vrai. Dans le monde politique ou intellectuel on peut dire que tout le monde lisait l'éditorial de Camus, d'Ollivier, éventuellement le mien. C'était un grand succès mais un succès intellectuel, lequel ne fournit pas nécessairement un nombre de lecteurs suffisant. En plus, caractéristique d'un journal super-intellectuel et du climat de l'époque, chacun y écrivait ce qu'il pensait. Aussi, d'une colonne à une autre, il y avait souvent contradiction. En voici un exemple. A propos du référendum sur la deuxième Constitution, j'ai écrit un long éditorial où je disais, avec regret, qu'il fallait l'accepter, qu'on ne pouvait pas continuer à faire des constitutions et à les refuser. Et le lendemain, Albert Ollivier a écrit un éditorial avec le titre : « Pourquoi pas *non* ? » Mais les lecteurs d'un journal, de leur journal habituel, comme on dit, exigent de leur journal moins d'être instruits ou informés que justifiés, je l'ai appris depuis. A partir du moment où un journal défend et justifie des opinions contradictoires, il peut continuer à vivre en tant que journal d'opinion, avec un public limité, mais il ne peut pas avoir les deux cent mille lecteurs que *Combat*, dans sa grande époque, a obtenus. En ce sens, la décadence de *Combat* était la conséquence inévitable des qualités ou plutôt des singularités d'un journal d'intellectuels.

Il y a eu crise. Camus est parti, revenu. Les relations entre Camus et Pia étaient difficiles. Les différents journalistes de *Combat* se reprochaient les uns aux autres la fuite des lecteurs. Pour les uns, le responsable était Ollivier, pour d'autres, Raymond Aron, pour d'autres encore, celui-ci ou celui-là. En fait, on n'en savait rien. Probablement, c'était la conjonction de tous. Chacun était acceptable par une partie de la clientèle. Tous réunis exaspéraient toujours une partie de la clientèle.

De plus, l'administrateur était lui aussi un intellectuel, un romancier. D'autre part, nous avions des difficultés avec les imprimeurs. Je me souviens du moment où les syndicalistes nous ont dit, très... fermement : « Il faut un patron ! » Les ouvriers imprimeurs avaient peut-être de la sympathie pour nos idées, peut-être de la sympathie pour les intellectuels — ce n'est pas évident — mais ils étaient des ouvriers, ils attendaient la paye et ils voulaient pouvoir discuter avec quelqu'un de l'entreprise, des salaires, etc. Cela dit, parmi les intellectuels, on peut trouver un patron. Plus tard, Jean-Jacques Servan-Schreiber qui, à sa façon, était un intellectuel, était aussi sans aucun doute un patron.

J.-L. M. — *En janvier 1946, le général de Gaulle s'en alla. Vous avez approuvé son départ ?*

R. A. — Je n'avais pas à approuver ou à désapprouver. Je comprenais. Il était dans une situation qu'il considérait comme

118

impossible. Il ne voulait pas gouverner la France dans le cadre parlementaire, mener des discussions et des négociations indéfinies avec les partis, en dépit du fait que, en tant que parlementaire, il avait un talent extraordinaire. Je l'ai entendu une fois ou deux à l'Assemblée consultative. S'il avait voulu, il aurait pu gouverner la France comme président du Conseil, grâce à son poids historique et à son talent de debater. Mais il ne voulait pas gouverner la France de cette façon.

Je savais cependant qu'il avait le désir, l'espoir et la conviction de revenir au pouvoir. Je me souviens d'André Malraux me disant, après une conversation avec un certain nombre des intimes du Général : « Nous reviendrons dans six mois. » Il a fallu douze ans. A cette époque, je ne voyais pas de raison impérieuse pour qu'il revînt. Je croyais que, vaille que vaille, le régime parlementaire pouvait durer. Dans *le Grand Schisme* j'ai écrit : « La IVᵉ République peut durer, elle ne peut pas innover. » C'est à peu près ce que je pensais. C'est un texte que j'ai écrit en 47 et qui a été publié en 48.

D. W. — *A propos du départ du général de Gaulle nous avons retrouvé un sondage de l'I.F.O.P. En mars 46, 40 % sont mécontents de son départ. 32 % étaient satisfaits et 28 % étaient indifférents. De Gaulle est loin de faire l'unanimité !*

R. A. — Il faut bien dire que le premier gouvernement de Gaulle, entre 44 et 46, n'était pas très différent d'un gouvernement de la IIIᵉ ou de la IVᵉ République, avec la réserve ou l'exception d'un personnage hors du commun en tant que chef du gouvernement. Mais les difficultés économiques, les difficultés au Parlement, tout cela ne dépendait pas du général de Gaulle, et il ne pouvait pas les éliminer. Donc, il n'a pas, en quittant le pouvoir en 46, laissé le souvenir d'un chef d'Etat exceptionnel, ni parmi les Français, ni dans la classe politique. Quand on me faisait cette objection, je disais : « Oui, il est arrivé au pouvoir, il avait tout le pouvoir, c'est vrai, mais il n'y avait pas de téléphone. » C'était un peu la situation de la France en 44 au moment de la Libération. D'autre part, de Gaulle, en 44-45, avait déjà l'obsession de la politique étrangère. Et les Français à l'époque étaient plus soucieux, disons du ravitaillement, de la reconstruction, que de la politique extérieure. Or, en ce qui concerne la politique intérieure en 44-45, de Gaulle n'a pas fait quelque chose de substantiellement différent de ce qu'aurait fait un autre président du Conseil. Par-dessus le marché, quand il y a eu la discussion entre Pleven et Mendès France sur le programme économique, les intellectuels ont donné raison à Mendès France. A tort ou à raison ? Selon moi, ce que voulait Mendès France était juste, mais il n'avait pas les moyens de le réaliser. En tout cas, de Gaulle avait choisi Pleven, avec pour résultat qu'il avait plutôt perdu en prestige aux yeux des intellectuels conscients des conditions économiques de la France.

Au pouvoir, de Gaulle a été accepté comme Pétain avait été accepté en 1940. Mais comme il était arrivé au pouvoir, non pas pour supprimer la politique, comme l'avait fait Pétain, mais pour la reconstituer, inévitablement les partis politiques ont recommencé à jouer. Les Français étaient les uns de droite, les autres de gauche, socialistes et communistes. Selon que leur parti était d'accord ou en désaccord avec de Gaulle, ils étaient eux-mêmes plus ou moins en accord ou en désaccord avec lui. De Gaulle était au-dessus et au-delà des partis, mais il ne pouvait éviter de reconstituer le régime des partis, qu'il détestait, puisqu'il avait décidé à l'avance, en revenant en France — et il ne pouvait pas faire autrement — de rétablir la République et la démocratie. Mais comme il n'a pas voulu gouverner avec les partis, il est parti. C'est, me semble-t-il, logique. De telle sorte, qu'en 46, il y avait trois blocs : les communistes d'un côté, les anti-communistes de l'autre et un troisième, un personnage qui était à lui seul un bloc : le général de Gaulle.

Il y avait d'un côté la bataille entre de Gaulle et tous les partis, et à l'intérieur des partis la bataille entre les communistes et les autres. Ce fut à la fois la malédiction et la spécificité de la IVe République qui aurait peut-être duré plus longtemps s'il n'y avait pas eu l'Algérie. Mais résoudre le problème algérien et en outre tenir contre de Gaulle, c'était trop pour la IVe République.

D. W. — *Vous dites : « Je n'avais pas à approuver ou à désapprouver le départ du général de Gaulle. » Pourtant, à cette époque, vous faisiez partie du gouvernement. D'autre part pourquoi avoir voulu faire le pas, entrer dans l'action politique, alors que vous pouviez parfaitement peser sur les événements en tant qu'intellectuel, voire journaliste ?*

R. A. — Il y avait l'amitié avec Malraux. D'abord j'étais très lié avec lui. J'avais eu avec lui une longue conversation avant sa première entrevue avec de Gaulle, disons l'entrevue où Goethe à rencontré Napoléon. J'ai assisté à l'espèce de conversion au gaullisme d'André Malraux, qui m'a paru logique. Il avait été saisi, lui aussi, par le sens national et presque par le nationalisme. D'autre part, il avait rompu avec la révolution, et la seule poésie politique possible de la France d'après-guerre, c'était le général de Gaulle. Or Malraux n'aimait la politique que dans l'histoire et dans la poésie. Donc, il était parfaitement normal qu'il fût gaulliste comme il l'a été.

Quant à moi je n'ai jamais été gaulliste à la manière d'André Malraux. De Gaulle le disait lui-même. J'ai écrit un jour un article désagréable pour le Général (Adieu au gaullisme) : « Il n'a jamais été gaulliste » a-t-il déclaré le lendemain à Malraux. Si être gaulliste c'était être le féal du général de Gaulle, ou croire en lui quelles que fussent ses opinions, alors, en effet, je ne l'étais pas. Pas plus après la Libération qu'avant. A l'époque où j'ai été au R.P.F., j'ai continué à exprimer des opinions tout à fait différentes de celles du général de Gaulle sur plusieurs questions. Pourtant, en un sens et à diverses reprises, j'ai été gaulliste. Au moment de la Libération, je pensais que le gouvernement du général de Gaulle était de beaucoup le meilleur et qu'il fallait l'aider. En 1958, je pensais que le retour de De Gaulle au pouvoir, bien que les conditions fussent déplaisantes, était en soi plutôt souhaitable parce qu'avec lui il y avait une chance que la France fût capable de prendre une décision sur l'Algérie. Mais ma manière d'être gaulliste ne pouvait le satisfaire. Il fallait, pour être vraiment gaulliste, avoir foi en lui et être capable de modifier ses propres convictions en fonction des siennes. Je ne le pouvais pas mais cela ne m'empêchait pas d'être le directeur de cabinet d'André Malraux.

J.-L. M. — *Mais cette amitié avec André Malraux était tout de même étonnante. Vos personnalités sont très différentes. C'était vraiment le chaud et le froid !*

R. A. — A coup sûr mais, de manière générale, les amitiés se nouent-elles entre des personnalités de même type ? André Malraux était un homme supérieurement cultivé, et nous avions beaucoup de sujets de conversation en commun : la littérature, l'histoire, la politique. Quand il n'était pas emporté par ses démons, il était un analyste très percutant de la politique. De temps en temps, disons, son romantisme des catastrophes l'emportait sur son sens de la réalité. Ce fut le cas entre 1946 et 1949 ou 50, mais le plus souvent on pouvait discuter avec beaucoup de plaisir et d'utilité de la politique française et de la politique mondiale. De plus, si vous voulez, il y a, dans les relations amicales, quelque chose qui ne relève pas de l'analyse des personnalités. Il y a la possibilité pour deux personnalités, disons, de s'accrocher, mais aussi, en revanche, la possibilité qu'elles ne puissent pas se rencontrer. Sartre et Malraux ne se sont jamais rencontrés. Moi j'étais entre les deux. J'étais d'une certaine manière très différent avec l'un et avec l'autre. Nous n'avions pas les mêmes conversations. Chacun des deux parlait volontiers de l'autre mais pas toujours de la manière la plus amicale.

Malheureusement, l'amitié avec Malraux n'a pas duré jusqu'à la fin. A partir d'une certaine date, il a été très replié sur lui-même, très solitaire. Comme ministre du général de Gaulle, il a souvent été irrité par ce que j'écrivais. Je le voyais encore de temps à autre. Je conservais pour lui l'admiration et l'amitié que j'avais éprouvées pendant des années. Mais avec l'âge, la distance, la séparation, la tristesse pesaient sur nous. Un peu comme avec Sartre. Il semble que dans cette génération, il ait été impossible de sauvegarder les amitiés lorsque les choix politiques ne coïncidaient pas. La politique était probablement trop sérieuse et trop tragique pour que les amitiés pussent résister aux oppositions dans ce domaine. Dans le cas de mes relations avec Sartre, c'est évident. En ce qui concerne Malraux, je ne pense pas que ce soit mon non-gaullisme ou l'insuffisance de mon gaullisme qui ait été la cause profonde de notre séparation progressive. C'est autre chose, c'est plus personnel. Il faudrait parler de la dernière partie de la vie de Malraux. Mais ce n'est pas l'occasion.

D. W. — *Ce virus de la politique dont vous avez parlé, il vous a tenu jusqu'à quand ?*

R. A. — Si on entend par là la velléité d'être un homme politique, je n'ai jamais été très attaqué, et en tout cas je l'ai très rapidement expulsé. En revanche, si l'on entend par virus politique, l'attention permanente aux événements politiques, j'ai été intoxiqué pendant la guerre et je n'ai jamais été guéri. Dans la mesure où j'ai continué à commenter les événements pendant trente ans au *Figaro,* entre 47 et 77, je suis resté de manière permanente un para-politique. Je ne me suis pas considéré comme un homme politique puisque je n'étais candidat à rien. Mais j'étais un journaliste politique ou un écrivain politique, qui écrivait à la fois de gros livres et qui commentait les événements quotidiens.

J'ai employé le mot virus et le mot intoxiqué en souvenir du philosophe que j'ai été avant 1939 et de ce que je pensais à l'époque des normaliens qui glissaient vers la politique. Je n'en pensais pas du bien. Il m'est arrivé, très rarement, de tenir un journal. J'y ai retrouvé quelques phrases où je dénonçais à l'avance ce qui pouvait m'arriver, c'est-à-dire la glissade vers la politique. Avant 1939, je faisais mes éditoriaux dans la conversation. Ensuite je les ai écrits. Bon. Enfin, c'est comme ça.

c) Yalta, la légende du partage du monde

J.-L. M. — *En août 45, explose à Hiroshima la première bombe atomique. Comment a été perçu cet événement à l'époque ?*

R. A. — Tout de suite comme un événement majeur. La découverte de l'explosif nucléaire représentait un tournant de l'histoire universelle. Mais on a commencé à spéculer. Est-ce que cela signifie qu'il ne peut plus y avoir de guerre ? Est-ce que cela signifie que l'humanité va se suicider ? Et ainsi de suite. Mais on peut dire qu'on a immédiatement médité et écrit sur l'événement, que l'on n'a absolument pas réduit l'importance, la signification historique du fait. On est même allé rapidement trop loin. On s'est mis à espérer que la guerre en tant que telle disparaîtrait du simple fait qu'une seule bombe pouvait détruire la moitié d'une ville. On ne savait pas encore que la bombe d'Hiroshima, c'est-à-dire vingt mille kilotonnes, l'équivalent de vingt mille tonnes de T.N.T., était peu de chose. Aujourd'hui, nous en sommes aux mégatonnes.

J.-L. M. — *Est-ce que cela a été perçu comme quelque chose d'horrible ?*

R. A. — Il n'y a pas eu de mouvements de protestation. Enthousiasme au parti communiste. Acceptation par l'opinion dans son ensemble. Soulagement des généraux américains. Grâce à la bombe atomique, il n'était plus nécessaire d'envahir les îles japonaises. Ces généraux avaient dit au président Truman que cette invasion coûterait peut-être cinq cent mille morts dans les premières semaines. Il n'y a donc pas eu de révolte morale, spirituelle, contre cette arme. C'est bien plus tard, avec la guerre froide, que la discussion a commencé, que l'on a accusé les Américains d'avoir utilisé cette arme sans nécessité, pour faire pièce aux Soviétiques.

D. W. — *Pourtant n'est-ce pas justement Hiroshima qui explique en partie la réserve, voire l'hostilité des Européens à l'égard des Etats-Unis ?*

R. A. — Je ne le crois absolument pas. Il ne faut pas oublier que les peuples, les gouvernants, après quatre ou cinq années de guerre, sont capables des pires atrocités sans même en avoir conscience. Le bombardement de Dresde était tout aussi épouvantable, peut-être pire, que Hiroshima. Il y a eu trois cent mille morts dans une nuit. La ville était peuplée de réfugiés. Le grand bombardement de Tokyo, au cours duquel Tokyo a brûlé, a fait quatre-vingt-dix mille morts. Tout le monde a accepté ces bombardements, ces destructions aveugles, comme une forme naturelle de la guerre. Il a fallu que les hommes sortent du délire de la guerre, du paroxysme de la violence pour se rendre compte qu'ils avaient finalement fait des choses peut-être pas semblables à celles de Hitler, mais parfaitement épouvantables, injustifiables et inutiles pour gagner la guerre. Si l'on n'avait pas adopté la thèse absurde de la capitulation inconditionnelle, le Japon était vaincu de manière évidente. Il n'avait plus de marine de guerre, il n'avait plus de cargos, il était prisonnier de ses îles. On pouvait très bien, si on acceptait la négociation, obtenir des conditions de paix satisfaisantes. Mais Roosevelt voulait la capitulation inconditionnelle, notion qui remonte à la guerre de Sécession. A l'époque, dans la guerre de Sécession, la formule avait un sens puisque ce qui était en question c'était l'existence des Etats-Unis. Ceux qui avaient fait sécession devaient capituler et accepter l'autorité fédérale. La capitulation inconditionnelle avait un sens dans une guerre civile. Dans une guerre étrangère, c'était absurde. Hiroshima était partiellement la suite de la formule de la capitulation inconditionnelle.

D. W. — *Revenons maintenant à l'Europe. Aurait-on pu s'opposer à la mainmise progressive de l'Union soviétique sur une partie de l'Europe de l'Est en 45-46 ?*

R. A. — On a d'abord observé d'une part la soviétisation progressive des pays de l'Est de l'Europe. Les Américains ont protesté puisqu'ils considéraient qu'à Yalta les Soviétiques s'étaient engagés à accepter une reconstruction démocratique. Mais la reconstruction démocratique n'avait pas le même sens pour les Soviétiques et pour les Américains.

D'autre part, on a constaté, progressivement, qu'il se faisait une ligne de séparation, plus ou moins imperméable, entre les régions occupées par les Soviétiques et les régions occupées par les Anglais et les Américains.

Pouvait-on l'empêcher ? Première remarque : ce n'est pas à cause de Yalta que l'Est de l'Europe a été soviétisé.

D. W. — *Pourtant on dit que c'est à Yalta qu'a été décidé le partage du monde.*

R. A. — Non, ça c'est la légende.

D. W. — *Mais alors, qu'est-ce qui a été décidé à Yalta ?*

R. A. — Il y a eu d'abord un accord sur la date et les conditions de l'intervention soviétique contre le Japon. La date c'était trois mois après la fin de la guerre en Europe.

Il y a eu d'autre part la ratification du tracé des zones d'occupation en Allemagne. Ces zones avaient été délimitées par le Comité des ambassadeurs à Londres et la ratification a été faite en deux minutes. On n'a donc pas discuté réellement à Yalta du découpage des zones d'occupation de l'Allemagne. Il y a eu d'autres négociations sur les réparations et d'autres questions secondaires. Il y a eu, en particulier, une décision dont les conséquences ont été considérables. On a fixé la ligne à laquelle s'arrêteraient d'un côté les troupes venant de l'Est et de l'autre côté celles venant de l'Ouest. C'est le tracé de cette ligne de démarcation qui a été considéré à tort comme la décision du partage de l'Europe.

En ce qui concerne l'avenir de l'Europe, il y avait eu par ailleurs une déclaration finale sur les conditions de la reconstruction démocratique en Europe. Ni les Américains ni les Anglais n'avaient accepté que les pays libérés par l'armée soviétique fussent reconstruits selon le modèle soviétique. Peut-être auraient-ils dû comprendre que cela se ferait ainsi, mais ils ne pensaient pas qu'ils l'avaient accepté. La meilleure preuve c'est que les difficultés entre les Etats-Unis et l'Union soviétique ont commencé à propos du gouvernement polonais. A Yalta, les Soviétiques avaient accepté l'élargissement du Comité de Lublin qui était intégralement communiste. Un certain nombre d'hommes politiques polonais sont venus de l'Ouest, en théorie pour élargir le gouvernement communiste. Mais au bout d'un certain nombre de mois, ils ont été obligés de s'en aller.

Dans l'immédiat, même en Tchécoslovaquie, qui avait été libérée par l'armée soviétique, il y a eu des élections libres. En Hongrie aussi les élections ont été relativement libres puisque la majorité a été obtenue par le parti des petits paysans, qui n'était absolument pas soviétique. En Tchécoslovaquie, les communistes ont obtenu 38 % des voix, ce qui ne leur donnait pas la majorité absolue.

Donc, quand on dit qu'on a partagé le monde ou l'Europe à Yalta, c'est bien une légende. Il y a eu un accord sur un partage, un accord secret entre Churchill et Staline, avant Yalta. Mais il a été condamné et rejeté par les Américains. Des pourcentages avaient été établis. Pour la Grèce, 90 % seraient sous le contrôle des Anglais et 10 % seraient aux Soviétiques. Je crois que pour la Roumanie, 80 ou 90 % étaient pour les Soviétiques et 10 ou 20 % pour les Alliés. Ce genre d'accord, absolument cynique, n'a pas été repris à Yalta. C'est le mouvement des armées qui a entraîné le partage, non pas du monde mais de l'Europe. Les Occidentaux auraient pu prévoir que la ligne d'arrêt de leurs armées serait aussi la ligne d'arrêt des démocraties à la manière occidentale. Mais ils n'ont pas pensé à l'avance et ils n'ont pas accordé à l'avance à l'Union soviétique ce que celle-ci a fait.

Les Soviétiques ont fait dans l'Europe de l'Est ce qu'ils avaient l'intention de faire. Staline l'avait dit à Djilas : « Dans une guerre comme celle-ci les vainqueurs amènent avec eux leurs idées et leurs régimes. » Les Occidentaux ont toléré cette soviétisation parce qu'ils ont été incapables de l'empêcher. A partir du moment où les troupes soviétiques sont quelque part, ou bien on a la possibilité de faire pression sur le gouvernement de Moscou par une menace, par un ultimatum, on a des forces armées pour faire reculer les troupes soviétiques, ou bien on déclare que c'est inacceptable, c'est-à-dire qu'on l'accepte.

C'est ce qui s'est produit déjà en 45 et 46. On a déclaré que la manière dont les Soviétiques se conduisaient en Europe de l'Est était inacceptable. Mais comme par ailleurs les Américains avaient démobilisé leurs troupes immédiatement, ils ont protesté, et il y a eu une tension diplomatique, mais ils ont toléré.

J.-L. M. — *Les Occidentaux ont acheté leur tranquillité avec le sacrifice des Européens de l'Est ?*

R. A. — C'est une formule que les Européens de l'Est emploient souvent. C'est peut-être une expression que Soljenitsyne utilise. La vérité est, me semble-t-il, moins simple. Les troupes soviétiques sont arrivées, elles ont occupé une partie de l'Europe, les Occidentaux ont constaté cette soviétisation, qu'ils n'aimaient pas, qui était contre leur propre intérêt. Mais ils n'avaient ni la possibilité ni le courage politique d'employer les grands moyens pour l'empêcher. C'est facile après coup de dire qu'ils n'auraient pas dû tolérer cette évolution. Mais comment pouvaient-ils convaincre les peuples que l'Union soviétique, qui

127

avait contribué d'une manière éminente à la victoire sur l'Allemagne hitlérienne, devenait immédiatement le danger, la menace et surtout le mal. Une démocratie ne fait jamais la guerre en alliance avec le mal. Donc, puisqu'on avait fait la guerre avec l'Union soviétique, on avait fait la guerre avec une démocratie et non pas avec un régime totalitaire. Aussi long-temps que l'Union soviétique était alliée, elle ne pouvait pas être considérée comme totalitaire. Il y aurait eu une espèce de révolte morale contre le fait de mener une guerre contre un mal, avec un autre mal.

Il est facile après coup de condamner les hommes politiques. Peut-être si Roosevelt avait mieux connu l'Union soviétique et l'Europe, il aurait agi autrement. Mais au fond, ce qui s'est passé répondait à la logique de cette guerre, puisque cette guerre avait été gagnée par des ennemis potentiels ; chacun de ces ennemis potentiels a pris la moitié de l'Europe. Mais une moitié a été soviétisée et l'autre moitié a eu la possibilité de se reconstruire grâce à l'aide américaine, bien que nombre de Français continuent de croire que l'influence américaine en Europe occidentale était (ou est) l'équivalent de l'influence — influence si l'on peut dire — de l'Union soviétique sur l'Est de l'Europe.

D. W. — *Mais tout de même on connaissait la conception de la démocratie en Union soviétique.*

R. A. — Vous parlez en 1981. Mais en 1945 on ne savait pas. Quelques personnes savaient. Roosevelt ne savait pas. Roosevelt ne croyait pas à tout cela. Churchill, lui, en savait davantage. Il avait une vieille expérience d'homme d'Etat européen. Il ne doutait pas que les Soviétiques essaieraient de transformer les pays qu'ils occupaient en pays satellites. Mais il pensait qu'il était impossible de l'empêcher. Cela dit, était-ce possible ? Oui, en un sens, mais dans l'abstrait. Les Etats-Unis étaient beau-coup plus puissants que l'Union soviétique. L'Union soviétique était épuisée par la guerre. Elle ne possédait pas encore l'arme atomique. Mais il faut rappeler que les Etats-Unis ne possé-daient que deux armes atomiques qu'ils avaient utilisées contre le Japon. Ils n'en avaient pas d'autres. Ni en 45 ni en 46, ils n'avaient de bombes atomiques. Ils savaient comment les fabriquer, mais ils ne les avaient pas encore fabriquées. En outre, comme je vous l'ai dit, lorsque la guerre a été terminée, après la capitulation du Japon, les Américains, selon leurs habitudes, se sont dépêchés de démobiliser leur armée. Alors, à partir de ce moment-là, leurs capacités d'influer sur les décisions soviétiques étaient pour le moins amoindries.

Il a fallu un certain nombre d'années pour que les Américains comprennent pleinement ce que, je dirais, tous les portiers des hôtels suisses avaient compris immédiatement. C'est qu'à partir du moment où l'Allemagne était éliminée et qu'il y avait en Europe un vide, le vide serait rempli par la puissance soviétique. Il l'aurait été même si l'Union soviétique n'avait pas été soviétique. Il suffisait qu'il y eût une sur-puissance russe et en face rien, pour qu'il y eût danger.

Avec cette circonstance aggravante que cette Russie était l'Union soviétique, il était évident qu'il fallait remplir le vide. D'abord, il fallait reconstituer les « vainqueurs sur le papier » : la Grande-Bretagne, la France et les autres. Ensuite, il fallait reconstituer le vaincu. La nécessité de refaire l'Allemagne est devenue très rapidement évidente à ceux qui avaient un peu de sens politique. Aux autres, il a fallu deux ou trois ans pour comprendre et accepter, non sans difficulté. Même pour de Gaulle c'était un problème puisqu'il n'avait cessé de dire : « Plus jamais de Reich. »

D. W. — *Le partage de l'Allemagne et son occupation par les différentes armées a-t-il été finalement une erreur ? Qu'aurait-il fallu faire ?*

R. A. — Nous ne pouvions pas obliger les Soviétiques à se retirer de l'Allemagne orientale. Certains ont pensé qu'il y avait une chance de créer une Allemagne unifiée et neutre. Je ne l'ai jamais cru, pour une raison simple, c'est que dès l'automne 1945, les Soviétiques ont commencé à soviétiser l'Allemagne orientale. Du moment qu'ils soviétisaient l'Allemagne orientale, c'est qu'ils voulaient y rester. C'était, et c'est encore, un principe fondamental de la diplomatie soviétique : ce qui est devenu nôtre doit rester nôtre, le reste, on peut le négocier. Les chances de désoviétiser l'Allemagne de l'Est étaient donc extrêmement faibles, alors que la libération de l'Autriche était en revanche possible, car les Soviétiques n'essayaient pas de soviétiser ce pays (ou n'y parvenaient pas). C'était l'indication qu'ils envisageaient un jour de s'en aller. C'est pourquoi j'ai cru que cette libération se produirait en Autriche mais non pas en Allemagne orientale. Il y a eu deux cent cinquante séances de négociations à propos de l'Autriche, sans aucun résultat. Un jour, ils ont décidé de partir. Il a suffi alors d'une vingtaine de séances pour en finir.

Mais du moment qu'on pensait ne pas pouvoir intervenir en Europe de l'Est, de toute nécessité il fallait reconstituer l'Allemagne de l'Ouest. Sur ce point, j'ai été tout de suite convaincu et catégorique. J'ai dit, dès la fin de l'année 45 : « Le conflit historique entre l'Allemagne et la France est terminé. La défaite de 45 pour l'Allemagne, c'est l'équivalent pour la France de 1815. L'Allemagne ne peut plus être, dans l'avenir prévisible, le perturbateur, le danger majeur. La grande puissance en Europe maintenant, c'est l'Union soviétique avec ses satellites. Si l'on veut rétablir un équilibre, il faut la présence américaine en Europe, et, en plus, il faut refaire une Europe occidentale. Or on ne peut pas faire une Europe occidentale sans l'Allemagne occidentale. »

C'est pourquoi, lorsque le général de Gaulle, qui n'était pas au pouvoir, a rédigé un texte contre la création de la tri-zone, laquelle était le début de la création de la République de Bonn, j'ai écrit, j'ai pris parti pour la tri-zone au même moment. Je considérais que la création de la République de Bonn était nécessaire. Je pensais que précisément, à ce moment-là, nous avions les meilleures chances de créer des relations nouvelles, personnelles, entre Allemands et Français. Les Allemands étaient au plus bas. C'est alors, quand l'ennemi est abattu, que le vainqueur doit être généreux, qu'il ne doit pas utiliser sa supériorité de puissance, qu'il doit créer, avec l'ex-vaincu, des relations nouvelles.

Aussi, je suis retourné en Allemagne dès 45-46. J'ai fait une conférence à l'Université de Francfort en 46 et repris des relations avec les Allemands immédiatement. On m'a dit : « Vous avez de la chance, vous pouvez le dire parce que vous êtes juif. » C'est bien le seul moment de mon existence où l'on m'a dit que c'était une chance. Mais il est vrai qu'à ce moment-là, un Juif pouvait écrire pour la réconciliation avec l'Allemagne plus aisément que les autres.

D. W. — *Les gaullistes, les communistes, étaient contre la réconciliation. Qui était pour ?*

R. A. — En privé, tous les hommes raisonnables. En public, quelques-uns. Quelques-uns tout de même. Le M.R.P., Camus ; bien d'autres ont pensé la même chose. La différence, c'est que je pensais cette réconciliation de manière plus politique que les autres. Mais beaucoup d'autres ont pensé qu'elle était nécessaire. Il suffisait de regarder la carte. La zone soviétique allait jusqu'à deux cents kilomètres du Rhin. De toute évidence, l'Allemagne de l'Ouest n'était pas une grande puissance. Aujourd'hui, elle est une grande puissance économique, mais pas une grande puissance militaire. D'autre part, le résultat de l'existence de la République fédérale d'Allemagne, c'est que, pour la première fois, nous ne sommes pas sur la première ligne. Dans la mesure où il y a un danger, l'Allemagne s'interpose entre la grande puissance menaçante et la France.

Tout cela sautait aux yeux. L'expansionnisme soviétique ne pouvait faire de doute. Les Soviétiques avaient déjà soviétisé la Pologne. Très rapidement ils étaient en train de transformer tous les régimes des pays de l'Est en régimes soviétiques. Mais il est vrai que pendant, disons trois, quatre, cinq années, il a été extraordinairement difficile pour les Français d'accepter que dorénavant le danger ne venait pas de l'Allemagne mais de l'Union soviétique.

L'idée a été acceptée, je dirai par la majorité des Français, à partir de la campagne de Corée, vers 1950. En ce qui concerne l'Allemagne, on avait tout de même accepté en 1947 sa participation au plan Marshall, c'est-à-dire des relations de coopération et presque d'amitié entre les pays de l'Ouest européen et l'Allemagne occidentale.

J.-L. M. — *Le résultat de la guerre, ce fut le triomphe de deux grandes puissances, les Etats-Unis et l'Union soviétique. L'Europe était affaiblie, la France en particulier n'était plus qu'une puissance régionale. Les dirigeants politiques et l'opinion publique en ont-ils eu conscience ?*

131

R. A. — Ce n'étaient pas des choses à dire, mais bien sûr ils le pensaient. Vous comprenez, la guerre de 14 avait commencé comme une guerre européenne. Elle était devenue mondiale vers la fin par l'intervention des Etats-Unis. La guerre de 1939 a commencé, elle aussi, comme une guerre européenne, laquelle a été gagnée par l'Allemagne hitlérienne en 40. Mais à partir de 40, a commencé une deuxième guerre qui est devenue elle-même réellement mondiale, avec la participation d'abord de l'Union soviétique attaquée par l'Allemagne, et ensuite la participation des Etats-Unis et l'entrée du Japon dans une grande guerre en Asie. C'était donc la première grande guerre authentiquement mondiale.

Du coup, la notion de concert européen appartenait à un passé révolu. Dans le concert européen, la France était une grande puissance. Dans le concert mondial, la France de quarante millions d'habitants en 1945, de manière manifeste, n'était pas une grande puissance.

J.-L. M. — *Pourtant nous avons deux sondages de l'I.F.O.P. qui ne vont pas dans le même sens que ce que vous dites et qui donnent l'impression que les Français rêvaient un peu. En décembre 44, 64 % estimaient que leur pays avait retrouvé sa place de grande puissance. En mars 45, 70 % pensaient que la France devait annexer la rive gauche du Rhin.*

R. A. — Premier sondage : nous avions été acceptés comme un des cinq membres permanents du Conseil de sécurité des Nations Unies. Nous y sommes encore. En ce sens légal, nous faisons figure de grande puissance mondiale. Bon.

Deuxième sondage : c'était une opinion qui avait été partagée par un grand nombre de Français en 1918. On gardait en outre le souvenir des événements de 36, c'est-à-dire l'occupation de la Rhénanie, la date charnière. Les Français et de Gaulle lui-même ont continué à penser en fonction de l'Allemagne pendant quelques années. De Gaulle voulait se réconcilier avec l'Allemagne, mais avec une Allemagne qui n'aurait pas d'Etat central, qui accepterait un régime spécial pour la Ruhr et, éventuellement encore, un régime spécial pour la Rhénanie. A ces conditions, il tendait, disons, la main aux Allemands.

Moi, je pensais qu'il y avait une certaine contradiction à prendre tant de précautions contre un danger du passé, et en même temps à proposer la réconciliation avec l'Allemagne. Cette réconciliation ne pouvait se faire avec des *Länder*, des pays allemands séparés. Des *Länder* sans Etat central, ça n'avait aucun sens. Il fallait la réconciliation avec une Allemagne occidentale qui aurait des *Länder* oui, mais un Etat central. Or, quand on disait : « Pas de Reich », ça ne signifiait rien sinon : pas d'Etat central.

Ça n'avait aucun sens... mais enfin, ce fut la doctrine officielle du général de Gaulle, d'André Malraux jusque vers 1950 et au-delà.

J.-L. M. — *Et les premiers malentendus entre la France et les Etats-Unis ? Ne datent-ils pas justement de cette période de la Libération ?*

R. A. — Les relations entre le général de Gaulle et le président Roosevelt ont toujours été difficiles. Roosevelt avait joué la carte de Vichy, il n'a pas accepté pendant une longue période la légitimité du général de Gaulle. Il en est résulté des ressentiments d'un côté et de l'autre. Il faut dire aussi que les Américains ont été extrêmement désagréables à l'égard des Français en Indochine. Roosevelt était hostile au retour des Français en Indochine. Malheureusement, il n'a pas réussi à les empêcher d'y revenir, ce qui aurait mieux valu. Mais, à l'époque, on ne lui en savait certes pas gré. Enfin, il est vrai que Roosevelt, qui avait été dans le passé plutôt pro-français, avait été tellement impressionné par la défaite française, qu'il ne croyait pas à la reconstruction et à l'avenir de la France.

Donc, il y a eu presque immédiatement des tensions. Mais surtout, par définition pour ainsi dire, les relations ne pouvaient être faciles entre une superpuissance victorieuse et une ex-grande puissance humiliée qui voulait retrouver son rang. La relation entre ces deux pays devait être déplaisante, quels que fussent les hommes au pouvoir.

D. W. — *Oui, mais en même temps on a l'impression qu'à la Libération, les Français avaient quasiment plus de reconnaissance pour les Soviétiques que pour les Américains.*

R. A. — Peut-être, d'abord parce qu'ils ne voyaient pas les Soviétiques et qu'ils voyaient les Américains !

Deuxièmement, les bombardements américains avaient fait des dégâts au-delà de leurs objectifs. Il y avait eu des réactions affectives lorsque les bombardiers américains bombardaient de très haut, en théorie de manière très précise, mais en fait moins précise selon beaucoup de Français que les bombardements anglais. D'autre part, à l'époque, il y avait certainement un mythe soviétique, qui était dans une certaine mesure justifié par l'énormité des pertes essuyées par les Soviétiques. Les Américains avaient perdu quelques centaines de milliers de morts, ce qui est beaucoup, mais ce qui est peu comparé aux millions et aux millions de militaires et de civils qui avaient été tués chez les Soviétiques.

Curieusement, les Français ne voulaient pas savoir que Staline refusait à la France une zone d'occupation en Allemagne, que Staline acceptait moins encore que les Américains la participation du général de Gaulle à la conférence de Yalta, que Staline parlait des Français avec encore plus de mépris que ne le faisaient éventuellement les Américains. Cela dit, je ne crois pas que quand les Européens, même les Français, avaient le choix entre se réfugier ou bien en Union soviétique ou bien aux Etats-Unis, ils étaient tentés de partir vers l'Est, non.

D. W. — *Un autre sondage, de novembre 44, donc avant la fin de la guerre, soulignait encore la bonne opinion des Français au sujet de l'Union soviétique : 61 % pensaient que l'U.R.S.S. avait joué le rôle le plus important dans la défaite allemande, et seulement 29 % les Etats-Unis.*

R. A. — A ce sujet, je peux vous rappeler une conversation que j'ai eue avec Pierre Brisson, le directeur du *Figaro*. Je lui ai dit : « Ceux qui ont gagné la guerre de 1914 sont évidemment les Américains, car s'ils n'étaient pas arrivés à partir de 1917, nous aurions perdu la guerre. » Alors, il a éclaté : « Mais ils n'ont presque rien fait, ils sont arrivés à la fin. Comparez ce qu'ils ont fait à ce que nous, les Français, nous avons fait. » J'ai répondu : « C'est une affaire entendue ; nous avons supporté le poids le plus lourd, le plus coûteux de la guerre ; nous avons été héroïques au-delà de toute expression, mais ceux qui sont arrivés à la fin et qui ont gagné la guerre, ce sont les Américains. Ceux qui gagnent la guerre ne sont pas nécessairement ceux qui ont le plus mérité les bénéfices de la victoire, ce sont simplement ceux qui sont arrivés à la fin. » En ce qui concerne la Seconde Guerre mondiale, l'Union soviétique aurait eu une très grande difficulté à tenir jusqu'au bout si la Grande-Bretagne et surtout les Etats-Unis ne l'avaient pas ravitaillée. D'autre part, même si la contribution à la victoire de l'Union soviétique était physiquement très supérieure à la contribution américaine, en dernière analyse, pour nous, c'était celle-ci qui avait été décisive. Je crois que l'apport américain a été décisif parce que la Grande-Bretagne n'aurait pas pu tenir jusqu'au bout s'il n'y avait pas eu la contribution américaine. Et à supposer, ce qui est au moins douteux, que l'Union soviétique avec la Grande-Bretagne, sans les Etats-Unis, eût gagné la guerre, en ce cas, l'Europe entière aurait été soviétisée.

J.-L. M. — *Et chez les intellectuels, il y avait le même préjugé favorable à l'Union soviétique ?*

R. A. — Oui. Il y a eu en France des cycles, des périodes où l'Union soviétique a exercé une attraction sur un groupe plus ou moins important d'intellectuels et d'ouvriers.

Il y a eu aussi une première fascination en 1917, 18, 19, qui a abouti à la rupture au Congrès de Tours. La majorité à l'intérieur du parti socialiste a accepté les clauses du Komintern.

En 36, s'est opérée la transformation des syndicats sous la direction communiste. Il y a eu un afflux d'adhérents au parti communiste parce que celui-ci était entré dans la majorité de gauche.

Et puis, après la guerre, a joué un certain rôle le souvenir de l'héroïsme de bon nombre de résistants communistes. Ils étaient entrés en force dans la Résistance à partir de 41, quand l'Union soviétique a été dans la guerre. De telle sorte qu'il y a eu une espèce de confusion dans la pensée de beaucoup de Français entre le courage des résistants communistes, le courage et l'héroïsme des soldats soviétiques. A ce moment-là je disais à

Malraux qui reprit la formule : « Le mythe soviétique aujourd'hui, c'est l'armée rouge plutôt que le marxisme. »

Donc, à la fin de la guerre, il y a eu la grandeur lointaine de l'Union soviétique héroïque et victorieuse. Et puis, en quelques années, on a redécouvert ce qu'était le régime soviétique, d'autant plus que Staline, après la guerre, a été, si je puis dire, super-stalinien. Par exemple, tous les prisonniers civils ou militaires soviétiques, rapatriés contre leur volonté en Union soviétique, ont été tous mis dans des camps de concentration. Vous savez que les Anglais et les Américains les ont rapatriés de force. On l'a appris, mais lentement, très lentement. Ça faisait partie des choses qu'on ne voulait pas savoir.

D. W. — *C'est à cette époque que vous êtes entré au* Figaro. *Votre premier papier date du 29 juin 1947. Peut-on dire que Raymond Aron a alors choisi la droite ?*

R. A. — Non, il a choisi entre *le Monde* et *le Figaro*. J'ai raconté l'histoire plusieurs fois. Quand j'ai quitté *Combat*, j'ai eu des propositions et, je le dis maintenant, des propositions financières qui étaient à peu de chose près les mêmes des deux côtés, et aussi modérées. J'ai hésité. C'est Malraux qui a décidé mon choix. Il m'a dit : « Vous aurez moins de peine à vous entendre avec Pierre Brisson qu'avec Beuve-Méry. » Il avait raison.

Il y avait un autre motif, un peu ridicule. Au *Monde*, il fallait travailler le matin pour le journalisme. Or je voulais conserver le matin pour le travail sérieux, le travail universitaire. De telle sorte que je préférais écrire dans un journal du matin plutôt que dans un journal du soir.

Cela dit, si *le Figaro* était, de manière traditionnelle, considéré comme un journal de droite, Brisson, lui, après la guerre, votait pour le parti socialiste. Il était pour le *labour party* en Angleterre. La vérité, c'est que j'aurais eu beaucoup de peine à m'entendre avec Beuve-Méry sur les grandes décisions de politique étrangère. Pourtant, je ne sais pas... En 77, lorsque j'étais malade et hospitalisé, j'ai reçu une lettre de Beuve-Méry qui m'a touché. Il me disait qu'il avait tellement souhaité que j'entre au *Monde* et qu'encore aujourd'hui il en conservait la nostalgie. Il pensait que si j'étais entré au *Monde*, l'évolution de ce journal aurait peut-être été différente, que les conflits entre *le Monde* et *le Figaro* auraient pris un autre tour. En tout état de cause, c'était en 77, et ma décision avait été prise en 47, trente ans auparavant. Je suis resté au *Figaro* trente ans exactement, entre le printemps 47 et le printemps 77. Une longue histoire.

DEUXIÈME PARTIE

Démocratie
et totalitarisme

I

LE GRAND SCHISME, 1947-1956

a) Qui a gagné la guerre froide ?

D. WOLTON. — *Revenons au* Figaro. *Vous y êtes entré, nous l'avons vu, au printemps 47. Est-ce votre manière à vous d'entrer dans la « guerre froide ? »*

RAYMOND ARON. — Absolument pas. Je suis entré au *Figaro,* je vous l'ai dit, après avoir choisi entre ce journal et *le Monde.* Au début, il n'y avait pas entre eux de telles différences. *Le Figaro* avait la réputation d'être davantage à droite, mais Brisson, le directeur, était décidé à donner à ce journal une orientation différente. Avant la guerre, c'était un journal réputé académique, avec un nombre de lecteurs limité, un tirage de 80 000. Au lendemain de la guerre, parce que son nom était connu, *le Figaro* est devenu un grand journal national, ce qu'il n'avait jamais été. C'est seulement plus tard que s'est produite la rupture entre *le Figaro* et *le Monde.* Il n'y avait pas, il est vrai, beaucoup de sympathie entre Beuve-Méry et Brisson. Mais ils pouvaient encore se parler. En tout cas, mon choix du *Figaro* n'était certainement pas un choix de guerre froide.

D. W. — *Votre choix, cependant, n'a-t-il pas coïncidé, dans le temps, avec le début de la guerre froide ?*

R. A. — Quand commence-t-elle ? Les historiens en discutent. Les uns disent en 44, les autres en 45. De manière courante, on fixe, en effet, ce début en 47. En fait, disons que la guerre civile en Grèce avait déjà été un épisode de la guerre froide. En 45, il y a eu des querelles entre les Etats-Unis et l'Union soviétique à cause de la Pologne en raison des conditions dans lesquelles le nouveau gouvernement polonais était constitué. Ensuite, il y a eu des négociations indéfinies sur l'Allemagne. Je pense que l'acte le plus symbolique a été la rupture des négociations entre les Occidentaux et les Soviétiques sur la question de l'Allemagne. Elle s'est produite finalement en 47. Il y a eu constat de l'impossibilité d'un accord, puis décision, par les Occidentaux, de reconstruire l'Allemagne occidentale, d'abord en réunissant les deux zones anglaise et américaine, ensuite en ajoutant aux deux zones la zone française. A partir de ce moment-là, dès 47, il était visible qu'on allait créer un nouvel Etat de l'Allemagne occidentale, ce qui signifiait une acceptation, au moins temporaire et peut-être définitive, du partage de l'Allemagne. Pour moi, c'était l'acceptation du partage de l'ancienne Allemagne — à l'époque, je prenais tous les paris pour au moins une génération. Au bout de vingt ans, je tenais toujours le pari. Aujourd'hui, je continue à le tenir. Or s'il y avait deux Allemagne, il y avait deux Europe. Quand j'ai fait une conférence à l'Université de Francfort, en 1950, j'ai dit à mon public — des étudiants surtout : « l'Allemagne sera divisée aussi longtemps que l'Europe sera divisée. »

L'Allemagne apparaissait à la fois comme le symbole, l'origine, la cause et la réalité même de cette division. L'Union soviétique conservant pour elle-même une partie de l'Allemagne, il résultait, de manière évidente, que l'ensemble de l'Europe serait divisé en deux zones : l'une gouvernée selon le mode soviétique, et l'autre gouvernée selon le mode que nous appelons démocratique.

J.-L. MISSIKA. — *1947, ce fut aussi l'année du plan Marshall. Ce plan, a-t-il été un facteur de la division de l'Europe, ou une conséquence de celle-ci ?*

R. A. — Le plan Marshall a été une réaction à la situation observée en Europe : la misère, la soviétisation de l'Europe de l'Est. Il manifestait la volonté d'opposer à l'expansion soviétique un barrage, non pas militaire, mais politique et économique. L'idée, c'était qu'il était nécessaire que les pays de l'Europe occidentale fussent capables de résister à la propagande soviétique, au parti communiste dans le cas de la France. La condition nécessaire, c'était la reconstruction économique de l'Europe. Puisqu'on avait décidé de reconstruire l'Europe occidentale, il fallait y faire participer l'Allemagne. C'est à l'occasion du plan Marshall que les Allemands ont trouvé leur place dans les organisations collectives de l'Europe et de l'Atlantique.

En même temps, le plan Marshall était offert aux Soviétiques, et il ne dépendait que de Staline de l'accepter. Comme vous le savez, le gouvernement tchèque l'avait accepté avant que n'intervînt l'interdit soviétique. Ceux qui avaient conçu le plan Marshall n'étaient pas hostiles à l'acceptation de l'Union soviétique, mais ils la jugeaient improbable. Mon ami Bohlen, qui a été ambassadeur des Etats-Unis en France bien plus tard, était convaincu que l'Union soviétique refuserait le plan. D'autre part, si les Soviétiques acceptaient, le Sénat des Etats-Unis donnerait-il son accord ? Finalement, les spécialistes de la politique soviétique n'ont pas été surpris par le refus de Staline, bien que certains se soient étonnés qu'il ne veuille pas de tous ces dollars qu'on lui offrait. Mais il ne pouvait pas les accepter probablement pour la raison suivante : il était prévu que les Européens délibéreraient ensemble sur la répartition de l'argent mis à leur disposition par les Etats-Unis. Or cette sorte de conseil européen, auquel l'Union soviétique et les pays de l'Europe de l'Est auraient à participer, était inacceptable pour Staline.

D. W. — *Des événements graves jalonnèrent ces années de la guerre froide : en Europe, le coup de Prague, en février 48 ; le blocus de Berlin par Staline de mai 48 à mai 49 ; les révoltes écrasées par les Soviétiques à Berlin-Est en juin 53, à Budapest en octobre-novembre 56. En Asie, ce fut la victoire de la révolution chinoise, en janvier 49 ; le traité d'amitié sino-soviétique en février 50. Il y avait aussi la guerre d'Indochine, la guerre de Corée qui commença en 50.*

Aviez-vous, à un moment ou à un autre, le sentiment que de nouveau la guerre mondiale menaçait ?

R. A. — Selon les moments, je l'ai redoutée plus ou moins. Le plus souvent, je doutais qu'il y eût un très grand danger de guerre générale pendant ces années. Je l'ai écrit au début de la guerre froide dans mon livre *le Grand Schisme* publié en 1948. Le premier chapitre avait pour titre : « Paix impossible, guerre improbable. » La rivalité en Europe et dans le monde entre les Soviétiques et les Occidentaux durerait pendant des années. Un accord véritable entre les deux mondes n'était pas prévisible, il était même très improbable. Mais, d'un autre côté, ni les Etats-Unis ni l'Union soviétique n'avaient le désir ou l'intérêt de recourir à la guerre. C'était le début de l'âge nucléaire. L'Union soviétique était probablement tout aussi expansionniste que l'avait été l'Allemagne hitlérienne, mais son expansionnisme était tout autre. Staline avait toujours été un homme prudent. Même dans cette période, il a continué à être relativement prudent. Par exemple, le blocus de Berlin n'a jamais été proclamé. C'était un état de fait. Les Soviétiques ont déclaré successivement qu'il fallait faire des réparations aux chemins de fer, qu'il fallait faire des réparations dans les canaux et ainsi de suite. Ainsi, progressivement, il y a eu le blocus. S'il y avait eu une autre réplique des Américains, Staline n'aurait sans doute même pas été jusqu'au blocus.

J.-L. M. — *Une autre réplique ?*

R. A. — Il aurait fallu que les Américains disent aux Soviétiques que leurs prétextes n'étaient pas sérieux, que des réparations n'empêcheraient pas le passage des chemins de fer, ou la circulation des péniches sur les canaux, et ainsi de suite... Un homme politique anglais de gauche, A. Bevan, avait dit tout de suite que le blocus était un bluff soviétique et qu'il n'y avait aucune raison d'avoir peur. Il suffisait, selon lui, d'envoyer un convoi militaire pour traverser l'Allemagne de l'Est jusqu'à Berlin et le blocus serait terminé.

En fait, comme les Américains avaient démobilisé leur armée, qu'il y avait très peu de forces occidentales en Europe, les Américains ont accepté le blocus. Mais la manière dont ils l'ont surmonté a été probablement une victoire plus éclatante que s'ils l'avaient rompu par l'emploi de la force militaire. Ils ont démontré qu'avec un pont aérien on pouvait ravitailler de manière presque normale une population de près de deux

144

millions et demi de personnes. Le pont aérien est devenu un exploit technique et politique, et a créé de manière durable des liens affectifs entre les Berlinois et les Occidentaux. Il en reste quelque chose. Ce fut pour ainsi dire un des grands moments de la guerre froide. Grande bataille, quelques morts seulement, par accident.

D. W. — *Les Soviétiques fabriquaient la bombe atomique en juillet 49. Cette fois le risque de guerre n'augmentait-t-il pas, l'équilibre des forces se trouvant modifié ?*

R. A. — Nous arrivons, en effet, à un moment où les Européens ont réellement peur de la guerre. C'est en 1950, quand commence la campagne coréenne, en particulier pendant les premières semaines des revers militaires des Etats-Unis. Je me souviens d'avoir reçu de Concarneau une lettre d'André Malraux qui disait à propos des Français : « Etrange peuple qui se prépare à la guerre en accumulant les stocks de sardines. »
Il y avait, en effet, une semi-panique, une peur excessive de la guerre. Elle était créée dans une large mesure par la propagande soviétique. Par exemple, quand la Corée du Nord a envahi la Corée du Sud, les journaux de l'Allemagne de l'Est ont dit : « Ce sera bientôt le tour de l'Allemagne de l'Ouest. » La Corée donnait l'impression d'être l'équivalent de l'Allemagne divisée. Ce qui s'était passé en Corée pouvait se passer en Allemagne. Mais la comparaison n'était pas valable. La Corée du Sud n'avait pas la même signification que l'Allemagne de l'Ouest, et il y avait la possibilité en Corée de livrer une guerre limitée, ce que les Américains ont fait.

J.-L. M. — *A l'époque, dans vos articles du Figaro, vous vous étonniez. Vous dîtes en substance : « Ces Américains sont étranges, ils laissent le communisme triompher dans l'immense Chine, et puis ils vont se battre pour la toute petite Corée. »*

R. A. — Ils avaient raison. S'ils avaient essayé d'empêcher la victoire des communistes en Chine, c'eût été une catastrophe bien plus grande que celle du Vietnam. Nous aurions eu un Vietnam à la énième puissance. D'autre part, la raison pour laquelle ils sont intervenus en Corée, c'est que, s'ils ne l'avaient pas fait, leur passivité aurait eu une signification symbolique considérable. Tel fut, je pense, le motif décisif du président Truman et du secrétaire d'Etat Acheson.

J'ai eu, au début du mois de décembre 1950, à Washington, une conversation avec le secrétaire d'Etat. Il m'a dit que la raison essentielle pour laquelle il avait conseillé à Truman d'intervenir était la suivante : c'était la première conjoncture, la première occasion où les Etats-Unis devaient démontrer au monde qu'ils tiendraient leurs engagements. S'ils ne soutenaient pas la Corée du Sud, attaquée militairement par la Corée du Nord, le monde entier douterait des promesses américaines. Dans une large mesure, ce fut pour rassurer les Européens que les Américains ont fait la guerre de Corée. D'autre part, la Corée du Sud avait été créée sous l'égide des Etats-Unis et des Nations Unies. Laisser cette République qui avait organisé des élections plus ou moins libres être détruite par la Corée du Nord, qui avait refusé toutes les relations avec les Nations Unies, c'eût été tout de même une défaite politique, un véritable désastre moral pour les Etats-Unis. Donc, je pense que, si l'on tient compte de l'ensemble de la situation mondiale, l'intervention américaine en Corée était parfaitement justifiée.

Cela dit, nous avons probablement donné à l'attaque de la Corée du Nord une signification que celle-ci n'avait pas.

Nous savons aujourd'hui que c'est surtout Kim Il-song, c'est-à-dire le numéro un de la Corée du Nord, qui a eu l'idée de l'attaque. Certainement Staline a donné le feu vert, mais il n'est pas du tout sûr que ce fût une initiative de Staline lui-même. Quant à Mao Tsé-toung, les historiens américains, aujourd'hui, pensent qu'il ne connaissait même pas l'intention de la Corée du Nord. On sait maintenant que la Chine ne souhaitait pas du tout entrer dans la guerre de Corée. Elle avait mis en garde deux fois les Américains contre l'avance de la VIIIe armée vers le nord. C'est parce que les Américains n'ont pas pris au sérieux cet avertissement qu'il y a eu l'attaque chinoise. La guerre de Corée est devenue un événement de première grandeur par une série de malentendus entre les deux camps.

D. W. — *Et la guerre d'Indochine ? Officiellement elle a commencé à partir de l'échec des accords de Fontainebleau. Qu'en pensiez-vous ?*

146

R. A. — Elle a commencé, en fait, en décembre 1946. Les accords de Fontainebleau n'en sont pas l'origine réelle. Les raisons de cette guerre sont nombreuses, mais l'événement le plus directement à l'origine a été le bombardement, par les canons français, du port de Haïphong. Un acte injustifiable qui a fait plusieurs milliers de morts.

D. W. — *On l'a dénoncé à l'époque ? Vous l'aviez dénoncé ?*

R. A. — Je pensais que c'était une histoire absurde. J'ai dû écrire un article dans *Combat* le jour où la guerre a commencé, en décembre 1946 (1). Il exprime mon embarras et mes sentiments contradictoires. Il était visible que je n'étais pas pour la reconquête de l'Indochine par la force militaire. Malraux, tout gaulliste qu'il était, disait lui-même : « Pour reprendre l'Indochine, il faudrait dix ans et 500 000 hommes. » Il se trompait simplement sur ceci : ni dix ans, ni 500 000 hommes ne suffisaient. Malgré tout ce qu'il a été amené à dire ou à écrire dans les années 50, Malraux, qui connaissait bien l'Indochine, avait au fond absolument la même opinion que moi. Il jugeait que la tentative française était condamnée à l'avance, totalement déraisonnable étant donné la pauvreté de la France, les nécessités de la reconstruction, etc.

Mais le patriotisme français à l'époque était tel que l'abandon d'une partie de l'empire était, semble-t-il, inacceptable pour la masse de l'opinion, en particulier l'opinion à laquelle je m'adressais. Il y avait ainsi une certaine différence entre ce que j'écrivais et ce que j'éprouvais, ce qui n'est pas très honorable. En fait, j'ai très peu écrit dans la presse sur la guerre d'Indochine, mais j'ai dit très clairement ce que j'en pensais dans mon livre *les Guerres en chaîne,* publié en 1951.

Je disais que, à la rigueur, cette guerre pouvait se justifier dans le cadre de la politique d'endiguement mondial du soviétisme. Mais, par rapport à la France, l'intervention en Indochine était une folie. Il faut dire pourtant que, dès la fin de 46, le gouvernement a tenté de négocier. Mais il n'avait pas le

(1) Je me suis reporté à l'article de *Combat,* très explicitement hostile à la guerre et à la reconquête.

courage d'aller jusqu'au bout, c'est-à-dire d'accepter l'indépendance du Vietnam. En outre, dès 47-48, il ne s'agissait plus du maintien de l'empire français, mais de la résistance au communisme. En 49, les Etats-Unis avaient retourné leur position. Ils avaient été hostiles au retour des Français en Indochine, mais parce que l'Indochine devenait une partie du monde libre, définition curieuse, ils ont soutenu la politique française en Indochine, qu'ils avaient combattue auparavant.

D. W. — *Donc, en 46, vous n'étiez pas favorable au retour de la France en Indochine. Mais vous ne preniez guère position à l'époque. Pourquoi ? Etait-ce difficile à dire publiquement ?*

R. A. — Ce n'était pas tellement difficile, c'était surtout tout à fait inefficace. En 46 ou en 47, je n'étais rien. Quand j'ai pris position sur la question algérienne, le pamphlet a eu un grand retentissement parce que c'était signé par Raymond Aron. Mais en 46 ou en 47, qui était Raymond Aron ? Un curieux personnage qui avait écrit des livres de philosophie, qui avait disparu pendant cinq ans, pendant la guerre, et qui, au lieu de revenir à l'Université, écrivait des articles.

J'ai eu tout de suite, c'est vrai, une certaine position dans le journalisme. Mais vous savez, pour avoir un peu plus qu'une certaine position, il ne faut pas tellement du talent, il faut du temps. Tout le monde peut écrire un bon article — le problème c'est d'écrire souvent des articles en accord avec la réalité.

J.-L. M. — *Alors, pour vous, le critère c'est l'efficacité ? On ne prend pas position si ce n'est pas efficace ?*

R. A. — Non, non, non. Ce n'est pas ça. Simplement le fait d'écrire que l'intervention en Indochine était déraisonnable n'avait pas grand sens. Sur le principe, tout le monde était d'accord. Les ministres des Affaires étrangères et en particulier les ministres des Colonies, tous soutenaient la thèse de l'Union française, c'est-à-dire un programme de transformation des relations coloniales en des relations, disons, d'égalité. Quant à discuter des négociations, c'était beaucoup plus difficile, parce que je ne connaissais pas à l'époque le détail des négociations. De plus, on choisit son rôle : si l'on prend des positions morales, idéales, de principe, alors dans ce cas, j'aurais dû effectivement écrire davantage sur les questions d'Indochine entre 46 et 49. En fait, je n'ai rien écrit, ni pour ni contre. Et disant d'ailleurs à tout le monde à quel point je trouvais déraisonnable d'engager l'essentiel des troupes françaises en Indochine.

Si j'avais écrit de tels articles, ma réputation, je suppose, aurait été meilleure. Mais je n'ai jamais songé à écrire des articles pour ma réputation future. J'écrivais ce qu'il me paraissait possible et utile d'écrire à l'époque, et, à l'époque, écrire sur la guerre d'Indochine était peu utile.

Encore une fois, lorsque les troupes chinoises sont arrivées à la frontière, il sautait aux yeux de tout le monde que la présence française au Vietnam était condamnée. Dès 1950, les gouvernements étaient tous convaincus en privé, mais ils étaient coincés, ils ne savaient plus comment sortir d'Indochine.

Les Américains me demandaient parfois si le gouvernement français tiendrait sa politique indochinoise. Ma réponse était : « Les gouvernements français sont trop faibles, même pour faire retraite. »

Pour faire retraite dans une affaire de cette sorte, il fallait du courage. Quand on est imbriqué dans une guerre, quand on y a engagé des milliards, qu'on y a perdu des milliers et des milliers d'hommes, il faut beaucoup de courage et beaucoup d'autorité pour dire : « On s'est trompé, on s'en va. » Convaincre, par exemple, René Pleven, qu'il fallait se retirer, c'était trop facile. Je savais bien qu'il voulait se retirer, seulement comment ?

J.-L. M. — *Et cela, c'était inutile de l'écrire ?*

R. A. — Si, c'était utile, mais il y avait, disons la moitié des commentateurs français qui l'écrivaient. Cela dit, si vous voulez me faire reconnaître que j'aurais mieux fait d'écrire davantage sur le sujet, je vous l'accorde sans grande difficulté. Mais je n'ai pas de remords parce que je suis convaincu que les quelques articles que j'aurais pu écrire contre la politique française en Indochine n'auraient strictement rien changé, étant donné qu'en privé, dans les conversations, les hommes qui comptaient savaient parfaitement ce que je pensais.

D. W. — *Revenons à la guerre froide. Dans cette période 47-56, qui gagne ? L'Union soviétique ?*

R. A. — L'expression « guerre froide » suggère qu'il y a eu l'équivalent d'une guerre que l'un aurait gagnée et l'autre perdue. A l'époque, j'employais très souvent une expression différente, celle de « paix belliqueuse », et la paix belliqueuse s'est perpétuée jusqu'à aujourd'hui. Si on appelle guerre froide la période limitée entre 47 et 53, celle qui va de la rupture des Trois sur l'Allemagne à la mort de Staline qui est la fin de la forme extrême de la guerre froide, alors pendant cette période les Occidentaux ont fait des erreurs, mais ils ont gagné. En tout cas, ils n'ont pas perdu. Dans le blocus de Berlin, ils ont gagné. En ce qui concerne la Corée, ils n'ont pas perdu ; ils auraient pu gagner davantage s'ils n'avaient pas poussé trop en avant leur armée vers le nord. Ils ont finalement démontré qu'ils ne toléraient pas une intervention militaire au-delà des lignes de démarcation, rassurant ainsi les Occidentaux et en particulier les Européens sur la résolution américaine.

J.-L. M. — *Et le coup de Prague ? Et l'écrasement de la révolte des ouvriers de Berlin-Est ?*

R. A. — En ce qui concerne Prague, il n'y a pas eu d'intervention militaire soviétique. Il y a eu un ultimatum du parti communiste et il y a eu une fois de plus, disons, une concession ou une capitulation du président Bénès. Ce fut la transformation d'une démocratie à demi populaire en une démocratie totalement populaire. Que pouvaient faire les Occidentaux ? Ils n'avaient pas d'armées pour les envoyer à Prague. Par ailleurs, il y avait un gouvernement semi-légal reconnu, qui s'était transformé en expulsant ses membres non communistes. Ce n'était pas un coup que les Occidentaux pouvaient empêcher.

A Berlin, en 53, les Occidentaux ne pouvaient rien faire non plus. La révolte populaire ne dépendait pas d'eux. Ils n'avaient pas les moyens militaires d'intervenir en Allemagne de l'Est pour empêcher la répression. Est-ce que vous imaginez le président des Etats-Unis envoyant un ultimatum à Staline — ou à son successeur — en lui interdisant de réprimer une révolte ouvrière ?

C'était, certes, une révolte importante. Mais à l'époque on savait déjà que le régime soviétique en Europe de l'Est n'était pas populaire, on savait déjà que les Allemands de l'Est partaient par centaines de milliers vers l'Ouest. Ils choisissaient ainsi « par les pieds », comme on disait, le capitalisme plutôt que la « libération socialiste ». Il faut dire que le régime imposé alors par Staline à l'Europe de l'Est était bien pire que le régime actuel. Dans les années 49, 50, 51, 52, pour être partisan des régimes socialistes de l'Est, il fallait une capacité d'ignorance exceptionnelle. Tout le monde pouvait savoir à quel point la partie soviétique de l'Europe était mal traitée, d'une part volontairement et d'autre part parce que l'Union soviétique, à la suite de la guerre, était terriblement appauvrie et essayait d'extraire le maximum de butin de l'Europe de l'Est, de l'Allemagne en particulier.

J.-L. M. — *Venons-en au pacte Atlantique. Sur ce sujet-là, vous avez beaucoup écrit et presque milité.*

R. A. — J'ai milité pour l'intervention américaine en Corée. Le jour où l'on a appris l'attaque de la Corée du Nord, j'ai écrit *Epreuve de Force*. Donc, j'ai soutenu l'intervention américaine en Corée.

Pour le plan Marshall, il n'y avait vraiment aucune raison concevable de le refuser : il consistait essentiellement à donner aux pays d'Europe des dollars dont ils avaient besoin. Encore aujourd'hui, ils les accepteraient. Quant au pacte de l'Atlantique Nord, c'était un traité relativement vague sur la sécurité collective des pays de l'Occident avec la promesse, dans le cas d'une agression extérieure non justifiée, que chacun de ces pays prendrait des dispositions pour aller au secours du pays qui avait été attaqué. Mais il y a eu, contre le pacte de l'Atlantique, deux propagandes :

— une propagande inspirée par le désir de la neutralité européenne,

— une deuxième propagande, qui venait surtout des milieux gaullistes et aussi des milieux neutralistes. Celle-ci reprochait au texte du pacte d'être trop vague, de ne pas rédiger de manière précise les engagements, les promesses des Etats-Unis à l'égard des Européens.

Personnellement, je considérais que le détail du texte avait beaucoup moins d'importance que le pacte lui-même.

En ce qui concerne l'O.T.A.N., l'Organisation du traité de l'Atlantique Nord, elle n'était pas explicitement prévue par le pacte de l'Atlantique. Elle s'est créée, comme organisation militaire, après le déclenchement de la campagne de Corée, dans la perspective de l'extension de la guerre de la Corée jusqu'à l'Europe. Elle a été dictée par une interprétation qui s'est révélée inexacte, selon laquelle il y avait un « master-plan », une stratégie globale de Staline qui, à partir de la guerre en Corée et en Asie, passerait ensuite à l'agression en Europe.

C'est alors qu'a été créée l'organisation militaire, mais le pacte de l'Atlantique Nord, c'était, au fond, ce que les Européens avaient souhaité des Américains après la Première Guerre, c'est-à-dire la promesse d'intervenir si les Européens étaient attaqués. Encore aujourd'hui, il me paraît difficile d'être en sympathie avec ceux qui ont refusé le traité de l'Atlantique Nord.

J.-L. M. — *Mais, dans cette année 49, les thèses neutralistes tenaient à des motifs plutôt nobles : l'indépendance de la France, l'indépendance de l'Europe. Ça ne vous touchait pas ?*

R. A. — C'est une étrange manière de présenter le problème. Si nous avions eu une alliance avec les Etats-Unis en 1939, vous pensez que ça aurait été contraire à l'indépendance de la France ? Le traité de l'Atlantique Nord n'amputait pas l'indépendance française. D'abord, c'était un traité qui ne s'appliquait qu'à une partie du monde. Donc, dans tout le reste du monde, nous pouvions faire exactement ce que nous voulions.

D'autre part, ce traité ne limitait pas l'autonomie de la diplomatie française. Il comportait des promesses ou des engagements réciproques d'aller au secours d'un pays attaqué. En quoi était-ce une amputation de l'indépendance nationale ?

D. W. — *Ne diminuait-il pas notre liberté militaire ? Dans une organisation intégrée, nous ne disposions plus de notre autonomie.*

R. A. — Ce sont deux choses différentes. L'organisation intégrée date de 1950 et non pas du pacte de l'Atlantique Nord.

La première, effectivement, partait de l'idée que la défense de l'Europe occidentale ne pouvait être que collective. Par conséquent, il devait y avoir des plans établis à l'avance. Ce n'était pas nouveau. En 1939, quand la France détenait le gros de la force militaire, c'est le gouvernement français, ce sont les généraux français qui avaient la responsabilité des opérations dans l'ensemble de la France.

Cela dit, en ce qui concerne l'O.T.A.N., elle n'agissait, elle n'intervenait réellement que dans l'hypothèse de la guerre. Par-dessus le marché, les plans devaient être établis à l'unanimité. Par conséquent le gouvernement français pouvait ne pas accepter un plan s'il le jugeait contraire aux intérêts français. L'O.T.A.N. comportait des plans pour l'éventualité de la guerre et pour une intégration des forces militaires de l'alliance. Il y avait donc, il y a encore aujourd'hui, des arguments pour ne pas être à l'intérieur de l'organisation intégrée. Il n'en reste pas moins que si le gouvernement français veut participer à la défense de l'Europe en cas de guerre, il doit bien établir des plans avec les autres participants du traité de l'Atlantique Nord, en temps de paix.

J'ajoute qu'en ce qui concerne nos forces nucléaires — dont il n'était pas question à l'époque — la France pourrait avoir exactement la même liberté d'action qu'aujourd'hui si elle était restée à l'intérieur de l'O.T.A.N.

Cela dit, je trouve que le problème de l'O.T.A.N. est maintenant dépassé. Nous sommes au-dehors du commandement unifié. L'opinion française est résolument contre un retour dans l'O.T.A.N. Il serait tout à fait déraisonnable de créer un grand débat français de nouveau sur une question qui aujourd'hui est épuisée. Bon. Nous sommes à l'intérieur de l'Alliance, nous ne sommes pas dans le commandement unifié de l'O.T.A.N. avec certaines conséquences favorables et d'autres discutables.

D. W. — *Pourquoi, à l'époque, le débat sur l'O.T.A.N. a-t-il été si vif entre ce que l'on appelait les neutralistes et les autres ?*

R. A. — Ce n'était pas là-dessus que l'on discutait. Un des grands arguments contre le traité de l'Atlantique Nord, c'était le réarmement de l'Allemagne. Par exemple, Beuve-Méry a écrit plusieurs fois que le réarmement de l'Allemagne était inscrit à l'avance dans le traité de l'Atlantique Nord, comme le poulet dans l'œuf.

Les deuxièmes attaques portaient sur la rédaction du texte : les obligations des Etats-Unis n'étaient pas suffisamment précises. Mais, à ma connaissance, il n'y a pas eu tant de protestations contre l'idée de préparer à l'avance les plans dans l'éventualité de guerre. L'opposition du général de Gaulle, en particulier, n'avait pas ce sens-là. De Gaulle avait conservé le souvenir des expériences de la précédente guerre, celle, par exemple, de l'évacuation de Strasbourg qu'il avait empêchée contre les ordres de Eisenhower. Le général de Gaulle a toujours été obsédé par l'idée que perdre une partie de l'autonomie militaire, c'est courir le risque d'accepter les commandements conformes peut-être à l'intérêt de la collectivité, mais contraires aux intérêts spécifiques de la nation française. Sur ce point il a toujours été catégorique. Avec une réserve. Il y a eu un moment, lorsque la menace de guerre sembla toute proche, où il a envisagé un commandement unifié pour l'Europe. Mais, en 1949 ou 50, sa critique du traité de l'Atlantique Nord visait surtout l'insuffisance de l'engagement américain. Les forces françaises étaient tellement faibles et la puissance était telle du côté américain, que ce qu'il demandait à cette époque c'était que les Américains prissent la décision d'engager toutes leurs forces pour défendre l'Europe. Il craignait que les Etats-Unis, une fois de plus, ne fussent pas présents au début de la guerre mais seulement à la fin. C'est une polémique qui, aujourd'hui, me semble-t-il, n'a plus grand sens.

D. W. — *En 1951 vous publiez* Guerre en chaîne *qui analyse les guerres du xxᵉ siècle. Ce qui est étonnant, c'est l'appel à l'Europe que vous y faites pour que celle-ci sorte d'une stratégie défensive. A la fin du livre, vous vous demandez à propos de la guerre froide si elle est la préparation ou la substitution à la guerre totale. Rétrospectivement, pensez-vous que la guerre froide a été la substitution à la guerre totale ?*

R A. — Ce fut une forme extrême de rivalité entre les deux mondes, mais cette rivalité jusqu'à présent se déroule sans guerre totale. Par conséquent, elle a bien été le substitut d'une guerre totale. Cela dit, Soljénitsyne, lui, dit que cette guerre sans guerre signifiait pour l'Occident une série de défaites ou de désastres. Il considère que la décolonisation est un aspect de la défaite de l'Occident. Le fait qu'un certain nombre des pays décolonisés se sont mis du côté soviétique lui paraît le symptôme, la preuve de la décadence de l'Occident.

Personnellement, je considère que la décolonisation, d'abord, était inévitable, ensuite qu'elle était conforme aux valeurs que les Occidentaux défendent. Quand à l'abaissement de l'Occident, il est incontestable, mais il était écrit au grand livre de l'histoire dès le lendemain de la Seconde Guerre mondiale. L'Europe ne pouvait pas conserver ses empires ; l'Europe protégée par les Etats-Unis ne pouvait pas rester une puissance impériale, c'était évident.

L'Europe, au début du siècle, était le centre du monde. La Grande-Bretagne était le centre d'un empire puissant qui couvrait une bonne partie de la planète. Aujourd'hui, la Grande-Bretagne est une petite puissance, une puissance secondaire, de deuxième ordre. La France était une grande puissance dans le cadre européen ; elle n'est plus aujourd'hui qu'une puissance dans le cadre régional. Mais même s'il n'y avait pas eu les deux guerres mondiales, cet abaissement serait intervenu aussi, mais plus lentement, moins brutalement. Cela dit, la rivalité entre l'Occident et le monde soviétique n'est pas encore tranchée.

D. W. — *La rivalité continue, mais le rapport des forces ne change-t-il pas ? Depuis le début de la guerre froide, quel est le bilan ?*

R. A. — Au lendemain de la guerre, les Etats-Unis représentaient une superpuissance et il n'y en avait pas d'autre. Economiquement, la production américaine devait représenter plus que la moitié de la production totale du monde. Au lendemain de la guerre, il y avait une différence de nature entre les niveaux de vie et la capacité de production des Américains d'un côté et des Européens de l'autre. Aujourd'hui, les niveaux de vie, la productivité du travail sont du même ordre aux Etats-

Unis et en Europe. Il y a donc un abaissement relatif des Etats-Unis par rapport aux Européens, ce qui montre à quel point la domination américaine — comme on dit — n'a pas empêché le redressement et le progrès des Européens.

En ce qui concerne la relation des forces militaires, les Etats-Unis en 45, 46, 47, étaient potentiellement la première puissance militaire du monde avec une supériorité nucléaire éclatante. Aujourd'hui, la première puissance militaire du monde c'est l'Union soviétique. Les Etats-Unis ne sont plus que la puissance militaire numéro deux, disons à égalité dans l'ordre nucléaire, peut-être quelque peu supérieure dans la marine et l'aviation, et encore, et très inférieure à l'Union soviétique pour les forces terrestres. D'autre part, l'Union soviétique s'est donnée, au cours de ces dernières années, une capacité d'intervention dans toutes les parties du monde. Comme disent les Américains, ils ont acquis « la capacité de projeter leur puissance militaire partout dans le monde. » En ce sens, si nous comparons la situation de 47-48 et celle de 80, de toute évidence c'est l'Union soviétique qui a progressé le plus dans l'ordre de la puissance militaire. Mais par ailleurs, dans l'ordre économique, idéologique et moral, elle a perdu beaucoup.

Il est aujourd'hui reconnu par à peu près tout le monde que le régime économique soviétique est inefficace, que le niveau de vie de l'Europe de l'Est est largement inférieur à celui de l'Europe de l'Ouest. Encore aujourd'hui, l'Occident représente, pour la production scientifique, pour les innovations, pour le renouvellement de la civilisation, 90 p. 100 de ce qui se crée dans le monde. L'Union soviétique a perdu une grande partie de sa capacité d'influence idéologique. Aujourd'hui, elle est un échec économique, une grande puissance militaire et peut-être une grande puissance impériale.

J.-L. M. — *Cette évolution militaire n'est-elle pas surprenante, compte tenu de la supériorité économique de l'Occident ?*

R. A. — Elle n'est pas tellement surprenante. Entre 62-63 et 1972, les Américains ont dépensé beaucoup pour la guerre du Vietnam, donc beaucoup moins pour le reste. Par-dessus le marché, l'Union soviétique a décidé à partir de, probablement 62, un effort militaire considérable et, depuis lors, elle augmente de 3 à 5 p. 100 son budget militaire tous les ans. Son économie est, en quelque sorte, une économie militaire. La priorité va à la production militaire. Ce qui reste, c'est pour la population, comme en temps de guerre, en simplifiant un peu. Malgré tout, il y a des limites à l'augmentation des dépenses militaires.

D. W. — *La guerre froide a obligé à repenser le système militaire occidental. Pourquoi souhaitiez-vous à l'époque le réarmement de l'Allemagne ?*

R. A. — Pour une raison relativement simple. La sécurité de l'Europe occidentale à ce moment peut être conçue de deux manières :

— ou bien les Etats-Unis déclarent de manière solennelle que toute agression contre l'Europe occidentale est une agression contre eux-mêmes, et on ne s'intéresse pas à la défense locale, on accepte le vide militaire en Europe, mais la déclaration américaine suffit à exclure l'agression directe militaire de l'Union soviétique...

— ou bien on considère que cette déclaration lointaine est insuffisante : l'expérience de la Corée incitait à des réflexions sur la protection exclusive par une déclaration de guerre américaine. Dans ce cas on décide qu'il faut un minimum de défense locale avec des armes classiques.

Or, à partir du moment où la Grande-Bretagne, la France décidaient de réarmer, il était difficilement concevable, pour des raisons économiques et pour des raisons militaires, que l'Allemagne occidentale ne participât point à cette défense collective de l'Europe.

Donc, ce n'est pas que je souhaitais en tant que tel le réarmement de l'Allemagne, mais le réarmement de l'Allemagne était entraîné, impliqué, par le réarmement de l'Europe occidentale dans son ensemble.

Il n'a pas été accepté de gaieté de cœur. Lorsque, à l'automne 1950, pendant la campagne coréenne, le secrétaire d'Etat Acheson a proposé aux ministres anglais et français le réarmement de l'Allemagne, la première réaction des Français a été de retarder le plus possible cette décision. Pleven, inspiré peut-être par J. Monnet, proposa la C.E.D., moyen à la fois de retarder le réarmement de l'Allemagne et de favoriser l'unification de l'Europe.

J.-L. M. — *Justement, un grand débat s'est instauré en France de 1950 à 1954 sur la C.E.D., la Communauté européenne de Défense. Qu'est-ce que cette C.E.D. ?*

R. A. — Il y a eu plusieurs débats. Le premier s'est développé autour de la question : neutralité ou alliance Atlantique ? Bien entendu, il y avait d'un côté les communistes, mais la masse de la population acceptait l'alliance Atlantique, puisque l'alliance Atlantique c'était une certaine garantie de la protection américaine. Le neutralisme, la politique de neutralité était en tant que telle extraordinairement difficile puisque les partisans de la neutralité ajoutaient : neutralité armée. C'était le point de vue du *Monde,* de gens comme Gilson, Beuve-Méry. Or, comme nous n'étions pas armés, il était difficile d'avoir à la fois le réarmement et la neutralité. C'était une vue de l'esprit. Elle correspondait à des sentiments profonds, au désir d'une Europe spécifique, indépendante, qui serait séparée à la fois de l'Union soviétique et des Etats-Unis. Ce désir existe encore aujourd'hui. C'est une aspiration authentique de la population française, mais à l'époque, en 49-50, ça n'avait pas grand sens.

Ensuite, il y a eu un deuxième débat : sur le réarmement, en particulier le réarmement de l'Allemagne. Il tournait autour du refus du réarmement allemand, mais en même temps, autour des modalités d'un réarmement de l'Europe, c'est-à-dire de la C.E.D. En gros, la C.E.D. c'était l'armée européenne. Un certain nombre de ceux qui voulaient cette armée européenne avaient en même temps toutes sortes d'arrière-pensées contre l'Allemagne et le réarmement de l'Allemagne. C'était au point qu'ils n'avaient pas conçu seulement que les divisions allemandes, françaises, belges, hollandaises, eussent un commandement commun, ils voulaient que les détachements nationaux fussent réduits le plus possible, la règle devant être la fusion des unités. Seuls des détachements étroits restaient nationaux.

En outre, il y avait une obsession : empêcher que se recrée un grand état-major allemand. Il ne devait donc pas y avoir de général en chef, pas de commandement suprême. Finalement la C.E.D. devenait le projet d'un ministère des Armées européennes. Celui-ci réalisait d'abord une fusion des armées des six partenaires, mettait cette armée européenne en état de combattre. Puis il la mettait à la disposition des Américains ou sous les ordres de l'O.T.A.N. Aussi les adversaires de la C.E.D. disaient-ils : « La C.E.D. détruit l'armée française et reconstruit l'armée allemande ; non seulement on renonce à l'autonomie militaire française, mais on se met doublement au service de l'étranger, d'abord au service d'un ministère européen, et ensuite d'un commandement suprême américain. »

D. W. — *Et ce système avait des partisans ?*

R. A. — Sauf les Européens de stricte observance, c'est-à-dire les fidèles de Monnet, les adversaires du projet se sont multipliés. Les uns étaient hostiles au réarmement de l'Allemagne en tant que tel. Les autres étaient hostiles à la modalité choisie. Il y a eu des sondages d'opinion sur ces questions à l'époque. Mais ils n'avaient aucun sens. Si on demandait aux gens : « Est-il préférable de reconstruire une armée nationale allemande ou bien de réarmer l'Allemagne sans armée autonome allemande ? », évidemment ils disaient oui à la deuxième solution. Si on leur disait : « Mais faut-il renoncer à l'autonomie de l'armée française ? », ils répondaient naturellement non.
En d'autres termes, la dicussion s'est faite dans une confusion extraordinaire. Finalement, on n'a pas expliqué clairement le choix : il y a deux manières de réarmer l'Allemagne qui soient acceptables, l'une, faire l'armée européenne, l'autre refaire une armée allemande qui serait immédiatement mise à la disposition de l'O.T.A.N.

D. W. — *Et les Américains ? Qu'en pensaient-ils ?*

R. A. — Ils se sont passionnés pour cette C.E.D. que les Français avaient conçue et allaient rejeter et ont passé leur temps à dire qu'il n'y avait pas d'autre solution, ce qui était idiot puisque manifestement il y en avait une autre. Lorsque la Communauté européenne de Défense a été rejetée, après la conférence de Genève, c'est-à-dire après la liquidation de la guerre d'Indochine, immédiatement on a trouvé l'autre solution que tout le monde connaissait à l'avance, c'est-à-dire la constitution d'une armée allemande qui n'aurait pas de grand état-major et qui serait mise immédiatement sous les ordres de l'O.T.A.N. Le Parlement français, lorsqu'étaient président du Conseil, d'abord Mendès France, ensuite Edgar Faure, a accepté la deuxième solution parce que la première avait été rejetée. Si on lui avait proposé d'abord celle qui a été approuvée à la fin, il est possible que la première eût été rejetée de la même manière que la C.E.D. En profondeur, le Parlement était hostile aux deux solutions, hostile au réarmement de l'Allemagne, sous une forme ou sous une autre.

J.-L. M. — *Avec l'échec de la C.E.D. l'Europe n'a-t-elle pas laissé échapper sa chance ?*

R. A. — Une minorité de Français disent, en effet, que la seule grande chance d'une autonomie européenne fut la C.E.D. qui donnait à l'Europe, au moins sur le papier, la capacité de se défendre seule. Moi, j'ai toujours fait des réserves parce que l'armée européenne était conçue essentiellement pour parer au danger allemand et non pas pour créer une armée efficace. Je trouvais dérisoire de réduire à ce point les détachements nationaux. L'idée de commencer une entreprise aussi considérable qu'une armée commune de l'Europe avec tant d'arrière-pensées, tant de précautions, tant d'inquiétude, n'était pas très convaincante.

D. W. — *Et aujourd'hui ? Les chances d'une armée européenne sont-elles plus sérieuses ?*

R. A. — Il n'y en a aucune. Maintenant il existe une armée française, une armée allemande, une armée belge, etc. Ce qui est concevable, c'est l'intégration au niveau du commandement.

D. W. — *Dans ce débat, de 1950 à 1954, on voyait les communistes réussir à monopoliser le thème de la paix. Tous les autres, partisans de la C.E.D. ou du réarmement de l'Allemagne, étaient présentés comme des partisans de la guerre. Comment expliquez-vous ce phénomène ?*

R. A. — Ce n'est pas la première fois ni la seule fois que les communistes ont monopolisé le thème de la paix. En 1950, il n'y avait que cinq ans que la guerre avait cessé. Or, la rapidité du renversement des alliances, le délai très court dans lequel on est passé de l'obsession du danger hitlérien à l'obsession du danger soviétique, cette rapidité a été telle que ce changement a été difficilement accepté par une masse de la population française. Le contraire eût été surprenant. Bon, il y avait un certain nombre de gens qui acceptaient ou utilisaient politiquement cette difficulté d'adaptation. D'autres, comme moi, qui n'étaient pas très nombreux, pensaient que le réarmement de l'Allemagne était moins dangereux à un moment où les Allemands n'en voulaient pas. Le mieux était de les accepter comme alliés à un moment où ils étaient tentés de se replier sur eux-mêmes, de créer des liens entre la nouvelle Allemagne et la France, en oubliant le reste de l'histoire. Mais j'étais dans la minorité. La majorité aurait simplement préféré que la question ne fût pas posée. Il faut ajouter que *le Figaro* était, lui, par la plume de Pierre Brisson, passionné pour la Communauté européenne de Défense. Moi je ne l'étais pas. Au point de départ, en 50, je croyais que c'était une erreur. Je ne pensais pas que les Français accepteraient cette solution. Je l'ai dit un jour à Robert Schuman : « C'est tout de même une drôle de conception, vous ne voulez pas accepter les Allemands comme alliés, mais vous les acceptez comme compatriotes. » Il a souri et m'a répondu : « Après tout, pourquoi pas ? »

J'ai mis en lumière, dans quelques articles, les dangers de la Communauté européenne de Défense. Je n'ai pas fait fortement campagne contre elle. J'ai surtout dit à tous, aussi bien aux Américains qu'aux Français : « Le réarmement de l'Allemagne est inévitable. La question n'est pas de savoir si vous êtes pour ou si vous êtes contre. La question est de savoir si vous préférez la Communauté européenne de Défense ou bien l'armée allemande dans l'O.T.A.N. » J'étais plutôt pour la deuxième solution.

b) Au R.P.F.

J.-L. M. — *Revenons un peu en arrière. En 47, s'est produit un événement étonnant dans votre vie, vous avez adhéré à un parti politique, au R.P.F.*

R. A. — Oui, mais j'avais déjà adhéré une fois à un parti, je vous l'ai dit, je crois : au parti socialiste, quand j'étais à l'Ecole normale, pour faire quelque chose pour le peuple. Bon... J'ai adhéré au R.P.F. en 1947, en effet. Tout le monde m'a demandé pourquoi et jamais personne n'a compris pourquoi. Le R.P.F., je le rappelle, était le Rassemblement du peuple français, un mouvement parlementaire soutenu par le général de Gaulle. André Malraux disait : « Raymond Aron m'a suivi ; c'est par amitié pour moi qu'il a été membre du R.P.F. » Il y a quelque chose là-dedans, mais tout de même, mon amitié pour lui n'allait pas jusqu'à une prise de position en contradiction avec moi-même ou mes convictions.

Alors je pense qu'il y a eu deux raisons principales pour lesquelles je me suis inscrit au R.P.F. La première, c'est que j'avais une certaine mauvaise conscience de n'avoir pas participé davantage au mouvement gaulliste à Londres. Je regrettais mes prises de position exclusives et excessives contre le général de Gaulle, dont je vous ai déjà parlé. Je pensais après coup que j'aurais dû, après l'entrée des troupes alliées en Afrique du Nord, me rallier au mouvement gaulliste car, à partir de ce moment-là, il n'y avait pas d'autre possibilité que ce mouvement.

Je sais bien qu'un certain nombre de Français de qualité, comme Alexis Léger, avaient été hostiles à la constitution d'un gouvernement en dehors de France. Mais je pense aujourd'hui qu'Alexis Léger avait tort. A partir du moment où le maréchal Pétain ne s'était pas établi à Alger, le général de Gaulle devait constituer le gouvernement provisoire de la France libérée. J'aurais été plus utile si, au lieu de rester en dehors avec mes réserves, mes critiques, mes arrière-pensées, mes soupçons, si je m'étais lié au mouvement gaulliste, si j'avais « mit machen », comme le disaient les Allemands en 1933, qui me reprochaient d'être incapable de « mit machen », c'est-à-dire de marcher avec les mouvements historiques.

La deuxième raison, c'est que j'étais très hostile à la Constitution et au fonctionnement de la IVe République. Je ne croyais pas que sur la longueur la IVe République pût présider à la reconstruction, au relèvement de la France et je pensais que la seule chance de révision de la Constitution était le R.P.F.

Il faut ajouter que c'est la période où de Gaulle a été le plus proche du Parlement, puisqu'il faisait un mouvement parlementaire. C'est aussi dans ce mouvement qu'il a été le plus anticommuniste ; qu'il a fait le plus de propagande contre le danger communiste ; c'est lui qui a appelé les communistes « séparatistes ». Donc, sur les deux points essentiels, le problème communiste ou soviétique et le problème de la constitution, j'étais d'accord avec lui.

Mais, par ailleurs, sur un grand nombre de questions, je n'étais pas d'accord.

D. W. — *Ce qui est étrange c'est que vous avez adhéré au R.P.F. qui était violemment anti-communiste et anti-IVe République, alors que plusieurs fois vous avez dit que vous n'aimez ni les déchirements, ni la guerre civile. Or pendant quatre ans, de 1947 aux élections législatives de 1951, vous alliez appartenir au R.P.F. qui n'avait pas de réprésentation parlementaire et qui luttait pour affaiblir la IVe République.*

R. A. — Il n'y avait pas une atmosphère de guerre civile entre le R.P.F. et la IVe République. Entre 47 et 51, il y avait très peu de députés gaullistes au Parlement. Donc, ce n'était pas essentiellement le R.P.F. qui gênait le fonctionnement de la IVe République. J'ajoute même que le fait que les hommes au pouvoir étaient menacés par le général de Gaulle avait pour résultat, à la fois logique et paradoxal, qu'ils se disputaient moins entre eux. Si vous regardez l'histoire de la IVe République, lorsqu'a cessé provisoirement la menace du général de Gaulle, après la liquidation du R.P.F., en 52, le fonctionnement de la IVe République a été pire.

D. W. — *Il n'en reste pas moins que, de 47 à 51, le R.P.F. a mené la politique du pire, ce qui ne correspond pas tellement à votre personnalité.*

R. A. — C'est vrai, mais, je le répète, le R.P.F., entre 47 et 51, n'avait pas de représentation parlementaire. C'était donc une opposition verbale, si je puis dire, accompagnée de

163

manifestations publiques. Il n'empêchait pas les partis de s'entendre ; au contraire, en créant un danger pour le fonctionnement des partis, le R.P.F. a contribué à donner aux partis plus de cohérence qu'ils n'en eurent avant et après.

D. W. — *Donc en somme vous considérez que l'opposition du général de Gaulle à la IV*e *République, à travers l'action du R.P.F., était quasiment un facteur de stabilité pour le régime ?!*

R. A. — Je vous laisse la responsabilité de cette formule. Je veux dire qu'en fait le R.P.F. a plutôt favorisé le maintien de la IVe République entre 1947 et 51.

Après 51, le R.P.F. était devenu un parti qui jouait la politique du pire, mais qui n'avait aucune chance. La chance du R.P.F. aurait été de constituer avec les communistes une majorité. S'il y avait eu suffisamment d'élus gaullistes et communistes pour constituer une majorité, la troisième force, les partis de la IVe République étaient condamnés. Ils étaient condamnés à accepter une révision de la Constitution. Tel était le projet, si je puis dire.

Mais étant donné que, grâce aux apparentements, il n'y a pas eu une majorité communiste-gaulliste, la IVe République, à partir de la dissolution du R.P.F., a continué mais elle a été plus incohérente qu'auparavant. Le Général lui-même a travaillé à son retour au pouvoir en cessant de combattre, de manière ostentatoire, la IVe République. Il avait compris que le R.P.F., c'était fini. Il attendait les événements ou les occasions et, selon les jours, il disait : « Ils ne me laisseront jamais revenir », ou : « Je reviendrai nécessairement un jour. »

D. W. — *Pendant cette période, vos relations avec de Gaulle se sont-elles améliorées ?*

R. A. — Elles ont été bonnes pendant le R.P.F. J'ai été le voir plusieurs fois. Nous avons eu des conversations politiques, à mes yeux intéressantes. J'ai été frappé par sa manière de réagir. J'ai même eu des conversations personnelles puisque, à l'occasion d'un deuil, il m'a écrit une lettre très émouvante. Je l'ai vu et il m'a parlé lui aussi de ses malheurs.

164

Pendant ces quelques années, il y a eu des relations authentiques entre lui et moi, mais sans que jamais il ait pensé que j'étais devenu un gaulliste de stricte observance ou un féal. Simplement, quand je lui envoyais mes livres, je recevais de lui, comme beaucoup d'autres, une lettre manuscrite, et qui était intéressante.

J.-L. M. — *Vous avez milité au R.P.F. Qu'est-ce que c'était, pour vous, militer ? Vous aviez 43 ou 44 ans. Vous colliez des affiches ?...*

R. A. — Oui, j'ai milité, mais pas tout à fait à ce point-là. Je me souviens d'une grande réunion publique des intellectuels du R.P.F. où j'ai fait un discours. Je me suis assez bien débrouillé. J'ai réussi à faire taire les communistes en me moquant d'eux. Je m'en prenais au journal *Franc-Tireur* qui était plus ou moins neutraliste. Comme ils m'empêchaient de parler, je leur ai dit : « Mais je croyais que vous seriez contents puisque j'attaquais *Franc-Tireur*. » Ce journal était, en effet, une des bêtes noires des communistes. La salle a éclaté de rire et, du coup, le petit groupe de communistes s'est tu.

Et puis j'appartenais au Comité d'études qui se réunissait toutes les semaines pendant une année ou deux. Il y avait là Pompidou, Palewski, Chalandon, etc. Nous faisions des plans pour le futur gouvernement du général de Gaulle. J'ai même été rapporteur sur le problème de l'association capital-travail, ce qu'on appelle aujourd'hui la participation. Mais j'étais considéré dans le R.P.F. comme un peu sceptique. C'était vrai, mais j'essayais de traduire cette idée généreuse et vague en un certain nombre de mesures pratiques et prosaïques. C'est ce qu'on appelait au R.P.F. le scepticisme aronien.

D. W. — *On vous reconnaît bien là. Mais si vous étiez un militant sceptique, vous étiez aussi un journaliste. Vous conciliiez les deux points de vue ?*

R. A. — En tant que journaliste, je disais ce que je pensais sur tous les sujets, que je fusse d'accord ou non avec les doctrines officielles du R.P.F. J'écrivais dans *Liberté de l'Esprit,* qui était la revue du R.P.F., aussi librement que dans *le Figaro.* Il y a eu pourtant des moments un peu difficiles d'un côté et de l'autre, en particulier quand le journal du R.P.F., *Rassemblement,* a attaqué *le Figaro. Rassemblement* avait cité un certain nombre des textes du *Figaro* pendant la guerre, des textes déplaisants. J'ai dit à Pierre Brisson : « Si vous voulez ma démission, d'accord, je m'en vais. »

D. W. — *Vous gardez un bon souvenir de cette période ?*

R. A. — Vous savez, je ne suis pas un militant né. Mais au rebours de ce que croient la plupart de mes amis et de mes adversaires, je ne regrette pas cet épisode. Je continue à penser qu'il eût été souhaitable que de Gaulle revînt au pouvoir à froid, plutôt qu'à la limite du coup d'Etat, comme il l'a fait en 1958.

J.-L. M. — *Et l'échec du R.P.F., c'est quoi exactement ?*

R. A. — Je vous l'ai dit. Le R.P.F. parlementaire devait obtenir ou bien une majorité absolue, ce qui était impossible, ou bien constituer une majorité avec les communistes. Mais il ne pouvait pas gouverner avec le parti communiste. Donc il devait obtenir une forme de concession ou de capitulation des partis de la troisième force. Mais il n'y est pas parvenu.

J.-L. M. — *Vous êtes resté jusqu'au bout avec le R.P.F. ?*

R. A. — Il y a eu une scission à l'intérieur du R.P.F. Un groupe s'est rallié à Pinay. Moi, je suis resté avec Malraux et le général de Gaulle. Peu de temps après, de Gaulle a déclaré qu'il était indifférent au destin du R.P.F. Du coup, je suis à mon tour devenu indifférent au destin du R.P.F. Ça n'a pas été un bouleversement spirituel. Ai-je souhaité pendant cette période participer plus activement à la vie politique ? Vaguement, mais pas de manière absolue. Or quand on veut obtenir quelque chose, il faut le demander.

D. W. — *Et là vous n'étiez que mollement résolu ?*

R. A. — Voilà !

D. W. — *Je vois encore un paradoxe dans votre participation au R.P.F. Le R.P.F. est hostile à ce qu'on appelait les deux blocs, le bloc socialiste, le bloc capitaliste. Vous, pas. Vous êtes contre l'un, mais pas contre l'autre.*

R. A. — Vous voulez démontrer que je suis une personnalité complexe ? C'est entendu. Mais, vous savez, dans cette période, entre 49 et 51, j'ai eu des conversations avec de Gaulle à ce sujet. Il croyait, dans une certaine mesure, à la guerre et il était tout à fait résolu à une alliance étroite avec les Etats-Unis. Il savait bien que, pour maintenir l'équilibre en Europe, pour protéger l'Europe et la France, il y avait besoin de la participation américaine. Pendant la grande crise, celle de 50-51, il ne s'agissait pas de rejeter les deux blocs.

Ensuite, en effet, il en a été question. Mais je ne prenais pas ces formules très au sérieux. Il y a une différence entre les vues philosophiques du général de Gaulle dans l'opposition et ce qu'il fait lorsqu'il est au gouvernement.

D. W. — *Le R.P.F. était aussi relativement hostile à l'idée de l'Europe, à laquelle vous étiez plutôt favorable ?*

R. A. — Non, ça ce n'est pas juste. En 49 ou 50, Michel Debré a écrit une brochure, un pamphlet, où il reprochait aux partis de la troisième force de ne pas unifier l'Europe de manière assez rapide et totale. Et il a écrit, il a rédigé un programme de constitution fédérale de l'Europe unie où il y avait un président de la République des Etats-Unis d'Europe. De la même manière que pendant la guerre, Michel Debré avait été atlantiste au dernier degré, en 49 ou 50, il rêvait du général de Gaulle comme président de la République européenne.

L'opposition, à l'idée européenne, s'est faite contre une Europe à la manière Monnet. Il y a même eu une querelle personnelle entre Monnet et de Gaulle. De Gaulle considérait que Jean Monnet n'était plus français, mais qu'il était supranational ou en dehors de la nationalité. Jusqu'au bout, il a été foncièrement hostile à l'égard de Jean Monnet. Celui-ci n'en était pas moins un bon Français, lui aussi patriote, mais il était convaincu qu'il fallait dépasser le nationalisme ou l'Etat national. Et il pensait qu'on ne pouvait dépasser l'Etat national que par des organisations, des institutions supranationales. Le supranationalisme était devenu, aux yeux du général de Gaulle, la fin de la France. Entre ces deux hommes, qui méritent tous les deux le respect, dans des registres différents, l'hostilité était devenue inexpiable — avec cette réserve que Monnet, lui, restait comme il a toujours été, sans passion. Il était convaincu qu'il y avait une œuvre à accomplir pour cette génération : créer les institutions de l'Europe unie.

D. W. — *Et votre position à vous entre les deux ?*

R. A. — J'aurais souhaité que l'Europe unie de Monnet, telle qu'il la concevait, fût possible. Je n'y croyais pas fortement. J'ai toujours gardé un fond de patriotisme lorrain. Aussi, selon les circonstances, je penchais d'un côté ou de l'autre, toujours favorable à une sorte d'unification de l'Europe pour laquelle j'ai beaucoup milité, avant et après le R.P.F., et d'autre part j'étais sceptique sur la possibilité d'effacer mille années d'histoire nationale. La France avait été tellement, par excellence, la nation européenne, elle avait été toujours tellement contre les empires, que je n'ai cessé de douter que la France, à moins que ce fût immédiatement après la guerre, pût devenir autre chose que la nation française. Mais je souhaitais passionnément la réconciliation avec l'Allemagne et une coopération étroite. Et au fond, on a obtenu probablement ce qui était possible et ce qui, aujourd'hui, est une réalité pour les jeunes Français, les jeunes Allemands : ils appartiennent au même ensemble de civilisation. Les frontières n'ont plus beaucoup de signification. C'est déjà beaucoup. Ce n'est pas absolument le rêve de Monnet. C'est plus proche de ce que concevait le général de Gaulle. C'était le probable historique.

c) L'Opium des intellectuels

J.-L. M. — *La guerre froide a eu des répercussions considérables sur l'intelligentsia française. La rupture Est-Ouest a eu lieu à l'intérieur de chaque pays et dans chaque pays elle a divisé le monde intellectuel. Ce fut particulièrement vrai en France, où elle alla jusqu'à briser des amitiés. Vous publiez en 1955 l'Opium des* intellectuels, *qui analyse les mythes des intellectuels de gauche. Ce fut l'aboutissement de huit années de polémiques, et c'était un débat fondamental pour trois raisons. D'abord ce fut le débat le plus important de l'après-guerre, et il allait diviser l'intelligentsia française jusqu'à aujourd'hui. Ensuite il allait radicaliser le clivage gauche-droite et transformer le débat politique de l'après-guerre en un dialogue de sourds. Enfin les auteurs de ce débat étaient Jean-Paul Sartre, Maurice Merleau-Ponty, Albert Camus, et Raymond Aron. Vous dites que c'est l'attitude à l'égard de l'Union soviétique qui avait tracé la ligne de partage entre les intellectuels. Sur quels thèmes se sont-ils opposés à propos de l'Union soviétique ?*

R. A. — Je voudrais dire d'abord que, comme je suis le seul survivant des quatre, je voudrais autant que possible ne pas régler de nouveau des vieux comptes. Je voudrais essayer de me souvenir des trois autres avec l'amitié que j'ai éprouvée longtemps pour eux.

L'attitude à l'égard de l'Union soviétique était à mes yeux, en effet, la question majeure, à la fois sur le plan diplomatique et sur le plan intellectuel.

Diplomatiquement, la question se posait de la manière suivante : l'Union soviétique a soviétisé la moitié de l'Europe. Pour maintenir l'équilibre en Europe, il faut la participation américaine, donc l'alliance Atlantique est une nécessité de l'équilibre diplomatique.

Cette proposition, qui me paraissait, à l'époque, presque évidente, beaucoup d'intellectuels la refusaient. Ce refus s'expliquait par l'antipathie à l'égard de la civilisation américaine, par la sympathie que leur inspirait l'Union soviétique, ou encore par l'attirance qu'exerçait sur eux le pays qui était officiellement le pays socialiste, le pays où la révolution prolétarienne avait triomphé. Aussi la discussion diplomatique : faut-il accepter de faire partie de l'ensemble atlantique avec les Etats-Unis ? a été inévitablement liée à l'autre problème : lequel des deux pays, l'Union soviétique ou les Etats-Unis, est préférable ?

Personnellement, il me paraissait que les Etats-Unis étaient un enfant de l'Europe et un enfant de l'Europe libérale. On peut détester la société mercantile des Etats-Unis, mais la civilisation américaine est une civilisation libérale. Lorsque les Etats-Unis exercent une influence en Europe, c'est plutôt dans le sens des institutions que la majorité des intellectuels souhaite, c'est-à-dire des institutions libérales. Donc, pour moi, le refus d'accepter ces espèces d'évidences me paraissait difficile à comprendre.

D. W. — *Ceci dit, peu d'intellectuels faisaient le même choix que vous à l'époque.*

R. A. — C'est vrai. Sartre, lui, détestait la société bourgeoise. Il n'était pas dans ces années-là aussi proche des communistes que plus tard. Il avait créé, avec Rousset, le Rassemblement démocratique révolutionnaire, entreprise que je jugeais condamnée à l'avance. La conjonction des deux adjectifs « démocratique » et « révolutionnaire » me paraissait contradictoire. On peut faire une révolution en vue de la démocratie, mais d'ordinaire on ne fait pas démocratiquement une révolution. La Révolution française a été rarement démocratique pendant les années de troubles. Et la révolution soviétique n'est jamais devenue démocratique à notre sens occidental. Mais Sartre voulait à l'époque se situer entre l'Union soviétique et les Etats-Unis. Il voulait un « mouvement révolutionnaire » et, d'autre part, il ne voulait pas une révolution comparable à celle de l'Union soviétique. Aussi, à l'époque, était-il attaqué très violemment par les écrivains ou les journalistes du parti communiste.

Il n'y avait pas de nécessité de rupture entre Sartre et moi en fonction du Rassemblement démocratique révolutionnaire. Mais il a considéré que mes prises de position atlantiques, la collaboration dans *le Figaro,* démontraient un ralliement à la bourgeoisie et à l'alliance américaine, qu'il détestait l'une et l'autre. Il a pensé alors que les relations amicales entre nous n'avaient plus de sens. Il y a eu des épisodes secondaires qu'il ne me paraît pas intéressant de raconter. Finalement, à partir de 47 ou 48, nous avons été officiellement fâchés, comme on disait, nous n'avions plus de relations. Sartre a rompu successivement avec moi, avec Camus, avec Merleau-Ponty. Mais il a montré plus de violence, il a écrit des textes plus désagréables contre moi que contre Camus et Merleau-Ponty. Après la mort de Merleau-Ponty et de Camus, il a écrit de très beaux textes sur l'un et l'autre. Je ne pense pas qu'il aurait écrit sur moi des textes aussi chaleureux.

Une autre raison qu'il faut toujours rappeler explique son exaspération devant mes prises de position : Sartre était un moraliste. Il ne pouvait pas admettre que mes prises de position, peut-être erronées, ne fussent pas coupables. Pour lui, moraliste, il était difficile d'accepter les arguments d'un homme qui prenait une position politique radicalement différente de la sienne. Donc, il me condamnait moralement. J'ai d'ailleurs toujours pensé qu'il était plus moraliste que politique. Et je crois qu'il s'est souvent perdu dans la politique, précisément parce qu'il était essentiellement un moraliste, mais d'un style très différent du type habituel : un moraliste inverti, un moraliste de l'authenticité et pas du tout du conformisme bourgeois dont il avait horreur. D'où, par exemple, ses sentiments pour son beau-père qui était un bourgeois et un polytechnicien. Bourgeois polytechnicien, c'était trop pour lui.

J.-L. M. — *Vous avez souffert de la rupture avec Sartre ?*

R. A. — C'était, si vous voulez, la tristesse de l'adulte qui perd les amitiés de la jeunesse. Oui, perdre des amis, c'est perdre une partie de soi-même.

J.-L. M. — *Mais comment un clivage politique sur l'Union soviétique pouvait-il conduire à une remise en cause de l'amitié ?*

R. A. — C'est ce que je pensais de l'Union soviétique qui était intolérable pour Sartre. Je la pensais avec les camps de concentration, avec le despotisme, avec la volonté expansionniste. En outre, j'essayais d'expliquer que l'Union soviétique était devenue ce qu'elle était, non pas par accident, non pas par la faute de Staline, mais parce que, à l'origine, il y avait une conception du mouvement révolutionnaire qui devait aboutir à ce qu'est devenue l'Union soviétique. Si je m'étais borné à dire que l'Union soviétique était stalinienne et non pas marxiste, Sartre l'aurait peut-être toléré. Mais si, ce qui était en question, c'était le mouvement socialiste lui-même, on touchait à quelque chose d'essentiel pour lui. Il a écrit, en effet, plusieurs fois : « On ne peut condamner l'Union soviétique que si l'on participe au mouvement socialiste, au mouvement révolutionnaire. » Il a écrit : « Tous les anticommunistes sont des chiens. » Sans être communiste, il considérait, donc, qu'il était moralement coupable d'être anticommuniste.

Pour moi, être anticommuniste quand on n'était pas communiste, c'était pour ainsi dire quelque chose de naturel, puisque, à l'époque, les communistes disaient : « Ou bien vous êtes avec nous, ou bien vous êtes contre nous. » Il me semblait naturel de dire : « Puisque nous ne sommes pas avec eux, puisque nous les jugeons détestables, eh bien, nous sommes contre. » Mais Sartre répondait : « Tu n'as pas le droit de critiquer le mouvement communiste, puisque tu es en dehors. Il faut que tu sympathises avec le mouvement pour avoir le droit de le corriger. » Comme je pensais que le mouvement, dès le point de départ, conduisait aux résultats auxquels il a conduit, bien sûr, je ne pouvais pas accepter cette interdiction de la critique.

J.-L. M. — *On est étonné aujourd'hui du rôle qu'occupaient les camps de concentration soviétiques dans le débat. Dans* l'Opium des intellectuels, *vous dites : « La ligne de partage passe entre les intellectuels qui ne nient pas l'existence des camps et ceux qui dénoncent les camps. Et c'est le passage de l'une à l'autre de ces positions qui marque la rupture. »*

R. A. — C'est le côté un petit peu français du débat. Dans *l'Opium des intellectuels*, je ne discute pas avec les communistes. Je discute ou je dispute avec mes amis qui reconnaissent l'existence des camps de concentration, qui ne sont pas communistes mais qui ne veulent pas être anticommunistes. Au fond, dans une large mesure, *l'Opium des intellectuels* est un dialogue avec Sartre et Merleau-Ponty, un dialogue entre des hommes qui ont commencé au même point, qui étaient dans une certaine mesure imprégnés de la même philosophie, l'existentialisme, qui avaient passé par le marxisme, qui avaient été antifascistes, qui avaient été de proches amis pendant des années et qui devenaient des ennemis presque inexpiables, parce qu'ils se disaient les uns non communistes, et les autres anticommunistes.

Entre Camus et Sartre, c'est presque la même querelle. Sartre ne nie pas les camps de concentration. Il a écrit un éditorial dans les *Temps modernes* où il admet qu'il y a probablement dans les camps une dizaine de millions de concentrationnaires Pourtant il ne condamne pas l'Union soviétique.

D. W. — *Mais comment pouvait-on à la fois ne pas nier l'existence des camps et soutenir l'Union soviétique ?*

R. A. — Posez la question à ceux qui ont vécu de cette manière ! Il y a eu en France un mouvement intellectuel dont il n'y a guère eu l'équivalent ailleurs. Ceux qui étaient entre les deux, qui étaient à tel point attirés par le prolétariat, le socialisme, l'histoire, la révolution, la gauche, qu'ils n'acceptaient pas les conséquences de la rupture avec le communisme. Ils ne pouvaient admettre que la rupture avec l'Union soviétique conduisît nécessairement à mon chemin, c'est-à-dire à accepter l'alliance Atlantique et la coalition des anticommunistes.

D. W. — *D'où venait cette fascination chez les intellectuels pour les notions de révolution, du prolétariat agent de l'Histoire, de la violence qui devait permettre de dépasser les antagonismes, et du thème d'une société idéale à construire ?*

R. A. — Je ne veux pas répéter mon livre. J'ai essayé de répondre à ces questions dans *l'Opium des intellectuels*. En simplifiant, disons qu'il y a en France la distinction droite-gauche. Quand on était anticommuniste de manière résolue, on était catalogué à droite. Bon. Ceux qui ne voulaient pas être classés à droite, qui voulaient rester à gauche, ont cherché de manière désespérée, pour ainsi dire, à ne pas être communistes et à ne pas être anticommunistes.

A partir de là, ils ont conservé d'abord le mythe, ou la réalité, de la notion d' « être de gauche ». Ensuite ils ont conservé l'idée empruntée au marxisme que le capitalisme en tant que tel était mauvais, devait être condamné d'une manière radicale, que la bourgeoisie en tant que telle était détestable et méprisable et que l'on ne pouvait pas être avec la bourgeoisie.

On aboutissait alors à des prises de position extraordinairement subtiles, difficiles. On n'était pas avec les anticommunistes, on n'était pas avec les communistes. Merleau-Ponty disait : « Je suis acommuniste. » La discussion, d'ailleurs, restait dans le domaine des idées. Par exemple, Camus voulait obtenir de Sartre qu'il reconnût ce qu'était devenue l'Union soviétique et qu'il prît une position résolue contre l'Union soviétique. Mais Camus, dans son livre *l'Homme révolté,* tout en prenant, lui, une position claire contre l'Union soviétique, n'en tirait aucune conclusion d'ordre diplomatique. Il n'a jamais rien écrit, autant que je puisse m'en souvenir, sur l'alliance Atlantique, jamais proposé de faire ceci ou cela, pris parti pour ou contre la campagne de Corée. Moi, j'étais beaucoup plus politique que les autres, beaucoup moins idéologue, si vous voulez.

La bataille glorieuse, le débat glorieux entre Sartre et Camus était vraiment typiquement français. Car ils se disputaient tout en étant sur beaucoup de points très proches, l'un étant non communiste et l'autre anticommuniste. Il y a eu d'ailleurs dans la discussion d'autres éléments comme, disons, l'idée méditerra-néenne de Camus, la manière dont il avait écrit sa *Lettre au directeur des « Temps modernes »* pour attaquer non pas Sartre mais Jeanson qui avait écrit le compte rendu de *l'Homme révolté.* Dans tout cela il y avait aussi une bataille d'écrivains.

D. W. — *Mais toute cette discussion idéologique n'intéressait pas qu'une dizaine de personnes. Il y en avait un écho plus large.*

R. A. — Prenons d'abord le Parlement. Là, pas d'équivalent de ce clivage : il y a un bloc qui va depuis les socialistes jusqu'à la droite. Ce bloc est défini par l'opposition à l'Union soviéti-que. Par ailleurs, d'après les sondages, il y avait un groupe d'hommes qui votait pour le parti communiste et qui avaient plus ou moins de sympathie pour l'Union soviétique. Les deux notions n'étaient pas identiques, car beaucoup votaient pour le parti communiste sans être tellement convaincus par les vertus de l'Union soviétique.

D'un autre côté, il y avait une majorité qui était, en gros, atlantique, avec beaucoup de réserves en ce qui concerne les Etats-Unis. Entre les deux groupes, les deux blocs, si vous voulez, il y avait disons entre 10 et 20 p. 100 des Français qui étaient en profondeur neutralistes, qui distribuaient les repro-ches entre l'Union soviétique et les Etats-Unis de manière plus ou moins égale. Ils trouvaient jusqu'à un certain point leur expression abstraite, intellectuelle, philosophique dans ce groupe des hommes (Sartre, Merleau-Ponty, lesquels furent d'accord un certain temps, puis se séparèrent) qui ne voulaient pas être anticommunistes, qui ne voulaient pas être atlantiques, mais qui voulaient être révolutionnaires dans une révolution qui, semble-t-il, n'existait pas.

En fait, Sartre et Merleau-Ponty ont discuté essentiellement sur, disons, la vocation du prolétariat, sur la rationalité historique liée à la vérité du marxisme, etc., dans un langage strictement philosophique, incompréhensible aux Français ordinaires et même à la plupart des hommes politiques.

J.-L. M. — *Alors, pourquoi, rétrospectivement, ce débat a-t-il pris une telle importance ?*

R. A. — D'abord, je ne suis pas sûr qu'aujourd'hui il n'y ait pas une certaine réaction. Parmi les jeunes, un certain nombre disent : « Au bout du compte, tout cela n'avait aucune espèce de signification. » Dans la mesure où ces débats continuent à avoir une certaine signification, c'est parce qu'il y avait d'abord la personnalité de Sartre et de quelques autres, et deuxièmement parce que ce qui était mis en question c'était une certaine interprétation philosophique du marxisme. Or, celle-ci a passé de mode quelques années plus tard, c'est-à-dire vers la fin des années 50 ou au début des années 60, et les intellectuels en quête du marxisme, tels qu'Althusser et ses élèves, ont trouvé une autre version que l'interprétation existentialiste ou l'interprétation hégélienne que Sartre et Merleau-Ponty avaient tirée et plus ou moins vulgarisée à partir de Kojève.

D. W. — *Pourtant ce débat, que vous dites finalement assez peu important, a été relancé avec le structuralisme. Les mêmes questions continuent à se poser : quel est l'agent de l'histoire, quelle est la raison historique, quelle est la société idéale ? Et elles continuent à animer les partis politiques de gauche. Même chose pour le débat sur la nature de l'Union soviétique.*

R. A — Oui, mais vous combinez deux débats. Il y a un débat qui continue sur la nature du régime soviétique, sur la possibilité de sa transformation. Il y a d'un autre côté le débat des intellectuels sur l'interprétation philosophique du marxisme, la relation entre le marxisme et Hegel, et ainsi de suite.

Ce débat a encore aujourd'hui, il est vrai, une grande influence dans les pays latins. En Italie, il est toujours d'actualité. En Amérique latine également, parce que, en Amérique latine, les débats sur la philosophie de l'histoire sont courants, classiques.

Dans les pays anglo-saxons, il y a un regain du marxisme, mais un marxisme tout différent de celui de Sartre ou de Merleau-Ponty. C'est un marxisme à partir des textes moins philosophiques de Marx. Il n'est pas beaucoup question de la vocation historique du prolétariat, ni de la raison dans l'histoire, mais du problème suivant : les forces de production déterminent-elles, conditionnent-elles les rapports de production ? Est-ce qu'il y a une succession des régimes sociaux que l'on peut reconstruire à partir des rapports de production ou des forces de production ? On revient dans les pays anglo-saxons sur ces vieilles discussions qui étaient courantes dans la IIe Internationale, mais on y revient avec des textes qui étaient inconnus avant 1940 et avec l'appareil de la philosophie analytique.

D. W. — *Ce qui fut étrange dans cette période entre 1947 et 55, c'était que les oppositions entre les intellectuels étaient très violentes, alors qu'en même temps la vie politique française était beaucoup plus pragmatique, la frontière entre la gauche et la droite étant assez floue.*

R. A. — Pour dire la vérité tous ces grands débats intellectuels, qui amusaient beaucoup l'intelligentsia parisienne ou française, n'ont eu sur le déroulement de la vie française aucune espèce d'influence, au moins à court terme. Ce qui était frappant dans les années 50, ce n'était pas la marche à la révolution mais le relèvement économique de la France.

Le relèvement s'opérait en dépit des guerres coloniales et des divisions qu'elles suscitaient, cette fois à l'intérieur même de tous les partis. Les Atlantiques, en effet, n'étaient pas tous partisans de la guerre d'Indochine. Ils n'étaient pas tous partisans de l'expédition de Suez. Ils n'étaient pas tous partisans de la guerre d'Algérie. Le débat aurait dû être concentré sur les problèmes proprement français. En fait, les Français discutaient

◀ R. Aron à 20 ans

La promotion 1924
de l'École Normale Supérieure de la rue d'Ulm.
Assis de droite à gauche : Raymond Aron, Jean-Paul Sartre,
Louis Herland, Paul Nizan...
Debout au premier rang à droite : Georges Canguilhem.
Debout au dernier rang à droite : Daniel Lagache.

Tous les littéraires
de l'École Normale Supérieure, en 1924.

Avec Célestin Bouglé (au centre)
à l'École Normale Supérieure
en 1937.

1946, un cours à l'École Nationale
d'Administration.

1936, Pontigny, Raymond Aron
avec sa femme.
(Archives Pontigny-Cerisy)

1955, avec sa fille à Paris.

1952,
visite de *Radio Free Europe* à Munich.

1954, conférence à l'Institut
d'Études Politiques de Paris.

1954, l'été à Saint-Sigismond.

1975, avec Pierre Mendès France
lors d'une conférence au Collège de France.

1979, avec Heinrich Böll à Bonn
lors d'un débat à la radio allemande.

1981, à Paris avec Vladimir Boukovski.
(Photo J.R. Roustan l'Express)

1972, à Jérusalem à l'occasion de
la remise du doctorat Honoris Causa
de l'Université de Jérusalem. *(Keystone)*

1963, Raymond Aron reçoit
le doctorat Honoris Causa de l'Université
de Columbia à New York.

1980,
avec Valéry Giscard d'Estaing.

1976, débat télévisé avec François Mitterrand.
Au centre, Jean-François Kahn.
(Photo FR 3)

1979, les retrouvailles avec Jean-Paul Sartre.
Conférence de presse du comité
« Un bateau pour le Viêt-nam »
(au centre André Glucksman) *(photo AFP)*

d'une manière typiquement, spécifiquement, étroitement française, en se donnant l'illusion qu'ils mettaient en question l'univers et les valeurs universelles.

D. W. — *Vous ne minimisez pas un peu aujourd'hui ce débat d'intellectuels ?*

R. A. — Non, je pense qu'il est mort maintenant. La discussion sur ce que peut être le socialisme, sur ce qu'il est en Union soviétique, reste une discussion permanente. Mais ce qui était la caractéristique de nos débats, c'était la phrase de Merleau-Ponty, par exemple : « Si le marxisme est faux, il n'y a pas de raison dans l'histoire. » C'était une manière, disons, de transformer une controverse sur la nature des régimes politiques en une philosophie de l'histoire qui planait très haut au-dessus de la réalité et des problèmes que les hommes politiques avaient à résoudre.

D. W. — *Pourquoi ces intellectuels s'intéressaient-ils si peu, finalement, aux transformations fantastiques de la société française, avec la reconstruction, l'exode rural, l'industrialisation et le début de la croissance ?*

R. A. — Pourquoi des intellectuels qui étaient des philosophes se seraient-ils intéressés à ces aspects de la réalité ? Ils avaient envie de rêver d'une société différente de la nôtre, plus vaste, universelle.

D. W. — *Pourquoi vous, vous y êtes-vous intéressé ?*

R. A. — Moi, j'avais fait ma conversion quelques années auparavant en pensant que la philosophie politique ne pouvait pas ignorer la réalité : on ne pouvait pas être socialiste sans étudier l'économie politique et se faire une idée de ce que signifiait réellement le socialisme.

Mais Merleau-Ponty, qui était un philosophe de haute stature, qui était un homme adorable, au fond, n'avait jamais étudié les problèmes économiques. Quand il a écrit *Humanisme et terreur,* qui est un livre étrange sur les procès de Moscou, il y a le minimum, disons, de précisions sur ce qu'est un régime soviétique, sur ce qu'est un régime démocratique capitaliste. La discussion était très philosophique et très loin au-delà, disons, des arguments de bon sens d'un sociologue plus ou moins positiviste qu'on pouvait lui opposer, même si, comme c'est mon cas, l'on n'est pas exactement un tel sociologue.

J.-L. M. — *On dirait que pendant ces années-là les existentialistes, ou les intellectuels de gauche, ont une sorte de monopole dans le domaine de la pensée. Pourquoi ?*

R. A. — Il ne faut pas exagérer le monopole. Mais il est vrai qu'il y avait un phénomène et un phénomène considérable : Jean-Paul Sartre. C'était un philosophe, et un philosophe authentique, qui écrivait des pièces de théâtre, qui écrivait des romans, qui écrivait dans les journaux, qui traitait de la politique. Il s'était, en effet, assuré une espèce de monopole dans tous les modes d'expression de la pensée. Et puis c'était un homme considérable par la diversité et la richesse de ses dons et par l'influence, de ce fait, qu'il exerçait sur les professeurs de philosophie qui, à l'époque, étaient une corporation importante dans l'intelligentsia.

D. W. — *Oui, mais est-ce que, à votre manière, vous n'avez pas contribué à façonner l'image de J.-P. Sartre, parce que si l'on observe l'évolution des positions des intellectuels tout cela est plus complexe. De 1947 à 1950, J.-P. Sartre n'était pas proche du P.C.F., il était à l'époque neutraliste et ne se rapprochera du P.C.F. qu'en 52, 53. En revanche, A. Camus rompit assez vite en 1952, mais ne vous a pas intéressé tellement en définitive. Et M. Merleau-Ponty rompit en 1955, et ne vous a guère plus intéressé. On a l'impression que dans cette période de l'Opium des intellectuels, et pour les livres qui vont suivre d'ailleurs, vous avez conservé un adversaire privilégié qui était J.-P. Sartre, comme si seule son opinion comptait.*

R. A. — Ah non, ce n'est vraiment pas moi qui ai fabriqué Sartre. Mais ce qui est vrai c'est que, dans mon intérêt pour Sartre, il y avait, outre la permanence de l'amitié, le fait que, malgré tout, le prototype de cette attitude neutraliste et plus ou moins proche du parti communiste, c'était lui. Quant à Camus, j'avais travaillé avec lui à *Combat* mais ce n'était pas un intime comme Sartre l'avait été. Je n'avais pas de raison d'avoir de polémique avec lui. C'est vrai que j'ai écrit sur lui dans *l'Opium* une page désagréable que je regrette. Il m'a envoyé une lettre. Je lui ai répondu en lui disant les raisons pour lesquelles, en passant, j'avais dit ces remarques désagréables, et j'ai ajouté : « Dans les éditions prochaines je supprimerai ce passage qui est injuste. » Il m'a écrit de nouveau : « Ne supprimez pas ce passage, ça n'a aucune espèce d'importance. » Nos relations personnelles se sont terminées sur des lettres d'entière réconciliation.

En ce qui concerne Merleau-Ponty, j'ai tout de même polémiqué avec lui dans plusieurs articles. Nous ne nous sommes jamais fâchés, parce que, lui, acceptait le dissentiment plus facilement que Jean-Paul Sartre. Et j'ai conservé des relations amicales intermittentes avec lui. J'ai reçu des lettres très affectueuses de lui au moment de la question algérienne. Il y a eu une période de polémique parce que je n'aimais pas son livre qui s'appelait *Humanisme et terreur,* publié en 47 je crois. C'était une interprétation des procès de Moscou qui pouvait apparaître comme une demi-justification.

J.-L. M. — *Entre 47 et 56, vous avez eu le sentiment d'être mis au ban de l'intelligentsia française ?*

R. A. — Bon, je me sentais solitaire, dépouillé de mes amitiés de jeunesse. Bien entendu, je recevais aussi beaucoup de lettres de félicitations, mais j'y étais peu sensible parce qu'elles provenaient d'hommes qui m'étaient trop étrangers. Mais c'est vrai, je n'étais pas bien toléré par l'intelligentsia française dans cette période. Quand j'ai été élu en 1955 à la Sorbonne, la campagne contre moi a été essentiellement politique. J'étais un homme de droite, j'écrivais dans *le Figaro,* etc. J'ai été tout de même élu grâce à des amis de jeunesse qui étaient à la Sorbonne.

D. W. — *Vous avez dit plusieurs fois que vous étiez plus proche des gens qui vous calomniaient que des gens qui vous approuvaient.*

R. A. — C'est vrai, parce que mon système de valeurs spontané, celui qui m'avait conduit vers le parti socialiste dans la naïveté, est resté le même. Simplement le monde avait changé et mes opinions se sont adaptées à la réalité. J'ai essayé de servir les mêmes valeurs dans des circonstances différentes, par des actions différentes. J'ai le sentiment d'avoir été fidèle à moi-même, fidèle à mes idées, à mes valeurs et à ma philosophie. Avoir des opinions politiques, ce n'est pas avoir une fois pour toutes une idéologie, c'est prendre des décisions justes dans des circonstances qui changent. Je ne veux pas dire que je ne me suis pas trompé plus ou moins souvent. Mais je n'ai pas trahi mes valeurs et mes aspirations de jeunesse.

D. W. — *Avant-guerre, vous vous situiez à gauche. Après la guerre, on vous a classé à droite. Mais ce n'est pas vous qui avez changé ?*

R. A. — Ce sont les événements et les autres qui m'ont classé. A l'étranger où les hommes sont plus indulgents à l'égard des Français, on a presque toujours dit qu'il était impossible de me classer. Si j'ai changé, c'est parce que j'étais très ignorant encore avant-guerre, et que la situation était autre. Mais à partir de 1945, je n'ai pas commis à mes yeux d'erreur fondamentale, ni de jugement ni d'engagement. Cela dit, j'étais différent en 1955 de ce que j'étais dans les années 30, de ce que je suis devenu ensuite. A force de polémiques contre des gens qui, de l'autre côté, vous attaquent, on risque de glisser trop loin dans une autre direction. Cela, c'est possible. Mais il est possible aussi que maintenant je me sois libéré de ces polémiques et de ces passions. Pourquoi ? Parce que je suis âgé, ce qui n'est pas un mérite.

J.-L. M. — *Vous analysiez le mythe du prolétariat, mais le prolétariat, dans les années 50, il existait bel et bien. Il y eut des grèves très dures et de violentes manifestations de rues. Cette réalité ne vous a-t-elle pas échappé ?*

R. A. — Le prolétariat défini de manière prosaïque comme l'ensemble des ouvriers d'usine, c'est de toute évidence une réalité. Le prolétariat devient un mythe à partir du moment où un certain nombre de philosophes représentent l'existence prolétarienne comme le modèle de l'existence authentique, ou encore lorsqu'ils reproduisent un texte de Marx selon lequel le prolétariat est la classe universelle, d'où il résulte que c'est dans la mesure où cette classe universelle prendra le pouvoir qu'il y aura universalisation de la société tout entière.

Alors là, nous sommes dans une représentation marxiste plus ou moins simplifiée, empruntée aux textes de jeunesse de Marx et qui, évidemment, est très éloignée des ouvriers français plus ou moins communistes qui se révoltent contre des conditions de vie et qui, éventuellement, à l'appel du parti communiste, protestent contre l'arrivée d'un général américain en France.

J.-L. M. — *Pour vous, ces grèves contre le général Ridgway étaient manipulées par le parti communiste ?*

R. A. — De toute évidence. Mais on ne peut pas manipuler des grèves et des ouvriers sans que ceux-ci, d'une certaine manière, soient d'accord avec la protestation. Les mouvements ouvriers ne sont pas le seul produit d'une manipulation d'un parti. Mais, d'un autre côté, l'indignation contre l'arrivée d'un général américain en France n'est un thème de manifestation que dans la mesure où il y a un parti qui explique aux ouvriers que l'arrivée de ce général américain est un scandale, que le général est inhumain, que c'est « Ridgway la peste », etc.

Cela dit, personne n'a jamais nié la lutte des classes. J'ai écrit moi-même un livre qui s'appelle *la Lutte de classes*. La discussion philosophique ou sociologique à ce sujet est la suivante : à l'intérieur d'une société complexe, il y a toujours des groupes qui sont aux prises ; il y a une compétition, une rivalité, éventuellement une bataille pour la répartition du produit national.

De plus, il y a désaccord sur l'organisation globale de la société. Le mythe consiste alors à se représenter les ouvriers comme les porteurs d'une idée de la société toute différente de la société actuelle, une société où il n'y aurait plus de conflits de classes. C'est une telle représentation mythique que s'en faisaient, comme les communistes, de nombreux intellectuels, Sartre par exemple. Pour eux, une société de classes par essence est mauvaise et tout mouvement révolutionnaire va dans la bonne direction.

D. W. — *Même si cette direction était celle de l'Union soviétique et des camps de concentration ?*

R. A. — Comme je vous l'ai déjà dit, Sartre ne niait pas l'essentiel de ce qui a été ensuite développé, démontré, manifesté par Soljenitsyne. Simplement, comme Merleau-Ponty, mais celui-ci avec plus d'hésitation, il maintenait que, pour sortir de la société de classes, sortir du capitalisme qui était en tant que tel mauvais, il n'y avait pas d'autre mouvement, il n'y avait pas d'autre chemin que le socialisme et que seuls l'Union soviétique et le parti communiste ouvraient ce chemin qui conduisait à une société transfigurée. Ils n'ignoraient pas, ils ne niaient pas les cruautés du régime soviétique. Ils disaient que c'était le prix à payer pour l'avenir.

J.-L. M. — *Vous dites : personne n'ignorait les camps de concentration soviétiques. Mais, par exemple, prenons le procès Khravchenko, le procès de Khravchenko contre les Lettres françaises. Tous les intellectuels qui allaient témoigner contre Khravchenko niaient l'existence des camps de concentration.*

R. A. — Quand je dis « personne », j'exagère. Je veux dire simplement que dans les discussions entre les intellectuels, sauf les communistes au sens propre, la plupart des intellectuels reconnaissent l'essentiel des faits relatifs aux camps de concentration, puisque Merleau-Ponty et Sartre, qui ont dominé la pensée française dans cette période, l'ont reconnu de la manière la plus explicite. Ceux des intellectuels qui témoignent contre Khravchenko sont pour la plupart des communistes ou des para-communistes. Ni Sartre ni Merleau-Ponty n'ont témoigné contre lui. Mais vous avez raison. Quand je dis « tous l'ont su », j'ai tort. Il y en a qui ne savaient pas, mais surtout parce qu'ils ne voulaient pas savoir. A partir du moment où ils avaient pris leurs positions, ils ne voulaient pas connaître les faits. Tout ce que je veux dire, c'est que les faits étaient aussi bien connus à l'époque qu'aujourd'hui. Il y avait tellement de livres sur ces questions qu'il était très difficile de récuser les témoignages, à moins de dire une fois pour toutes qu'il est préférable d'admettre non pas la réalité mais la réalité telle qu'elle serait si elle était conforme aux désirs des personnes.

D. W. — *Le procès Khravchenko était-il révélateur de l'atmosphère de l'époque ?*

R. A. — Oui, avec cette réserve que le procès était un peu douteux. Des rumeurs couraient sur la personnalité de Khravchenko. Ce n'était pas un procès pur. Pour dire la vérité, je ne me suis jamais intéressé à la discussion sur les camps de concentration parce que, pour moi, les faits étaient acquis. Le désaccord avec mes amis ne portait pas sur l'existence des camps. Je leur demandais : pourquoi acceptez-vous tout cela au nom d'une représentation, à mes yeux, largement mythique ? Donc, je n'ai jamais rien écrit de particulier sur les camps.

J.-L. M. — *Mais devant ces faits, pourquoi le thème de la démocratie ne mobilisait-il pas les intellectuels ?*

R. A. — Mais tout le monde parlait de démocratie. Les Soviétiques parlaient de démocratie. La question était de savoir si la démocratie de type occidental, donc de type américain, était la vraie démocratie. Le régime qui sortirait des horreurs de la guerre serait-il un régime de démocratie parlementaire ? Mais personne n'est enthousiaste pour la prosaïque démocratie parlementaire qui n'est excitante que lorsqu'elle a disparu. Il n'y a qu'un seul argument en sa faveur, mais il est très fort, c'est celui de Churchill : « C'est le pire de tous les régimes, à l'exception de tous les autres. »

Or cette résignation à ce régime qui est le moins mauvais ou le meilleur comparé à tous les autres, n'était pas en accord avec l'enthousiasme et l'espérance des combattants et des résistants qui sortaient de la guerre. C'est tout à fait compréhensible. Le régime stalinien, lui, était fascinant. Il était horrible mais il était fascinant. Cette discipline de parole à travers le monde entier, l'adoration du numéro 1, l'amour pour cet homme, le tout au nom de l'humanisme, de la liberté, de la démocratie, c'était à la fois monstrueux, diabolique et fascinant.

D. W. — *Et d'où vient chez vous la haine du totalitarisme ?*

R. A. — En ce qui me concerne, je ne pouvais pas ne pas le détester. J'avais fait l'expérience du totalitarisme dans l'Allemagne hitlérienne. En tant que sociologue, ou en tant que politiste comme on dit, j'avais réfléchi sur les modes de gouvernement possibles dans nos sociétés industrielles et pensé que le danger par excellence, le mal par excellence, c'était le régime totalitaire. Or, à mes yeux, de toute évidence, le régime stalinien était le régime totalitaire parfait, accompli. On ne pouvait pas faire mieux dans ce genre. Et aujourd'hui tout le monde ou presque est d'accord.

J.-L. M. — *Vous avez dit aussi que les intellectuels français choisissaient ce totalitarisme pour se consoler un peu de la perte du prestige politique de la France.*

R. A. — Oui. Travailler pour la IVᵉ République — avec la Vᵉ c'est autre chose — c'était se situer dans l'hexagone, s'attacher à une tâche limitée, nationale, reconstruire l'économie de la France, refaire la société française. Pour moi, c'était l'objectif, c'était l'impératif, c'était le devoir. Et je trouvais que c'était très important pour les Français de se redonner une patrie. Mais les vrais intellectuels, paraît-il, ne trouvaient pas cette tâche digne d'eux. Permettre à la France de rejoindre ce qu'on appelle aujourd'hui le peloton de tête d'une économie moderne, ça ne les excitait pas. Moi non plus, ça ne m'excitait pas. C'était pourtant donner la possibilité aux Français de ne pas être honteux de leur pays. En 40, nous étions accablés par la honte. A partir de 45, nous avons voulu sortir de l'humiliation, construire et faire...

J.-L. M. — *Au sujet de cette attitude radicale des intellectuels par rapport à la société, vous avez écrit : « Les intellectuels ne veulent ni comprendre ni changer le monde, ils veulent le dénoncer. » Qu'est-ce qui a expliqué ce changement d'attitude chez eux, après la guerre ?*

R. A. — Je ne suis pas sûr que ce soit un changement.

D. W. — *Vous dites souvent aussi que les intellectuels de gauche refusent de penser la politique. Voulez-vous dire qu'ils refusent de construire et de faire ?*

184

R. A. — Cela signifie deux choses : ils préfèrent une idéologie, c'est-à-dire une représentation plus ou moins littéraire de la société souhaitable plutôt que d'étudier le fonctionnement d'une économie définie, le fonctionnement d'une économie libérale, le fonctionnement d'un régime parlementaire, et ainsi de suite.

Et puis il y a un deuxième refus, peut-être plus essentiel, le refus de réponse à la question qu'on m'a posée une fois : « Si vous étiez à la place du ministre, que feriez-vous ? » A mon retour d'Allemagne, en 1932 — j'étais très jeune — j'ai eu une conversation avec le secrétaire d'Etat aux Affaires étrangères, Paganon. Il m'a dit : « Racontez-moi vos histoires. » J'ai fait un laïus normalien, évidemment brillant — à l'époque mes laïus étaient brillants. Au bout d'un quart d'heure, il a dit : « Tout ça est très intéressant, mais si vous étiez à ma place, que feriez-vous ? » Or, j'ai été beaucoup moins brillant dans la réponse à cette question.

La même histoire m'est arrivée, mais inversée, avec Albert Ollivier. Il avait écrit dans *Combat* un article brillant, lui aussi, contre le gouvernement. Je lui ai dit : « A sa place, qu'est-ce que vous feriez ? » Il m'a répondu : « Ce n'est pas mon job. Le ministre doit trouver la solution, moi je critique. » Alors je lui ai répondu : « Je n'ai pas exactement la même conception de mon rôle de journaliste. » Et je dois dire que, grâce à M. Paganon, toute ma vie, en tant que journaliste, je me suis toujours posé la question : « Qu'est-ce que je ferais à la place des ministres ? »

D. W. — *C'est une question que les intellectuels ne se posent pas ?*

R. A. — Rarement. Ils considèrent que ces sortes de questions concernent les techniciens, les technocrates. Ils sont inquiets, angoissés par ce que notre régime existant comporte de mal (et tous les régimes comportent du mal), ils sont assoiffés de la solution qui donnerait la société universalisable. Ils ont bien une opinion sur ce qu'il faut faire contre l'inflation ou au sujet du réarmement de l'Allemagne, mais c'est essentiellement des opinions à partir d'impératifs ou de postulats et non pas à partir d'une analyse de la conjoncture.

II

DÉCOLONISER

D. WOLTON. — *En 1955, vous êtes élu à la chaire de sociologie à la Sorbonne. C'est une date importante dans votre vie. Pourquoi ce retour à l'Université, alors que votre carrière journalistique se déroulait très bien ?*

RAYMOND ARON. — D'abord, essentiellement, je n'avais pas le sentiment de m'accomplir dans le métier de journaliste. Donc j'ai voulu tout simplement me réaliser et répondre à une espèce de vocation.

Il y a une autre raison plus profonde et plus personnelle à laquelle je fais juste allusion : mon père n'avait pas réalisé sa carrière et il avait toujours, à la fin de sa vie, quand il était malheureux, rêvé que ce serait moi, son troisième fils, qui ferait ce que lui n'avait pas fait. J'avais une espèce de dette à son égard et j'avais le sentiment que je ne payais pas cette dette si j'étais seulement un journaliste ou un homme politique. Je devais être un professeur et écrire des livres, des livres valables. Donc j'ai réellement souhaité être élu à la Sorbonne. Je n'ai rien fait de ce qu'il fallait pour être élu, mais je l'ai été tout de même. L'erreur la plus éclatante a été de publier *l'Opium des intellectuels* trois ou quatre semaines avant l'élection. Mais, comme je vous l'ai dit, quelques amis de l'Ecole normale ont parlé avec conviction pour moi.

Il faut ajouter que l'opposition contre moi était légitime. Je n'avais pas joué le jeu. Je n'avais pas accepté les quelques années d'enseignement en province. J'avais été nommé en province en

39 mais la guerre m'avait empêché d'y exercer. Et, je vous l'ai dit, à mon retour en France, j'ai refusé d'aller à Bordeaux. Donc un certain nombre de mes collègues qui ont refusé avec force mon élection avaient des raisons plutôt bonnes, outre des raisons politiques qui étaient probablement plus décisives.

a) La tragédie algérienne

D. W. — *Après votre élection à la Sorbonne, vous allez écrire pendant la quinzaine d'années qui va suivre un grand nombre d'ouvrages. Mais paradoxalement, le premier, publié en 1957, est un livre politique et non pas universitaire :* la Tragédie algérienne.

R. A. — Oui, mais j'ai aussi publié en 57 un recueil de trois essais : *Espoir et peur du siècle*. Dans l'un d'eux, « l'essai sur la décadence », je parlais de la décolonisation.

D. W. — *Mais la* Tragédie algérienne *est d'une autre nature : c'est un pamphlet politique et qui a fait du bruit. Vous y affirmez que l'indépendance de l'Algérie était inéluctable. Vous ne pouviez pas en faire publier les bonnes feuilles dans le* Figaro *et ce fut le* Monde *qui en fit paraître des extraits.*

R. A. — Je pense qu'il faut le situer : 1954, la conférence de Genève et la liquidation de la première guerre du Vietnam ; l'initiative de Mendès France à Tunis, c'est-à-dire le début de la décolonisation en Afrique du Nord ; en automne 1954, le début de la révolution algérienne ; en 55, le réarmement de l'Allemagne dans le cadre de l'O.T.A.N. ; en 56, le discours de Khrouchtchev sur le stalinisme. C'est beaucoup d'événements rassemblés. Pour la France la grande question est alors : après la fin de la guerre d'Indochine, que va-t-il se passer en Afrique du Nord ?

J'ai pensé, à ce moment, que je n'avais pas assez écrit, pas assez publié mon opinion sur la guerre d'Indochine et j'ai décidé, cette fois, de faire de mon mieux. J'ai essayé, par exemple, d'aller voir le président de la République, après l'expédition de Suez que je jugeais absurde. Il m'a reçu très aimablement, un peu plus d'une heure. Il a parlé à peu près tout le temps, de telle sorte qu'il a été très content de sa conversation avec moi. Tocqueville raconte la même histoire sur son entrevue avec Louis-Philippe. Le roi avait parlé tout le temps. Tocqueville concluait : « Il était donc très satisfait de moi. »

Donc, j'ai tenté cette fois d'être plus efficace, c'est-à-dire de parler d'abord aux hommes politiques. J'ai alors constaté très rapidement que la plupart, après l'affaire du Maroc, étaient plus ou moins convaincus que l'indépendance de l'Algérie était inévitable.

Le tournant a été l'affaire du Maroc. Elle a entraîné une crise à l'intérieur du *Figaro.* C'est alors que François Mauriac a quitté le journal. Les lecteurs n'acceptaient pas ses opinions. Il disait qu'il fallait ramener le sultan Mohammed V et qu'il fallait rendre l'indépendance au Maroc. Il avait absolument raison. Mon opinion était la même. Mais, au lieu de quitter *le Figaro,* j'ai agi de mon mieux : j'ai servi d'intermédiaire entre Pierre Brisson, le directeur, et Edgar Faure, le Premier ministre. Celui-ci avait organisé un déjeuner dont j'ai fait partie, pour tâter Brisson, qui était à l'époque une puissance, à propos du retour de Mohammed V.

J.-L. MISSIKA. — *On ne pouvait pas faire ce genre de choses sans l'appui du* Figaro ?

R. A. — C'est trop dire. Mais Edgar Faure n'avait pas une position très forte. *Le Figaro* représentait à l'époque une puissance politique. Le Premier ministre a voulu savoir quelles seraient les réactions. Finalement, Edgar Faure a réussi à ramener Mohammed V, disons dans un style extraordinairement « fauriste » : personne n'y a rien compris. Mais au bout du compte, ça s'est passé comme il le souhaitait.

Après l'indépendance du Maroc, il me paraissait évident que les Algériens n'accepteraient pas moins que les deux pays voisins. Si je puis dire, ma supériorité dans la question de l'Algérie, c'est que je ne la connaissais pas concrètement. Je n'avais jamais été en Algérie. J'ai écrit sur l'Algérie à partir de raisonnements et de données qui me paraissaient évidentes.

D. W. — *C'est une supériorité ?*

R. A. — Je pense que, dans ce cas, ceux qui connaissaient trop bien l'Algérie avaient une particulière difficulté à se représenter une autre Algérie que l'Algérie française. Moi, j'ai raisonné sur l'Algérie française à partir de la situation mondiale. Quand le Front républicain a gagné les élections, j'ai rédigé un rapport que j'ai envoyé à Guy Mollet. Ce rapport a été la première partie de la brochure *la Tragédie algérienne*. Aucune réaction de Guy Mollet. Il n'a pas répondu. C'était pour lui un texte parmi d'autres. Il ne me connaissait pas particulièrement. Il s'est dit : « En voilà un qui pense ça. » Bon...

Ensuite, j'ai discuté avec beaucoup de personnes. Je disais : il n'y a que deux solutions : ou bien l'Algérie française, ou bien l'indépendance ; tous les propos sur une politique libérale en faveur de l'Algérie ne signifient rien ; ou bien on accepte le droit à l'indépendance ou bien la guerre continue. Mais le dire aux uns et aux autres était une chose, l'écrire noir sur blanc dans le pamphlet en était une autre. Après avoir hésité, j'ai pris la décision de publier la brochure. Ce fut une petite bombe dans le Landerneau politique. Elle fut immédiatement suivie de la brochure de Soustelle, dont le titre est, je crois, *Le Drame algérien et la décadence française, réponse à Raymond Aron*.

D. W. — *Finalement, quelles réactions a suscité votre brochure ?*

R. A. — On en a beaucoup parlé pendant quelques semaines, quelques mois. Le milieu politique y retrouvait ce qu'il pensait et n'osait dire. Je me souviens d'une conversation avec Edgar Faure qui évoquait le rôle qu'il avait joué dans l'indépendance du Maroc. Il a dit : « Bon, j'ai « fait » le Maroc, c'est à quelqu'un d'autre de trouver la solution du problème algérien. » Autour de lui il y avait des socialistes de la majorité, il y avait des modérés. L'opinion dominante était que l'indépendance de l'Algérie était inévitable.

Aujourd'hui, je peux raconter un dialogue entre Pierre Brisson et Louis-Gabriel Robinet, éditorialiste au *Figaro*. Je discutais une fois de plus de l'Algérie avec Brisson. Je lui ai dit : « Demandez à Robinet ce qu'il en pense. » Il fait venir Robinet et lui demande : « A votre avis, qu'est-ce qui se passera au bout du compte en Algérie ? » Et Robinet a répondu : « De toute évidence, l'indépendance. » La majorité des gens clairvoyants savait que l'indépendance était inévitable. Mais il y avait une forte résistance de l'opinion française et des Français d'Algérie. C'est pourquoi j'ai toujours dit : écrire la *Tragédie algérienne* exigeait peut-être un peu de courage civique, mais la vraie difficulté était ailleurs. Il est relativement facile de dire « l'indépendance est inévitable ». Mais il est extrêmement difficile de passer de cette affirmation philosophique ou historique à l'action.

En ce qui concerne l'action, pendant quelques semaines je me suis agité, j'ai rencontré beaucoup de fonctionnaires. En particulier, il y avait un groupement de hauts fonctionnaires qui s'étaient organisés pour faire pression sur le gouvernement. Ils sont venus me voir.

J.-L. M. — *Le Front républicain, lorsqu'il arriva au pouvoir en 1956, a fait campagne sur le thème de la paix en Algérie. Vous pensiez qu'il était capable de faire la paix en Algérie ?*

R. A. — C'est difficile à dire. Le gouvernement du Front républicain c'était à la fois Guy Mollet et Mendès France. Vous vous souvenez probablement du premier voyage de Guy Mollet à Alger. On lui avait jeté des tomates. Il est revenu en France convaincu qu'il existait une espèce de nationalisme algérien et de nationalisme français contre l'indépendance algérienne. Et il a trouvé des justifications à la politique qu'il a menée. Il a même cité Alain, qui avait écrit que l'essentiel n'était pas l'indépendance du pays, mais la liberté des individus à l'intérieur du pays. C'était une très belle proposition dans l'abstrait mais elle ne répondait pas au problème de l'Algérie.

J.-L. M. — *On dit souvent aujourd'hui que les Français ont voté pour Mendès France et qu'ils ont eu Guy Mollet.*

R. A. — Peut-être... Mais il y a eu aussi les élections poujadistes en 55. La majorité était très, très faible. Mendès France était certainement un homme politique très supérieur à Guy Mollet, mais aurait-il pu faire une politique d'indépendance ? Une politique intermédiaire était-elle possible ? Bien sûr, une politique intermédiaire était une préparation à une solution. Mais la condition d'une solution, c'était de reconnaître le droit à l'indépendance, ce qui ne signifiait pas dans l'immédiat l'indépendance.

D. W. — *Bien que les gens raisonnables dans le milieu politique aient reconnu, dites-vous, que l'indépendance était inévitable, votre* Tragédie algérienne *a tout de même été violemment attaqué.*

R. A. — Oui, taillé en pièces par certains. On me reprochait d'accepter l'indépendance algérienne et de la justifier par des nécessités économiques, démographiques. On me reprochait de ne pas employer le langage de l'idéologie, de ne pas condamner d'une manière solennelle la colonisation en tant que telle, mais de prendre le problème tel qu'il était. Or, la raison pour laquelle j'ai présenté le problème de cette manière, c'est que, à mon sens, il s'agissait de convaincre ceux qui étaient de droite, et qui, eux, n'étaient pas sensibles à la condamnation morale de la colonisation. Il fallait leur démontrer que ni pour l'économie ni pour la prospérité, l'Algérie n'était nécessaire à la France. Il fallait démontrer que même le retour en France d'une partie ou de la totalité des Français d'Algérie ne représentait pas une catastrophe mais serait au contraire un enrichissement pour le pays. C'est ce qui s'est passé effectivement, ce qui n'a pas empêché un certain nombre de journalistes d'écrire que je voulais mettre les Français d'Algérie dans des camps de concentration.

Et puis, j'avais risqué une phrase qui, à l'époque, a paru ridicule. J'ai employé une expression « l'héroïsme de l'abandon ». Je voulais dire qu'il était plus courageux pour un homme politique d'accepter la libération de l'Algérie que de continuer pendant des années la guerre. En effet, j'écrivais en même temps qu'on ne pouvait pas perdre la guerre. Nous avions abandonné l'Indochine à la faveur, si j'ose dire, d'une défaite militaire. Mais en Algérie, il ne pouvait pas y avoir de défaite militaire.

Ce qui avait rendu possible la conférence de Genève mettant fin à la guerre d'Indochine, ce fut d'abord l'intervention de l'Union soviétique et des Etats-Unis, mais c'est aussi que les Français se sont laissé convaincre par le déroulement des événements militaires. Mais les événements militaires en Algérie n'ont jamais rendu nécessaire la capitulation ou la négociation avec le F.L.N. Au moment où le général de Gaulle a accepté l'indépendance de l'Algérie, la situation militaire française était meilleure qu'à aucun moment.

D. W. — *Il n'y avait vraiment pas de risque de défaite militaire ?*

R. A. — La supériorité militaire française était incontestable. L'armée française avait réussi à séparer, dans une large mesure, la Tunisie et le Maroc de l'Algérie grâce à des lignes électrifiées. Il y avait une petite armée algérienne d'un côté et de l'autre, mais à l'intérieur de l'Algérie, il ne restait qu'un petit nombre de détachements de guérillas qui n'avaient aucune chance de l'emporter. Mais la question n'était pas là. Il s'agissait de savoir si, une fois ramenée l'armée française en métropole, l'ordre français pouvait être rétabli en Algérie. C'était là la question. Si on voulait rester avec 400 000 hommes en Algérie, on le pouvait. Mais une victoire totale était aussi impossible. Pour la remporter il aurait fallu prolonger et étendre la guerre contre les troupes algériennes en Tunisie et au Maroc, ce qui semblait exclu par la diplomatie.

D. W. — *Donc l'indépendance était plutôt une contrainte politique ?*

R. A. — On avait le choix : maintenir pendant des années l'Algérie française par l'intermédiaire d'une armée, avec une protestation de plus en plus violente de la part d'une partie de la nation française, ou bien trouver une solution politique. Et il n'y avait que deux solutions politiques durables possibles.

Ou bien c'était à terme l'indépendance de l'Algérie, ou bien l'Algérie partie intégrante de la France. Les Français d'Algérie, quand ils ont compris que l'égalité de tous les Algériens dans l'Algérie seule signifiait la domination des musulmans (ça allait de soi, ils étaient dix contre un), ont conçu l'intégration des musulmans d'Algérie dans la France entière. Ce fut la fameuse formule « de Dunkerque à Tamanrasset ». Mais à l'époque, il y avait dix millions de musulmans. C'était déjà substantiel, mais ne représentait qu'un peu moins du quart de la population française. En 1980, les Algériens sont plus de vingt millions. A la fin du siècle, ils seront entre trente et quarante millions. Or, si les trente ou quarante millions de musulmans étaient partie intégrante de la France, la Chambre des députés, l'Assemblée nationale, serait composée de 40 p. 100, 50 p. 100 de musulmans, ce qui était impensable.

D. W. — *L'intégration était impossible démographiquement ?*

R. A. — Strictement. Les lois sociales françaises sont adaptées à une population où la natalité est faible. C'est ce que j'écrivais. Par exemple, en France, soutenir les mères de famille c'est se battre contre la dénatalité. Mais en Algérie, il s'agit plutôt de réduire la natalité. Donc, intégrer l'Algérie dans la France, c'est se condamner à une situation absurde. On ne peut appliquer les mêmes lois à des populations qui n'ont en commun ni la religion, ni le taux de natalité, ni les conceptions.

D. W. — *En somme, vous étiez partisan de l'indépendance, plus pour des raisons économiques que pour des raisons morales ?*

R. A. — Ce n'est pas du tout comme cela qu'il faut présenter les choses.

D. W. — *C'est pourtant ainsi que cela l'a été à l'époque.*

R. A. — Il n'y avait aucun intérêt de ma part à dire que j'étais contre la colonisation, parce qu'il y avait déjà des gens qui le disaient. J'étais comme eux contre la colonisation pour des raisons de principe, morales si vous voulez. Mais ce qui était important, c'était de convaincre ceux qui utilisaient l'argument contraire.
Je me souviens d'un ancien Premier ministre qui disait : « Lorsque l'Algérie sera indépendante, il y aura du chômage en France. » Je lui ai expliqué que c'était absurde. Et c'est ça qu'il fallait démontrer. Ma brochure n'était pas un traité philosophique destiné à passer à la postérité. C'était un acte politique. Un certain nombre de lecteurs en ont déduit une fois de plus que j'étais vraiment un homme de droite parce que je fondais ma politique sur la réalité. Mais je ne sais pas sur quoi d'autre on peut fonder une politique. Par-dessus le marché, la politique que je recommandais, j'aurais pu la fonder aussi sur des raisons

morales, car elles allaient dans le même sens. Mais, encore une fois, ce qui était important, ce n'était pas de convaincre les anti-colonialistes, c'était de convaincre ceux qui étaient colonialistes.

D. W. — *Mais vous nous avez dit, justement, que les hommes politiques étaient, eux, tous convaincus. Alors, en quoi consistait votre action ?*

R. A. — Ils étaient convaincus en privé. Vous direz peut-être qu'ils manquaient de courage. Ils répondraient probablement qu'il est plus facile à Raymond Aron qui n'est candidat à rien, qui n'est pas député, qui risque seulement de recevoir des lettres d'injures et de menaces, de prendre position. Eux, ils attendaient que l'expérience, les événements, eussent la force de convertir l'opinion française. Ils n'aidaient pas beaucoup les événements à convertir les Français, je vous l'accorde. C'est alors que les écrivains politiques avaient le devoir, et quelque-fois la chance, de dire ce que les hommes politiques n'osaient pas faire.

D. W. — *Après avoir écrit votre brochure, êtes-vous allé en Algérie ?*

R. A. — Pourquoi ?

J.-L. M. — *Pour vérifier si ce que vous disiez...*

R. A. — Mais je ne suis pas un reporter. Et puis j'avais des relations avec un grand nombre de Français qui vivaient en Algérie, en particulier avec les soldats du contingent, les officiers, etc. Alors, aller en Algérie, c'était trouver quoi ? J'aurais vu que dans un certain nombre de régions la paix avait été rétablie. On m'aurait expliqué, on m'aurait montré qu'un certain nombre de détachements français faisaient un travail admirable pour améliorer les conditions d'existence de la population et ainsi de suite, mais j'en étais convaincu à l'avance, et je l'ai écrit.

J.-L. M. — *Vous auriez surtout vu un million de Français d'Algérie qui ne voulaient pas partir.*

R. A. — Mais je savais qu'ils ne le voulaient pas. J'ai été passionnément attaqué lorsque j'ai écrit que la politique de la France ne pouvait pas être déterminée par un million de Français d'Algérie. C'est ce qui a été considéré comme le plus scandaleux. Mais j'ai écrit aussi dans *la Tragédie algérienne* : « Nous avons des devoirs à l'égard des Français d'Algérie. Nous devons essayer, par une paix aussi rapide que possible, de leur laisser la chance de rester en Algérie. Et s'il est impossible qu'ils restent en Algérie, nous pouvons dépenser pour eux ce que nous sommes en train de dépenser dans une guerre que nous ne pourrons pas gagner. » A l'époque, cela faisait scandale. Mais j'ai retrouvé un certain nombre des Français d'Algérie. Ils m'ont dit qu'à l'époque ils considéraient que j'étais le mal personnifié. Aujourd'hui, certains m'ont déclaré : « Au fond, vous étiez le seul qui vous souciiez des Français d'Algérie. »

Je n'ai donc pas écrit un reportage sur l'Algérie. Tous les journaux en publiaient. Thierry Maulnier l'a fait. Mon propos était d'analyser un problème politique pour démontrer qu'une certaine solution était la moins mauvaise, qu'elle était déchirante, qu'elle était extraordinairement pénible pour une partie des Français de la métropole et de l'Algérie, mais qu'il dépendait du courage des hommes politiques d'éviter une tragédie nationale, c'est-à-dire une guerre civile à propos de l'Algérie. Bon. C'était un acte politique. Un reportage en Algérie n'avait aucune signification par rapport à cet acte politique.

J.-L. M. — *Avez-vous pensé que les Français d'Algérie auraient pu rester en Algérie si la guerre n'avait pas été menée jusqu'à son terme ?*

R. A. — Je n'ai jamais été très optimiste sur leur chance de rester dans une Algérie musulmane et indépendante. Mais les conditions dans lesquelles ils sont partis, dans la panique, en quelques jours ou en quelques semaines, n'étaient pas inévitables. Je l'avais dit dans *la Tragédie algérienne*. Nous allions faire la guerre pendant un certain nombre d'années, et un jour, ce serait l'effondrement total, un jour on s'en irait. C'est ce qui s'est passé.

D. W. — *Après la Tragédie algérienne, vous n'avez pas écrit dans le Figaro sur la question. Pourquoi ?*

R. A. — Parce que je n'en avais pas l'autorisation. *Le Figaro* avait une certaine politique sur l'Algérie. Thierry Maulnier expliquait que l'Algérie c'était la Californie de la France. Il a fait, lui, ce que je n'ai pas fait, un reportage sur l'Algérie, reportage d'excellente qualité, où il a trouvé les raisons les plus convaincantes de l'optimisme sur l'avenir de l'Algérie et de la France en Algérie.

J.-L. M. — *Moi, je ne comprends pas que vous restiez dans un journal où on vous interdisait d'écrire sur un sujet aussi important que l'Algérie. Pourquoi n'êtes-vous pas parti ?*

R. A. — Ecoutez, un journal a une certaine clientèle, et je sais depuis longtemps qu'une des limites à la liberté de la presse, ce sont les lecteurs. Lazurik, qui était le directeur de *l'Aurore*, lançait de temps en temps un petit discours excellent : « Presque toujours dans la vie, disait-il, j'ai écrit dans des journaux « vendus ». Or, la vie dans les journaux vendus est tranquille et facile. L'homme d'affaires qui donne de l'argent est sensible à deux ou trois questions particulières qui le touchent. On ne parle pas de ces deux questions mais pour le reste on peut écrire tout ce que l'on veut. »

En revanche, lorsqu'on a un journal qui n'est pas « vendu », on dépend des lecteurs, des acheteurs. Or, la majorité des lecteurs des grands journaux exigent que leur journal justifie leurs opinions. Ceux qui cherchent dans les journaux seulement l'information sont probablement une minorité. Alors, si j'avais quitté *le Figaro* à cause de l'affaire algérienne, j'aurais perdu toute possibilité de m'exprimer dans la presse. Nulle part je n'aurais pu écrire en faveur de l'indépendance algérienne. Quand j'ai le premier parlé de l'indépendance algérienne, ni *l'Express* ni *le Monde* ne m'ont donné raison. Ils trouvaient que c'était trop en avance par rapport à l'opinion.

D. W. — *Pourtant* l'Express *avait été créé en 53 et dès 54...*

R. A. — Eh bien *l'Express* a écrit que mes opinions étaient typiques de la capitulation capitaliste.

D. W. — *Qu'est-ce que ça voulait dire ?*

R. A. — Rien. C'est une formule de journaliste. De la même manière, Soustelle a écrit que j'étais le représentant du Comité des Forges. Il se trouve que le président du Comité des Forges lui a fait savoir qu'il ne me connaissait pas.

J.-L. M. — *Après votre* Tragédie algérienne, *on vous a accusé d'une sorte de défaitisme de droite. On disait : « Le raisonnement de Raymond Aron est que la France n'a pas les moyens financiers de se payer l'Algérie. »*

R. A. — Je pensais qu'il n'était pas raisonnable pour la France de se ruiner, d'abord en faisant la guerre, ensuite en investissant des moyens en Algérie, pour aboutir finalement de manière inévitable à l'indépendance algérienne.

D. W. — *Y avait-il autre chose à faire pour préparer l'opinion publique, notamment l'opinion de droite, à l'indépendance ?*

R. A. — Je ne sais pas très bien ce que j'aurais pu faire d'autre que ce que j'ai fait. J'ai écrit *la Tragédie algérienne* en juin 57. Après le retour du général de Gaulle au pouvoir, j'ai écrit un autre livre beaucoup plus sérieux et détaillé, *l'Algérie et la République,* qui a été publié à l'automne 58. Il se terminait par la formule que la révolution de 58 donnait une chance de renouvellement de la France, à condition que la révolution se hâtât de dévorer ses enfants. C'est bien ce qui s'est passé.

D. W. — *A cette époque, vous étiez un éditorialiste très écouté. Le* Figaro *était encore le plus grand journal. Quelle influence aviez-vous sur les hommes politiques ? Peut-on dire que vous étiez le conseiller des princes ?*

R. A. — Je ne crois pas. La plupart des hommes politiques lisaient *le Figaro,* en général, et l'article de Raymond Aron en particulier. Certains me disaient, à moi, qu'il fallait lire mes articles. Quand j'étais d'accord avec la politique gouvernementale, les ministres étaient plutôt satisfaits. Quand je critiquais l'un ou l'autre des ministres des Finances, ils n'étaient pas toujours contents mais, enfin, cela faisait partie du jeu. Cela dit, je n'ai pas d'illusions. Je dis qu'un éditorialiste comme W. Lippmann aux Etats-Unis, ou Raymond Aron en France, exerce une influence, moins à un moment particulier que sur la durée.

Dans le cas de l'Algérie, j'ai eu une influence très limitée, mais j'ai apporté, si je puis dire, aux hommes politiques modérés une représentation générale du monde qui justifiait leur politique. J'étais peut-être différent d'autres éditorialistes en ce que mes jugements ponctuels étaient toujours implicitement intégrés dans une certaine vision de l'ensemble du monde.

J.-L. M. — *Parmi ces hommes politiques de la IVe République, il y en a un dont on a dit qu'il était un homme d'Etat : Pierre Mendès France. Mais on n'a pas l'impression que les relations entre vous et lui aient été bonnes.*

R. A. — Nous n'avons pas eu beaucoup de relations personnelles, faute d'atomes crochus probablement. J'avais beaucoup de respect et j'ai toujours du respect pour sa personnalité. Je lui ai rendu hommage lorsqu'il a fait, à Genève, la paix en Indochine. Je lui ai rendu hommage lorsqu'il a été en Tunisie.

En ce qui concerne la C.E.D., je ne l'ai pas rendu réellement responsable de l'échec de l'armée européenne. A mon avis, l'échec était déjà consommé avant son arrivée au pouvoir. Il est possible que sur le moment j'aie écrit des articles de critique contre lui sur ce sujet, mais après coup, j'ai dit que la C.E.D. était morte lorsque Mendès France est arrivé au pouvoir. Cela dit, en profondeur, il était contre la C.E.D., certainement.

D. W. — *En 56, Mendès France quitte le Front républicain parce qu'il est en opposition avec la politique de Guy Mollet en Algérie. Ce qui est étrange, c'est que, autant vous avez essayé, avec de Gaulle, d'avoir des relations, autant on a l'impression qu'avec Mendès France vous n'avez jamais essayé de travailler avec lui.*

R. A. — Il n'avait pas créé un parti. Il avait de grandes difficultés au parti radical pour se faire accepter comme le chef.

D'autre part, vous savez bien comment sont les Parisiens : il y a des milieux, il y a des groupes. Nous étions dans des groupes différents. Ça me fait penser, si j'ose nous comparer à des hommes beaucoup plus grands, au discours qu'a prononcé Guizot à l'occasion de la réception de Lacordaire, élu au fauteuil de Tocqueville à l'Académie française. Guizot a déclaré : « Je n'ai jamais réellement connu Alexis de Tocqueville. » Et il a ajouté : « En fonction de nos idées, nous aurions dû avoir des relations d'amitié. » Ça, c'était déjà Paris. Que je n'aie pas eu davantage de relations avec Mendès France, il n'y a pas de raison valable, sinon les hasards de Paris. Peut-être aussi sommes-nous des tempéraments différents.

D. W. — *Vous auriez pu forcer le hasard.*

R. A. — Mais je n'ai jamais été chercher les hommes politiques. Je n'allais pas les voir. Tout le monde imagine que dans la période où j'étais journaliste, j'avais des relations permanentes avec les hommes politiques. Ce n'est pas vrai. Même quand j'étais seulement journaliste, je vivais en professeur. Je voyais de temps en temps les hommes politiques, mais très peu, beaucoup moins que la majorité des journalistes. J'avais très peu d'informations particulières, en dehors des journaux. Je n'ai jamais été vraiment un journaliste au sens des journalistes qui sont obligés de vivre dans le milieu politique.

D. W. — *Mais alors, vos sources d'informations ?*

R. A. — Les mêmes que tout le monde. Les journaux. Je ne prétendais pas réaliser des scoops journalistiques, j'essayais d'analyser une situation. Mes analyses étaient une réflexion, une réflexion sur les événements.

Lorsqu'il y a eu la guerre de 73 entre l'Egypte et Israël, un journaliste du *Figaro* a écrit que les Egyptiens étaient tombés dans un guêpier, que c'était un piège des Israéliens. Le lendemain, j'ai écrit exactement le contraire, à savoir que c'étaient les Israéliens qui avaient été surpris par les Egyptiens. Je n'avais aucune information particulière. Mais il suffisait de réfléchir. En temps de paix, Israël n'a qu'une armée peu nombreuse. Donc nous savions que l'armée n'était pas mobilisée au moment de l'attaque égyptienne. Sur la fameuse ligne de défense Bar-Lev et le long du canal de Suez, tout le monde aurait dû savoir qu'il n'y avait que six cents soldats. Par conséquent il était difficile de défendre cette ligne. Il fallait simplement être informé de ce que tout le monde pouvait savoir.

J.-L. M. — *Je reviens sur l'Algérie. Vous avez écrit que l'armée française était allée se battre en Indochine et en Algérie pour effacer la défaite de 1940.*

R. A. — C'est excessif. Mais il y avait quelque chose de cela. Il y a eu, je pense, dans l'opinion française, dans la nation française, en particulier dans l'armée française, une volonté d'effacer l'humiliation, ce que j'ai trouvé tout de suite inquiétant. On ne pouvait pas effacer la défaite de 1940 en Indochine ou en Algérie. Ce n'était pas possible.

J.-L. M. — *Et les hommes politiques de la IVe République avaient peur des militaires ? Ils leur ont cédé ?*

R. A. — En Algérie, oui, en Indochine, non. Mais, la IVe République a été également impressionnée par le général de Gaulle. De Gaulle disait : « La France n'abandonne jamais rien. » Tant qu'il a été dans l'opposition, il n'a jamais dit qu'il fallait décoloniser. En 1950, il protestait contre une quelconque négociation avec Hô Chi-Minh. Dans l'opposition, de Gaulle rendait encore plus difficile à la IVe République la décolonisation.

J.-L. M. — *Et on assimilait le général de Gaulle à l'armée ?*

R. A. — Non, non, mais de Gaulle à lui tout seul représentait une partie de l'opinion française et décoloniser contre de Gaulle et contre l'opinion, c'était doublement difficile.

D. W. — *A votre avis, la IVe aurait pu finir la décolonisation ?*

R. A. — Non, je ne crois pas. Elle n'aurait pas été capable d'accorder l'indépendance au F.L.N. C'est difficile à démontrer. Il s'est passé tout de même presque quatre années entre l'arrivée au pouvoir du général de Gaulle et la fin de la guerre d'Algérie. De Gaulle lui-même a dû se battre contre deux révoltes. Et il s'appuyait sur une autre constitution, il avait un autre prestige que les hommes de la IVe République. Il a eu cette capacité qui lui est propre, de transfigurer ce qui, en dernière analyse, était un abandon et une défaite, en une victoire, c'est-à-dire une victoire de la France sur elle-même. C'était ce que je plaidais à l'avance, mais il fallait le faire, et c'est lui qui l'a fait. Il a réussi à convaincre les Français qui étaient partisans de l'Algérie française que donner l'indépendance à l'Algérie c'était pour la France être la France, c'est-à-dire généreuse.

J.-L. M. — *Avant d'en arriver à la république gaulliste, la IVe République mérite-t-elle sa mauvaise réputation ? Quel bilan en faites-vous ?*

R. A. — C'est une république malheureuse, qui a commencé sous des auspices peu favorables, avec une constitution mauvaise qui n'a été acceptée que par un tiers du pays. Les hommes de la IVe République ont livré de manière permanente deux batailles : l'une contre le parti communiste et l'autre contre le révisionnisme du général de Gaulle. Mais il faut tout de même reconnaître qu'ils ont accepté la réconciliation avec l'Allemagne, accepté finalement le réarmement de l'Allemagne, qu'ils ont fait une politique d'alliance atlantique que j'approuvais, que j'approuve encore. Ils ont commencé la reconstruction économique du pays. Ils ont lancé l'idée de l'Europe unie. Ils ont signé d'abord le pool Charbon-Acier et ensuite le traité de Rome. Donc, rétrospectivement, le bilan n'est pas tellement négatif, en dehors des guerres coloniales et en dehors de quelque chose d'autre qui, malheureusement ou heureusement, est très grave. Le régime était un peu ridicule pour l'étranger et pour les Français eux-mêmes. Les Français ne respectaient pas la IVe République. Quand un peuple ne respecte pas ses institutions, le mal est profond. Or, depuis la Ve République, au moins jusqu'à présent, les Français considèrent qu'ils ne sont pas plus mal gouvernés que les autres démocraties. Ils ne le disaient pas du temps de la IVe.

D. W. — *A votre avis, les principales faiblesses de la IVe sont dues à la situation internationale, aux institutions, à la qualité des hommes politiques, aux événements ?*

R. A. — Un peu tout ça. Ce qu'elle a fait n'était pas facile à faire. Au bout du compte, elle l'a fait, mais dans un mauvais style, avec des gouvernements qui changeaient une fois ou deux par an, en reprenant toujours les mêmes hommes. Ce n'était pas présentable. Encore aujourd'hui je pense que ce n'était pas présentable. Mais enfin, ces hommes étaient des patriotes comme nous tous, autant que les hommes de la Ve, mais ils vivaient dans des conditions autres. Je pense aujourd'hui que c'est une bonne chance que le général de Gaulle soit revenu au pouvoir en 1958, en égratignant un peu, il est vrai, la légalité démocratique.

b) De Gaulle et la décolonisation

D. W. — *Justement, votre sentiment démocratique n'a-t-il pas été un peu écorché par les conditions du retour du général de Gaulle ?*

R. A. — Si, si. Sur le moment, j'ai été indigné. Mais je pensais que l'essentiel était la liquidation de la guerre d'Algérie. Et par ce que j'avais entendu des opinions du général de Gaulle, je considérais qu'il y avait une chance que lui liquidât la guerre d'Algérie.

D. W. — *Mais vous avez manifesté votre mécontentement. Vous avez écrit à ce sujet ? Pas beaucoup il me semble.*

R. A. — Je crois avoir écrit dans l'introduction d'un de mes petits livres : « Ce fut la séduction après la sédition. » Et c'est un peu ça qui s'est passé. Formellement, de Gaulle est revenu de manière légale.

J.-L. M. — *Mais enfin, il y a bien eu sédition, et même coup d'Etat ?*

R. A. — Ce n'est pas lui, c'est d'autres qui ont fait le coup d'Etat.

D. W. — *C'est du formalisme.*

R. A. — Il était en relation avec ces révolutionnaires. Mais il a bénéficié d'un vote de l'Assemblée nationale, de la même manière que le maréchal Pétain. Les deux hommes étaient différents. Mais ce fut par deux fois une capitulation des députés devant le sauveur. Pétain passait pour le sauveur en 1940. En 1958, de Gaulle était le sauveur ou, si vous voulez, comme je l'ai écrit, c'était le dictateur au sens romain, c'est-à-dire le dictateur légal. Quand il y a une situation impossible à débrouiller, la démocratie donne à un homme dont la vertu est connue, reconnue, admirée, un pouvoir temporaire absolu, à la fois pour résoudre les problèmes les plus urgents et pour renouveler les institutions. De Gaulle a bien été pendant six mois un dictateur romain et un législateur. A partir de ce moment, il fallait accepter et espérer.

J.-L. M. — *Cette capitulation de la démocratie parlementaire vous a surpris ?*

R. A. — Pas tellement.

J.-L. M. — *Pourtant, vous écriviez en 1961, je cite : « J'ai toujours tendance à sous-estimer les chances des faiseurs de coups d'Etat. Même en 58 je croyais, probablement à tort, que la IVᵉ République était encore capable de se défendre. »*

R. A. — Vous êtes bien pervers. Eh bien, si j'ai écrit cela, c'est que je le pensais à l'époque. Mais, en 1961, j'avais raison de ne pas craindre le coup d'Etat de l'O.A.S. J'aime une formule de François-Poncet, le père. Il disait : « Les Français sont toujours surpris par les événements qu'ils ont prévus. » Eh bien, probablement, j'ai été surpris pas l'événement que je prévoyais en 1958.

J.-L. M. — *En fait, pour vous, l'essentiel c'est que de Gaulle était le seul capable de faire la paix. Sa politique en Algérie, de 58 à 62, comment l'avez-vous jugée ?*

R. A. — Vous avez lu les articles que j'ai écrits dans *Preuves* sur la question. Selon les jours, j'étais admirateur de De Gaulle ou au contraire irrité par la lenteur des progrès et par le style du Général. Il avait été impitoyable pour la IVe. J'avais tendance à me souvenir de ce qu'il disait contre les hommes au pouvoir quand il n'y était pas. Mais finalement, chaque fois qu'il y avait une crise, j'écrivais pour le soutenir. En même temps, il est vrai, je comprenais mal que, dans la mesure où il considérait que la guerre ne pouvait se terminer que par une négociation avec le F.L.N., il donnât à l'avance tout ce que le F.L.N. réclamait et qui aurait pu être l'objet de négociations. Il a fini par négocier à un moment où il n'avait guère plus d'atouts, où il avait déjà pratiquement donné l'indépendance au F.L.N.

A quoi on peut répondre que lorsqu'il a simplement, dans ses propos, laissé apercevoir son intention, c'est-à-dire l'indépendance de l'Algérie, il y a eu tout de suite des révoltes, telles que l'affaire du « quarteron des généraux », en avril 61, et avant, en 60, des barricades.

Alors, peut-être ce chemin qu'il a suivi, que je trouvais un peu lent, en zigzag, était-il le seul possible. En tout cas, il est arrivé au résultat souhaité sans guerre civile. Dire, aujourd'hui : « On aurait pu faire mieux », serait d'une prétention insupportable. Sur le moment, avoir fait des réserves, bon, c'était à peu près inévitable quand on est commentateur. Cela dit, il y a un certain nombre des articles critiques de cette période que je regrette et que je ne souhaiterais pas republier aujourd'hui.

D. W. — *Il y en a un en particulier : « Adieu au gaullisme », paru en octobre 61 dans* Preuves, *qui est une violente attaque à la fois contre le style de gouvernement du général de Gaulle et même contre son incapacité à faire la paix en Algérie. Six mois avant les accords d'Evian. Avez-vous été cette fois un observateur clairvoyant ?*

R. A. — C'est encore une attaque perverse, que vous avez bien préparée. Bon, c'est vrai. De tous les articles que j'ai écrits

204

dans ma vie, c'est celui que je regrette probablement le plus. C'est un article d'humeur, qui m'avait été suggéré ou inspiré par la prolongation, me semblait-il, indéfinie, des négociations, alors qu'il était évident que la conclusion était prévisible. Mais je ne pense pas que vous résumiez exactement l'ensemble de l'article. J'y commentais le carnage de Bizerte, qui m'avait horrifié. Je ne doutais pas que l'aboutissement fût l'indépendance algérienne, mais elle interviendrait dans une catastrophe. J'étais aussi exaspéré par des événements qui répondaient à mes prévisions de 1957 ; après des années de guerre nous allions abandonner tout et expliquer qu'après tout, l'Algérie ne nous intéressait pas. Après l'Algérie française, le dégagement. J'avais le sentiment que de Gaulle n'avait plus beaucoup d'atouts et que, malgré tout, l'essentiel c'était de faire la paix. Cela dit, ce genre de raisonnement est trop facile quand on est de l'extérieur. Eh bien, c'est un méchant article.

J.-L. M. — *Et comment de Gaulle a-t-il réagi à cet « Adieu au gaullisme » ?*

R. A. — C'est à cette occasion qu'il a dit à André Malraux, comme je vous l'ai déjà raconté : « Il n'a jamais été gaulliste. » C'était une bonne réponse. Il faisait allusion de temps à autre à des articles désobligeants. Cet article était désobligeant et je le regrette.

D. W. — *Vos relations avec de Gaulle donnent l'impression qu'avec lui non plus vous n'avez pas réussi à être le conseiller du prince.*

R. A. — Mais il n'avait aucune envie d'avoir un conseiller du prince à côté de lui. Dans la période du R.P.F., s'il était arrivé au pouvoir rapidement, il souhaitait me donner un poste. D'après ce qu'on m'a dit, il voulait me faire responsable du Plan, ce qui d'ailleurs, à mes yeux, était une drôle d'idée.

D. W. — *Mais Malraux était quand même dans son entourage. Vous auriez pu avoir le même type de relation dans un registre différent.*

R. A. — Je ne pense pas qu'André Malraux ait eu une influence quelconque sur le général de Gaulle. Quant à moi, dans cette période de 58 à 62, je n'aurais jamais pu, après avoir écrit *la Tragédie algérienne*, parler à chaque moment comme le faisait de Gaulle. Or c'était une obligation pour tous ceux qui étaient dans le mouvement gaulliste. En 61, je suis allé aux Etats-Unis. Peu de temps auparavant, il y avait eu des élections en Algérie. J'ai fait une conférence sur la situation qui a mis en colère le consul français de Boston. Il a répondu en déclarant : « Les représentants de l'Algérie sont ceux qui viennent d'être élus aux élections libres contrôlées par l'armée française. » Finalement je lui ai dit que, à mon sens, le général de Gaulle pensait davantage comme moi que comme lui. Mais lui, en tant que personnage officiel, était obligé de tenir le langage commandé par celui du Général. Aux Etats-Unis, l'ambassadeur de France à Washington me pourchassait quand je faisais des conférences pour me persuader de ne pas dire ce qui serait en contradiction avec la politique de l'époque du général de Gaulle. Pour accepter cette obéissance il faut être un homme politique qui n'a en vue que l'objectif à atteindre.

D. W. — *Vous pensez que de Gaulle envisageait l'indépendance de l'Algérie dès 58 ?*

R. A. — Je n'en sais rien. J'ai tendance cependant à croire qu'il a espéré assez longtemps arriver à l'indépendance de l'Algérie sans passer par le F.L.N. et sans l'effondrement de l'ensemble. Il est difficile de se faire une opinion catégorique. Ainsi, il a pris comme Premier ministre Michel Debré. Or Michel Debré avait déclaré plusieurs fois, quand il était dans l'opposition : « Le gouvernement français qui mettra en question la souveraineté française en Algérie légitimera la révolte. » Et c'est lui qui a donné l'indépendance à l'Algérie. Il y avait une espèce de sadisme dans ce choix. Prendre l'homme qui avait parlé avec le plus de passion en faveur de l'Algérie française, pour en faire le responsable, l'acteur de l'indépendance algérienne, c'était tout de même extraordinaire et justifiait la perplexité. Moi, je pensais qu'en dernière analyse de Gaulle accepterait l'indépendance. Mon interprétation était à peu près la suivante : en tant que philosophe de l'histoire, il sait que l'Algérie sera indépendante. En tant qu'homme politique, il voudrait bien éviter de passer par, disons, l'abandon pur et simple devant la révolution organisée du F.L.N. ou du gouvernement provisoire, car il a tout de même dit très souvent, à l'intérieur du gouvernement ou à ses collaborateurs : « Je ne donnerai jamais l'Algérie au F.L.N. » Mais finalement il l'a donnée au F.L.N. D'où, d'ailleurs, la haine encore inexpiable chez un certain nombre de Français qui accusent de Gaulle d'avoir trompé ceux qui, sur le terrain, faisaient la guerre.

Aujourd'hui, j'ai tendance à dire : « Bon, j'ai eu raison de dire que l'Algérie serait indépendante, j'ai eu parfois tort de critiquer ce que faisait le général de Gaulle. J'ai fait de mon mieux et je laisse aux autres le droit de me juger. »

c) Les intellectuels et l'anticolonialisme

D. W. — *Avec la publication de* la Tragédie algérienne *vos rapports seront-ils améliorés avec la gauche et les intellectuels ?*

R. A. — Oui, avec la gauche certainement, avec certains intellectuels aussi. J'ai rencontré par hasard en 1960 Jean-Paul Sartre dans la rue. Il est venu vers moi, nous avons échangé une poignée de main. Il m'a dit : « Bonjour mon petit camarade. » J'ai répondu : « Bonjour mon petit camarade. » Il m'a dit : « Nous devrions déjeuner ensemble un de ces jours. » J'ai dit : « Oui, certainement. » J'ai même ajouté : « Qu'est-ce que nous n'avons pas dit comme conneries l'un et l'autre ! » Et puis ça n'a pas été plus loin. Le déjeuner n'a pas eu lieu. Probablement trop de temps s'était-il passé. Nous étions trop loin l'un de l'autre. Notre amitié avait été essentiellement intellectuelle, elle s'était nouée autour de la controverse philosophique qui ne l'intéressait plus. Nous aurions pu reprendre des relations tolérables, étant d'accord sur la question algérienne. Mais il a écrit une préface au livre de Fanon, animé par une espèce de haine ou de violence extraordinaire qui me choquait. Donc, il valait mieux que nous restions chacun dans notre coin.

D. W. — *Vous n'avez pas signé le « Manifeste des 121 », celui de Sartre et des intellectuels de gauche les plus engagés contre la guerre d'Algérie. Pourquoi ?*

R. A. — D'abord, j'étais aux Etats-Unis. Deuxièmement, je ne l'aurais certainement pas signé, pas plus que Merleau-Ponty ne l'a signé. Ce manifeste approuvait les jeunes Français de refuser de répondre à l'appel sous les drapeaux, c'est-à-dire de déserter.

Je trouve déplaisant, pour des intellectuels tranquilles qui ne risquent rien, d'engager des jeunes gens à se transformer en déserteurs, c'est-à-dire à courir un danger. On ne dit pas aux autres de déserter. On déserte soi-même.

D'autre part, tant qu'on est dans un régime démocratique, c'est-à-dire où les hommes au pouvoir sont désignés par le suffrage universel, tant que subsiste la liberté de protestation, je suis contre des actes qui équivalent à la guerre civile, au refus violent du gouvernement existant.

Or les 121, en donnant, au moins indirectement, comme consigne la désertion, d'une certaine manière sortaient de la légalité démocratique. Je considérais que c'était en tout cas prématuré. Quand cette déclaration des 121 a été publiée, j'étais à l'Université d'Harvard. Un certain nombre de professeurs américains voulaient signer ce texte ou bien signer un texte pour féliciter les 121. Je leur ai dit alors : « Supposez que vous soyez engagés dans une guerre, comme nous en Algérie, et que des intellectuels français rédigent un texte en disant aux jeunes Américains : ne répondez pas à l'appel du gouvernement, désertez. Qu'est-ce que vous en penseriez ? » L'argument les a impressionnés. Quelques-uns, très peu, ont tout de même signé quelque chose en faveur des 121. La majorité s'est rendue compte qu'une telle intervention était de mauvais goût.

D. W. — *Ce qui a peut-être manqué à votre position politique sur l'indépendance de l'Algérie, c'est une rupture...*

R. A. — Il fallait quitter la France ? Vous me faites rigoler. Nous avions choisi des gouvernants avec lesquels un certain nombre de Français n'étaient pas d'accord. Qu'est-ce que ça signifiait, rompre ?

D. W. — *Un acte symbolique pour montrer votre désaccord avec la politique menée en Algérie.*

R. A. — Un écrivain manifeste son désaccord en écrivant. Je crois que je vous ai déjà dit une fois que je ne cherche pas la popularité. A partir du moment où j'avais écrit ce que je pensais de l'Algérie à une époque où personne ne le disait, j'avais fait ce que je pouvais faire. A la suite de cette brochure, j'avais été en relation avec les milieux politiques et j'avais essayé de les convaincre.

Ensuite, il y a eu la révolution gaulliste et j'ai écrit un livre pour répéter, sous une forme plus élaborée, ce que j'avais esquissé un an auparavant. Je le répète, tout ce que je pouvais faire, je l'ai fait.

J.-L. M. — *Vous avez signé le manifeste de Merleau-Ponty, qui était beaucoup plus modéré que celui des 121.*

R. A. — Je pense en effet que je l'ai signé. J'ai, en tout cas, retrouvé la lettre dans laquelle il me félicitait d'un article que j'avais écrit, qui s'appelait « De la trahison ». En simplifiant, je disais : « Le moment n'est pas venu de passer à la trahison. Nous sommes encore dans une communauté démocratique. »

J.-L. M. — *En somme, vous reprochez aux intellectuels de gauche leur engagement moral et vous revendiquez, vous, un engagement politique.*

R. A. — Non, je ne leur reproche pas une prise de position morale. Mais lorsqu'ils disent à des jeunes gens de refuser l'appel, ils leur demandent à eux un acte politique. Un certain nombre d'intellectuels ont fait davantage, il est vrai. Ils se sont alignés, si je puis dire, sur le F.L.N. de France. Ils ont travaillé avec les Algériens qui faisaient la guerre en France.

J.-L. M. — *C'est le cas de Jeanson, qui a fait le réseau Jeanson.*

R. A. — C'était courageux. Mais je n'étais pas d'accord. C'est une chose de critiquer la politique du gouvernement, c'en est une autre de passer du côté de l'ennemi. L'ennemi, puisque les soldats français se battaient contre les Algériens, c'étaient les Algériens. Bon, on peut dire que c'était une guerre civile dans la mesure où l'Algérie était une partie de la France, mais tout le monde savait que ce qui était en question c'était l'indépendance de l'Algérie. La situation française étant ce qu'elle était, je ne pensais pas qu'on devait combattre de l'autre côté.

J.-L. M. — *Mais il y avait la torture, le mensonge. Vous n'étiez pas d'accord avec la révolte morale des intellectuels, leur effort pour reconstituer la conscience morale du pays ?*

R. A. — Tout à fait d'accord. Mais la torture, le mensonge, étaient l'accompagnement de la guerre. Ce qu'il fallait, c'était terminer la guerre. Cela dit, j'étais d'accord pour les protestations morales, encore une fois.

D. W. — *Tout de même, tout en restant dans le cadre de la légalité, pourquoi ne pas dénoncer les tortures pratiquées par l'armée française ? Certains ont pris des risques pour dénoncer la torture...*

R. A. — Je ne pense pas qu'il y eût là un risque très particulier. Tout le monde en parlait. En somme, vous me reprochez, après avoir pris parti en faveur de l'indépendance algérienne, de ne pas avoir écrit un certain nombre de textes littéraires sur l'horreur de la torture.

D. W. — *Non, de ne pas avoir pris d'engagement politique à ce sujet.*

R. A. — Mais je n'aurais rien appris à personne en proclamant que je suis contre la torture. Je n'ai jamais rencontré personne qui fût pour la torture.

J.-L. M. — *Un texte dans votre article « De la trahison » me paraît bien résumer votre position. Vous écrivez : « La pacification, il est vrai, ne se conçoit pas sans la torture, mais la guerre de libération ne se conçoit pas sans le terrorisme : torture en vue de l'Algérie française contre terrorisme en vue de l'indépendance algérienne, c'est le but qui permet de trancher, ce ne sont pas les*

210

moyens. » *On retrouve là votre position utilitariste, pourrait-on dire.*

R. A. — Ce n'est justement pas une position utilitariste, mais une position morale. Les moyens utilisés par les Algériens ont souvent été aussi horribles que les moyens utilisés par l'armée française. Le village de Melusa a été décimé, presque exterminé par le F.L.N. Mais je n'ai pas écrit de texte contre le terrorisme du F.L.N., pas plus que je n'ai écrit de texte contre la torture, bien que je déteste, et le terrorisme, et la torture. Les atrocités des deux côtés ne se compensaient pas, elles s'ajoutaient. Le terrorisme des révolutionnaires algériens était presque inévitable. La torture pratiquée par l'armée française n'était peut-être pas inévitable, mais l'expérience semble indiquer que dans ces sortes de guerres, presque toujours une armée, même civilisée, se laisse aller à des actes absolument inhumains. Pour y mettre fin, il fallait mettre fin à la guerre.

D. W. — *Est-ce qu'on ne peut pas reprocher à cette position modérée de laisser à d'autres le soin de l'action politique quotidienne ?*

R. A. — Mais ce n'était pas une position modérée, c'était une position catégorique, extrémiste, dans l'ordre politique. J'étais pour la solution extrême de l'indépendance algérienne. En ce qui concernait les protestations morales, j'en laissais la mission aux « belles âmes » puisque, une fois pour toutes, il est entendu que je ne suis pas une belle âme, ce que Hegel appelle « die schöne Seele ». J'étais pour l'indépendance algérienne, je n'étais pas pour la guerre civile en France. Tant que je voulais rester à l'intérieur de la communauté française, j'agissais par la parole et par l'écrit, je ne me transformais pas en militant du F.L.N. Je ne condamne pas moralement ceux qui sont devenus militants du F.L.N. Ici, je me borne à expliquer, je ne me justifie pas. Je dis : je me considérais comme citoyen français d'une France démocratique où l'on avait le droit de dire au gouvernement : « Vous vous trompez, il faut faire la paix. » Tant qu'on avait le droit de l'écrire et de le dire, je ne voulais pas devenir un militant du F.L.N.

J.-L. M. — *Mais la position radicale de certains intellectuels n'a-t-elle pas contribué à faire évoluer l'opinion publique ?*

R. A. — Je ne sais pas qui a contribué le plus. Je n'aime pas distribuer les bons points et les mauvaises notes.

J.-L. M. — *Pour les intellectuels de gauche dans cette période, l'anticolonialisme était une autre manière de faire la révolution. Votre rapprochement avec eux n'allait pas jusque-là, je le suppose ?*

R. A. — Si c'est là votre analyse des intellectuels de gauche, je ne suis pas des leurs sur ce point, en effet. Mais je ne leur prête pas cette conception qui me paraît quelque peu puérile ou débile.

D. W. — *Si. La lutte anti-colonialiste a été vécue parfois comme le prolongement du combat des années 50 pour le prolétariat et la révolution.*

R. A. — Le résultat c'est qu'ils ont été déçus une fois de plus. Moi, je trouvais que le combat pour la décolonisation de la part de ces peuples était un combat juste et normal, par conséquent j'approuvais la décolonisation. Mais ce n'était pas la révélation de l'avenir, ce n'était pas la lumière au bout du tunnel. En ce qui concerne la recherche d'une autre Mecque que Moscou, on ne pouvait pas la trouver dans aucun des pays décolonisés, si large que fût le choix. Il y a eu en effet Belgrade et la Yougoslavie ; il y a eu La Havane, Cuba ; il y a eu Alger...

J.-L. M. — *Vous avez fait, comme d'autres, le voyage à Cuba. Vous n'avez pas été touché par la grâce ?*

R. A. — Non, voilà, je n'ai pas été touché par la grâce. Je suis allé là-bas en touriste et je n'ai pas été reçu par Fidel Castro comme Sartre l'a été ! Mais enfin, j'ai écouté ses discours avec l'aide d'un interprète. J'ai eu cependant une conversation avec Rodriguez, qui était de formation sociologique et me connaissait un peu. Il était le chef du parti communiste, parlait espagnol et marxisme. C'est le seul Espagnol que j'aie à peu près compris à Cuba, tellement son espagnol était marxiste. Il essayait de m'expliquer pourquoi une révolution prolétarienne avait été faite par la petite bourgeoisie. Il me l'a démontré de manière tout à fait convaincante. Dans le genre de la dialectique, c'était très bien. Ça n'avait aucun sens mais enfin c'était une bonne dialectique.

Sartre, lui, a fait un reportage qui a dû vous faire plaisir à vous deux. Je ne pense pas que ce soit une contribution fondamentale à ses œuvres complètes. C'est un reportage sur Cuba. Mon voyage à moi n'a pas donné lieu, comme d'habitude, au genre de reportage que vous souhaitez. C'était au début du régime, en 61, quelque temps avant le débarquement anticastriste à la baie des Cochons. J'ai écrit des articles assez modérés dans le Figaro sur ce que j'avais vu à Cuba. C'était la fin d'une société et la naissance d'une autre société. Il était trop tôt pour avoir un jugement définitif. On savait bien que Castro était en train de construire un régime qui serait de type soviétique. Mais on ne pouvait savoir encore la forme exacte que prendrait ce régime de la famille soviétique.

D. W. — *Que pensiez-vous de ce Tiers-Monde qui émergeait de la décolonisation ?*

R. A. — Je n'aime pas l'expression. On met ensemble dans le Tiers-Monde la Chine qui est le plus vieil empire du monde, la Guinée et les pays d'Afrique qui ont une civilisation mais sans écriture. On met aussi l'Amérique latine qui est encore une tout autre chose. Le Tiers-Monde est un magma créé par le vocabulaire et la diplomatie. Mes opinions varient selon qu'il s'agit de tel pays ou de tel autre pays du Tiers-Monde.

J.-L. M. — *On voit bien là réapparaître ce qui à l'époque vous séparait d'un certain nombre d'intellectuels de gauche. Ils vivaient le Tiers-Monde, en particulier l'Algérie, comme la révolution.*

R. A. — Alors là, je me trouve plutôt du côté raisonnable. Les Algériens avaient absolument le droit de constituer un Etat et un Etat indépendant. Mais l'idée que la révolution au sens occidental, c'est-à-dire la transfiguration de la société, la société meilleure, etc. puisse se faire à travers le Tiers-Monde me paraissait complètement idiote. Les Algériens créaient leur pays aans des conditions tragiques. Dans la guerre, ils avaient perdu une partie de leurs cadres formés par les Français, ce qui était d'ailleurs un des aspects les plus désastreux de cette guerre. L'Algérie se débrouillait cependant assez bien, mais enfin la France n'avait rien à apprendre de la politique algérienne ni de l'économie algérienne.

Nous devons avoir les meilleures relations possibles avec l'Algérie. Mais l'idée que le Tiers-Monde soit l'espérance du monde me paraît tout à fait déraisonnable. Ça n'a aucun sens. Il faut naturellement conserver une espérance, mais il ne faut pas placer cette espérance ici ou là, sans réfléchir à ce qui est en question.

Vous me dites que les hommes de gauche pendant un moment ont pensé que c'est du Tiers-Monde que viendrait la lumière. Ils avaient tort. Ce n'est pas rendre service aux pays qui sont en train d'essayer difficilement de vivre que de leur faire croire qu'ils sont chargés d'une telle mission.

III

PAIX ET GUERRE ENTRE LES NATIONS

a) Penser la guerre nucléaire

J.-L. MISSIKA. — *De 59 à 67, vous avez été professeur à la Sorbonne et vous avez publié un grand nombre d'ouvrages :*
— d'abord l'analyse des transformations des sociétés industrielles avec un de vos livres les plus connus, les 18 Leçons sur la société industrielle, *et leur suite* Lutte de classes *et* Démocratie et totalitarisme ;
— ensuite un travail plus théorique avec les Etapes de la pensée sociologique ;
— et enfin, les problèmes de stratégie et de géopolitique avec notamment Paix et guerre entre les nations, *en 1962.*
Commençons par ce dernier ouvrage. Vous voulez construire le système conceptuel de ce qui résiste le plus à l'analyse, à savoir la guerre et les relations entre les Etats.
Pourquoi vouloir faire une théorie de la guerre ?

RAYMOND ARON. — Ce n'est pas une théorie de la guerre. Par suite des circonstances, j'ai été amené au *Figaro* à commenter les événements diplomatiques. Et comme je conservais quelque souvenir de la philosophie et mon goût de l'abstraction, j'ai commencé par encadrer ces commentaires par des analyses globales comme *le Grand Schisme* ou *les Guerres en chaîne*.
Mais en même temps, je me suis dit que c'était de l'analyse historique ou sociologique, mais que cette analyse n'était pas organisée, que les concepts étaient insuffisants. Et j'ai songé

longtemps à écrire un livre qui serait une introduction à la théorie des relations internationales. J'ai pris une année de vacances, si je puis dire, loin de la Sorbonne. J'ai passé un semestre à Harvard, où j'ai écrit une partie de *Paix et guerre entre les nations.*

Il faut ajouter d'ailleurs, que j'avais fait des cours sur le même sujet. Les deux premières parties du livre avaient été faites sous forme de cours à la Sorbonne. Et puis, finalement, j'ai publié ce gros livre. Ses dimensions font toujours impression, à tort. Mais enfin, à ma grande surprise, même les *Annales,* qui n'avaient pas en général une grande sympathie pour moi, ont consacré deux séries d'articles à la discussion du livre. C'était un moyen de me réintégrer totalement dans le monde universitaire. *Paix et guerre entre les nations* présente d'ailleurs un certain nombre de défauts propres aux universitaires.

J.-L. M. — *Vous voulez construire un système d'analyse globale, alors que vous dites et répétez que l'histoire c'est le bruit et la fureur. Ça n'est pas contradictoire ?*

R. A. — Non, pas du tout.

D. WOLTON. — *Vous qui avez toujours refusé les grands systèmes, vous avez voulu en construire un ?*

R. A. — Je n'ai pas construit dans *Paix et guerre,* malheureusement, un grand système, une grande théorie. J'ai essayé de montrer comment on pouvait analyser les situations globales, ce que j'ai appelé les systèmes, où j'ai introduit un certain nombre de notions, comme les systèmes homogènes et les systèmes hétérogènes. J'ai essayé de montrer quelles nouveautés impliquaient les armes nucléaires.

J.-L. M. — *A ce sujet justement, en quoi la bombe thermonucléaire change-t-elle radicalement les données de la stratégie et de la diplomatie par rapport à toutes les guerres que l'humanité a connues ?*

R. A. — C'est une question à laquelle il est relativement difficile de répondre d'une manière catégorique. L'idée dominante des stratégies modernes depuis, disons, Napoléon, c'était que l'objectif était la victoire d'anéantissement, celle qui consistait à enlever à l'ennemi la capacité de se défendre, à le désarmer.

Or, entre deux puissances nucléaires, ce désarmement apparaissait à l'époque où j'écrivais ce livre pour le moins presque impossible. Il est devenu moins inconcevable dans la mesure où les missiles d'aujourd'hui ont une précision telle qu'ils peuvent, en théorie, détruire les missiles de l'adversaire. Cela reste extraordinairement difficile car, même si une des deux puissances peut détruire les missiles terrestres de l'autre, il reste les missiles des sous-marins, les missiles des avions, etc.

Mais enfin, une des idées immédiatement perçue, c'est qu'à partir du moment où l'ascension aux extrêmes (expression de Clausewitz) devient l'ascension aux armes nucléaires et, du même coup, le risque de suicide commun, quelque chose a changé.

Alors, est-ce que l'essentiel a changé ou non ? Les Soviétiques disent que l'essentiel n'a pas changé. Et les Occidentaux disent que l'essentiel a changé.

D. W. — *C'est quoi l'essentiel ?*

R. A. — Eh bien, les Occidentaux utilisent le concept de dissuasion, comme une espèce d'absolu. Les armes nucléaires sont destinées essentiellement à empêcher l'ennemi de faire ceci ou cela, mais non pas à remporter une victoire sur lui. Encore aujourd'hui, officiellement, les Américains disent qu'il ne peut pas y avoir de parti victorieux dans une guerre nucléaire.

En revanche, les Soviétiques n'utilisent pas la notion de dissuasion, ou l'utilisent à peine. Ils reprennent la formule de Clausewitz : « La guerre est la prolongation, la poursuite de la politique par d'autres moyens. » Ils considèrent donc que s'il y a une guerre, il peut y avoir un vainqueur et un vaincu, même s'il y a utilisation des armes nucléaires. Mais, en tout état de cause, que l'un ou l'autre ait raison, il reste que l'ascension aux extrêmes, devenue l'ascension aux armes nucléaires, c'est quelque chose d'autre qu'Austerlitz. Austerlitz, c'est une victoire militaire totale. Iéna c'est une victoire militaire totale. En ce sens, le désarmement de la Prusse était possible. Austerlitz ne suffisait pas à désarmer la Russie, mais enfin c'était une victoire d'anéantissement. Aujourd'hui, concevoir une victoire d'anéantissement de l'Union soviétique sur les Etats-Unis ou des Etats-Unis sur l'Union soviétique, c'est presque impossible. Cela ne signifie pas qu'il n'y aura jamais de guerre nucléaire, cela signifie qu'il faut maintenant penser quelque chose de nouveau, c'est-à-dire non pas seulement déterminer quelles ressources l'on engage dans la guerre, mais savoir à quel niveau on s'engage, avec quelles armes, savoir comment éviter de monter trop haut, et ainsi de suite.

J.-L. M. — *Comment faites-vous pour parler de la guerre nucléaire avec un tel réalisme ?*

R. A. — Encore une fois vous allez nous expliquer que je suis glacé, que je n'ai pas de sensibilité. Vous me mettriez en colère. Quiconque a réfléchi sur la guerre peut considérer que la guerre est quelque chose de détestable. Et je trouve la guerre détestable.

J.-L. M. — *Vous ne m'avez pas laissé finir. Je voulais vous demander si cette interrogation obsédée par la guerre n'a pas un rapport avec le pacifisme des années 30 ? Le pacifisme comme refus de penser la guerre,* Guerres en chaîne, Paix et guerre, Penser la guerre, Clausewitz, *sont consacrés au thème de la guerre.*

R. A. — Mais, dites-moi, est-ce que vous savez que nous avons vécu au xx⁰ siècle ? Est-ce que vous savez qu'un des grands événements de cette histoire a été la Première Guerre mondiale, et un événement encore plus grand la Seconde ? De cette seconde guerre est sortie la puissance de l'Union soviétique. Encore aujourd'hui, ce qui domine la situation actuelle, c'est la puissance militaire de l'Union soviétique.

Avant 1940, parce que je détestais la guerre, je n'avais jamais réfléchi sur la guerre. Pendant la guerre j'ai été acculé à réfléchir sur ce sujet, j'ai même alors lu un livre classique : l'*Histoire de l'art de la guerre* de Delbrück. Il traitait de la guerre dans le cadre de la politique. Depuis, m'étant donné comme tâche, quand j'avais vingt-cinq ans, d'être le spectateur engagé de l'histoire, ce faisant il m'a fallu comprendre l'économie, c'est pourquoi j'ai fait de l'économie. Il m'a fallu aussi comprendre dans la mesure du possible les relations internationales, tâche que j'ai entreprise à partir de 1940, pendant la guerre, et que j'ai poursuivie, tout en détestant la guerre.

Mais je dois avouer que les événements diplomatiques et en particulier la guerre sont un objet de réflexion assez fascinant parce qu'ils comportent à la fois le drame et le calcul. La chose militaire doit être étudiée comme toutes les choses qui sont étudiées dans les universités. C'est ce qu'a écrit Liddell Hart et c'est la phrase de Liddell Hart que j'ai mise en exergue de *Paix et guerre entre les nations*. Mais quand j'ai entrepris ces études dans un esprit universitaire, j'étais à peu près le seul en France. Aujourd'hui, il y a dans la plupart des universités des départements d'études de la Défense, bons ou mauvais. Dans la mesure où on veut être sociologue et comprendre son temps, être obsédé par les guerres passées et le risque de la guerre à venir, ce n'est pas aussi surprenant. Mais si vous voulez une autre interprétation psychanalytique, disons que c'est une manière de me punir de mon pacifisme en écrivant indéfiniment des livres sur ce qui me répugne. C'est possible. Mais on peut aussi dire tout simplement que j'ai été saisi par le caractère à la fois mystérieux et intelligible des grandes guerres, qui sont une partie de ce que j'appelle dans un article « history as usual ». C'est-à-dire « l'histoire comme d'habitude ». Cette histoire, ce sont des nations, des guerres, des héros, des victimes. Est-ce un tumulte insensé ou bien à travers ce tumulte, peut-on deviner, percevoir quelque chose qui aurait pu être souhaité ou pensé à l'avance comme rationnel ? Est-ce le bruit et la fureur ou bien peut-on trouver une espèce de rationalité dans ces calamités que supportent les peuples ?

J.-L. M. — *Ce qui vous fascine dans la guerre aujourd'hui, à l'ère nucléaire, n'est-ce pas qu'elle ressemble de plus en plus à un jeu intellectuel, à une partie d'échecs, voire à une partie de poker ?*

R. A. — Oui, c'est un aspect de la stratégie nucléaire. Mais c'est en même temps un aspect frustrant. On a écrit je ne sais pas combien de livres sur la stratégie nucléaire, pas tellement en français mais beaucoup en anglais, aux Etats-Unis. Mais il ne s'agit que de spéculations. Ce sont des spéculations sur des relations psychologiques entre les deux Etats ou plus exactement entre les deux chefs d'Etat, car finalement il n'y a pas eu heureusement jusqu'à présent d'expériences d'utilisation des armes nucléaires

Même l'utilisation contre le Japon en 45 n'appartient pas à l'âge nucléaire. C'était comparable au bombardement des villes pour accélérer la capitulation, la reddition des îles assiégées. C'était l'utilisation des deux premières bombes contre une puissance qui n'en avait pas. Même la crise de Cuba, en 1962, n'était pas tout à fait une crise nucléaire. L'objet de la crise était alors l'établissement à Cuba des missiles nucléaires. Mais si l'Union soviétique avait établi une grande base non nucléaire à Cuba, probablement les Etats-Unis auraient-ils demandé poliment aux dirigeants de l'Union soviétique de liquider leur base.

D. W. — *Paix et guerre entre les nations paraît justement en 62, au moment où la coexistence pacifique a soulevé certains espoirs. Pour vous est-ce important ? Inaugure-t-elle une nouvelle ère des relations internationales ?*

R. A. — Non, la coexistence pacifique, c'est banal. C'est une expression de Lénine qu'il a employée pour désigner ce qui se passerait pendant une certaine période entre le régime communiste et les autres régimes sociaux. Après la mort de Staline, l'Union soviétique a simplement repris, dans un certain nombre de domaines, des relations qui avaient été interrompues. Il y a de nouveau des relations diplomatiques normales, il y a des relations sportives, des relations intellectuelles, etc. La coexistence pacifique, ça n'a rien de très nouveau. Cela signifie simplement que l'Union soviétique et les Occidentaux ne se font pas la guerre au sens conventionnel du terme, n'emploient pas les armes classiques. Cela ne signifie pas que la rivalité entre le monde soviétique et le monde non communiste ne continue pas.

J.-L. M. — *C'est simplement la mort de Staline qui a fait changer le cours des choses ?*

R. A. — Aujourd'hui, la plupart des interprètes pensent que, vers la fin de sa vie, Staline avait déjà envisagé de mettre fin à la forme extrême de la guerre froide. Il est probable qu'il aurait changé de diplomatie en 53, comme l'ont fait ses successeurs. Mais les successeurs l'ont fait plus rapidement parce qu'ils ont été au début très inquiets des répercussions, à l'intérieur et à l'extérieur, de la mort de Staline. Cela dit, la guerre froide en un certain sens a continué, je dirais volontiers peut-être jusqu'à aujourd'hui, en tout cas jusqu'à la fin de l'année 62. Il y a eu tout de même Khrouchtchev et l'ultimatum sur Berlin. Il me semble que c'était à l'automne de 1958. C'est la crise la plus grave. Khrouchtchev exigeait la modification du statut de Berlin-Ouest. Et Berlin-Ouest ne pouvait pas être défendu localement. Il est évident que les Occidentaux n'avaient pas la possibilité d'engager des forces classiques suffisantes contre les forces classiques soviétiques. Mais ils ont refusé d'accepter l'ultimatum, et il y a eu pendant quelques années une espèce de bras de fer, comme on dit : les uns menaçaient, et les autres refusaient de céder. La crise de Berlin n'a été liquidée qu'après la crise de Cuba, en automne 62. C'était la politique aventuriste de Khrouchtchev qui lui a été reprochée par ses successeurs.

J.-L. M. — *Même pour l'Union soviétique, vous croyez énormément au rôle des personnalités dans l'histoire ?*

R. A. — En ce qui concerne la révolution de 1917, on peut soutenir sans absurdité qu'elle n'aurait pas eu lieu sans Lénine et Trotski. Trotski lui-même, je crois, l'a écrit. Cela dit, on peut naturellement ajouter qu'il y aurait eu une révolution parce que, de toute manière, le régime tsariste n'aurait pas pu présider à la transformation de l'empire tsariste. Ça, c'est possible. Mais enfin, des hommes comme Trotski, Lénine, ont joué un rôle considérable dans l'histoire, et je ne vois pas au nom de quelle philosophie on pourrait enlever aux héros, aux héros de l'histoire, la responsabilité et la grandeur ou bien d'avoir édifié un empire socialiste, ou bien d'avoir précipité leurs peuples dans un régime totalitaire.

J.-L. M. — *Le grand événement de la coexistence pacifique, n'est-ce pas la signature des accords de Moscou, en juillet 63, qui interdisaient les expériences atomiques dans l'espace ?...*

R. A. — ... et limitaient la puissance des expériences. Oui, c'est le premier accord de maîtrise des armements, c'est-à-dire

« arms control » en anglais. C'était une invention des Américains dont j'ai vu le développement lorsque j'étais à Harvard. Il y avait là un séminaire où les conseillers futurs de Kennedy discutaient sur la maîtrise des armements. Le premier accord a été signé entre les Soviétiques et les Américains, au moment où les Chinois et les Russes rendaient public leur conflit. C'est au mois de juillet 63 qu'ont été publiées les longues lettres des partis communistes soviétique et chinois. Elles révélaient au monde une querelle que les experts connaissaient mais de manière imparfaite.

J.-L. M. — *Cet accord sur la limitation des armements stratégiques s'explique par la prise de conscience des deux grands de la nécessité de limiter la course nucléaire, ou alors par le schisme entre l'U.R.S.S. et la Chine ?*

R. A. — Non, c'était une conception américaine. Les Américains partaient de l'idée qu'on ne pouvait pas gagner de guerre nucléaire, que la rivalité entre les deux grandes puissances était inévitable, mais qu'il fallait autant que possible poursuivre cette compétition à un niveau inférieur de violence. Ils étaient obsédés, très légitimement, par le désir de réduire au minimum le risque d'une guerre nucléaire. A partir de là, ils n'ont cessé de songer à l' « arms control », ce que j'ai traduit par « maîtrise des armements ». Mais il n'a pas eu de conséquences considérables. Les Soviétiques ont continué à accroître leurs armements de sorte qu'aujourd'hui la supériorité militaire de l'Union soviétique n'est guère douteuse. En ce qui concerne le risque des guerres nucléaires, il est à peu près le même avec « arms control » et sans « arms control ». J'admets, cependant, que cette affirmation est un peu catégorique, qu'elle exprime mon jugement mais n'est pas démontrable. Ce qui est essentiel et certain c'est que l'« arms control » est né à la Rand Corporation et à Harvard et a été appliqué pour la première fois par Kennedy. C'est la même doctrine qui a inspiré les accords de Salt, encore en discussion puisque Salt II n'a pas été ratifié.

D. W. — *On a cru à ces accords. Est-ce qu'ils n'ont vraiment servi à rien ?*

R. A. — Je ne crois pas, je le répète, qu'ils aient modifié quoi que ce soit. Mais les Américains disent d'une part, qu'ils ont permis de limiter quelque peu les dépenses. Par exemple, on s'est mis d'accord pour ne pas créer les défenses contre les missiles, les A.B.M. Bon. Est-ce une bonne décision ou une mauvaise ? On peut en discuter.

D'autre part, ils pensent que les négociations ont permis malgré tout à chacune des deux parties de connaître davantage ce que faisait l'autre. Ce n'est pas un argument très convaincant parce que ce sont essentiellement les satellites qui peuvent vérifier le respect des accords.

La doctrine américaine pendant longtemps a été celle de la destruction mutuelle garantie, c'est-à-dire la capacité de chacun des deux de détruire l'autre. C'est un peu ce qui existait avant, et sans accord explicite. Cela laisse dans le doute beaucoup d'éléments, en particulier l'efficacité de la dissuasion. Si l'utilisation des armes nucléaires signifie un suicide commun, la dissuasion par la menace nucléaire est pour le moins affaiblie.

J'ai toujours pensé que les Américains voulaient deux choses à la fois qui sont largement contradictoires. D'une part maintenir la dissuasion par la menace d'utilisation des armes nucléaires, d'un autre côté créer une situation où l'utilisation des armes nucléaires entraînerait le suicide commun. Or, ce n'est pas facile de menacer l'autre de le tuer si l'on doit mourir avec lui.

Donc l'efficacité de la dissuasion nucléaire est certainement atténuée par la doctrine de la *Mutual assured Destruction,* dont le sigle en anglais est M.A.D. Un des critiques de cette politique, l'Américain G. Brennan, a fait évidemment remarquer que M.A.D. en anglais signifiait fou.

J.-L. M. — *Les Soviétiques, avez-vous dit, ne croyaient pas à la dissuasion. Cela signifie qu'ils considèrent les armes nucléaires comme des armes classiques ?*

R. A. — Ils disent que ce sont des armes comme les autres, avec cette particularité qu'elles ont une puissance de destruction supérieure. Ils ajoutent naturellement qu'il faut, dans toute la

223

mesure du possible, ne pas les utiliser. Mais s'ils les utilisaient, la formule de Clausewitz resterait vraie, selon eux, et il y aurait toujours un vainqueur et un vaincu.

J'ai posé la question à un diplomate soviétique. Je lui ai dit : « Pourquoi vos livres stratégiques affirment-ils toujours que les armes nucléaires sont des armes comme les autres et qu'on peut les utiliser, etc. ? » Il a réfléchi un moment, parce qu'il était gêné, et il a trouvé une réponse astucieuse, vraie ou fausse. Il a dit : « Vous savez, les militaires ont toujours besoin d'une doctrine. Alors, il a bien fallu que les civils leur en donnent une. La doctrine c'est que ces armes sont des armes comme les autres. Ça ne signifie pas que les dirigeants d'Union soviétique acceptent au fond d'eux-mêmes cette sottise. » On a le choix. On peut le croire, lui. On peut croire les livres officiels.

D. W. — *Mais alors, pourquoi ont-ils signé ces accords de maîtrise des armements ?*

R. A. — Ils ne sont pas contre ces accords. Ceux-ci ont été plutôt favorables à l'Union soviétique. Ils lui ont permis, je vous l'ai déjà indiqué, de rattraper et peut-être de dépasser en matière nucléaire les Etats-Unis. Et, d'autre part, puisqu'ils connaissaient le plafond des armements américains, ils pouvaient limiter leurs dépenses pour les armes nucléaires, ce qui libérait des ressources pour d'autres armes.

D. W. — *Alors c'est une erreur que nous avons faite, nous, Occidentaux ?*

R. A. — Je ne voudrais pas être aussi catégorique. Je pense que les accords ont été plutôt utiles à l'Union soviétique, mais je n'aime pas beaucoup trancher en une phrase une question qui est extrêmement complexe.

D. W. — *Pendant cette période de la coexistence pacifique, où eurent lieu un certain nombre de crises — à Berlin, à Cuba, — on assiste à l'engagement progressif des Etats-Unis dans la guerre du Vietnam, entre 60 et 70. Vous avez condamné la guerre du Vietnam ? Vous l'avez simplement expliquée ?*

R. A. — Je l'ai expliquée. Je jugeais que c'était une erreur. Je jugeais que leur manière de faire cette guerre était absurde. Cela dit, il ne manquait pas de Français pour condamner d'une manière catégorique l'intervention américaine au Vietnam. Or, personnellement, je trouvais que l'effort des Américains pour défendre le Vietnam du Sud était moins coupable que la guerre française au Vietnam de 46 à 54. Au Vietnam, les Français avaient voulu maintenir leur empire. Les Américains n'avaient aucune intention de rester au Vietnam. A tort ou à raison, à tort probablement, ils voulaient sauver le gouvernement du Sud du Vietnam.

D. W. — *Oui, mais ils n'ont pas respecté, eux, les Américains, les accords de Genève de 54. Ils n'ont pas organisé les élections.*

R. A. — C'est vrai. Mais y a-t-il jamais eu sous un gouvernement communiste des élections libres ? Si on avait fait des élections en 58, croyez-vous réellement que le président du Conseil du gouvernement du Sud, c'est-à-dire Diêm, aurait pu faire un discours à Hanoï ? Alors, laissez-moi rire ! Ceux du Nord ne voulaient pas plus des élections libres que ceux du Sud.

La question n'était pas là. Y avait-il un patriotisme du Vietnam du Sud capable de résister au Vietnam du Nord ? C'était ça la question. Dans la guerre de Corée, les Occidentaux ont été favorables à l'intervention américaine pour la Corée du Sud. Ils ont essayé de sauver la Corée du Sud et ils ont réussi. Les Américains ont essayé de faire la même chose au Vietnam. Mais ils ne connaissaient pas le Vietnam, ils ne savaient pas comment conduire cette guerre. Ils s'y sont lancés comme des fous. Elle leur a coûté très cher matériellement et plus encore moralement, et ils n'ont pas encore fini de payer le prix.

C'est cette situation que j'ai essayé à l'époque d'analyser. Quand Nixon et Kissinger sont arrivés au pouvoir, ils ont affirmé qu'ils n'acceptaient pas le gouvernement de coalition, lequel signifiait une capitulation. J'ai écrit alors que, selon toute probabilité, la guerre allait durer pendant plusieurs années.

De plus, cette guerre ne pouvait pas ne pas être impopulaire. Les Américains ne savaient la faire que par des bombardements. Ils ont projeté sur le Vietnam du Nord et surtout sur le chemin par lequel passaient les soldats du Nord, des centaines de milliers de tonnes de bombes. Ces moyens faisaient oublier que l'objectif, sauver le Vietnam du Sud, était justifiable, et l'est encore aujourd'hui lorsque l'on constate qu'il y a des milliers et des milliers de Vietnamiens du Sud qui essaient de quitter le pays « libéré » par le Nord.

D. W. — *Pourquoi dites-vous que les démocraties occidentales ne peuvent pas gagner ce genre de guerre, la guerre du Vietnam ?*

R. A. — C'est facile à comprendre. D'abord, les démocraties, pour faire une guerre, doivent être convaincues d'avoir raison, de défendre une cause sinon sacrée, du moins moralement pure. Or, la guerre du Vietnam, pour les Français et pour les Américains, était un combat douteux. Il était très douteux pour les Français, il était également douteux pour les Américains.

De plus, la guerre du Vietnam a été la première guerre de l'histoire moderne vécue et vue par les civils dans la métropole à la télévision, qui a joué un rôle considérable.

En outre, l'armée américaine à l'époque était une armée de conscription. C'étaient des citoyens ordinaires qui faisaient cette guerre, alors qu'au XIXᵉ siècle, les Européens, dans leurs guerres coloniales, utilisaient des professionnels. Aussi, au fur et à mesure que la guerre durait, la protestation morale et politique à l'intérieur des Etats-Unis devenait plus large et plus violente.

Les Etats-Unis ont provoqué l'inflation mondiale parce qu'ils ont livré cette guerre sans exiger des impôts pour la financer. En 75, le président ne pouvait obtenir du Congrès aucun crédit afin de sauver le gouvernement du Sud pour lequel il s'était battu pendant des années. Finalement, les Américains ont quitté le Vietnam en 75 dans des conditions peu honorables, et même lamentables. La guerre du Vietnam a été une tragédie pour les Etats-Unis et une tragédie dont ils ne sont pas encore complètement sortis.

D. W. — *Elle a d'abord été perdue militairement, moralement ou politiquement ?*

R. A. — Elle n'a pas été gagnée militairement parce qu'elle ne pouvait pas être gagnée.

D. W. — *C'était la même situation qu'en Algérie ?*

R. A. — Non, c'était différent. De l'autre côté il y avait une armée vietnamienne puissante. Elle n'a envahi le Vietnam du Sud qu'à la fin et l'armée américaine était évidemment capable de lui résister. Mais ce que l'armée américaine ne pouvait pas faire, c'était d'éliminer entièrement la guérilla, d'autant plus que cette guérilla était ravitaillée de manière permanente par le Vietnam du Nord qui, lui-même, recevait de l'Union soviétique toutes les armes nécessaires. Donc, telle que cette guerre a été conçue, dirigée, elle ne pouvait pas être gagnée. Il faut bien dire que les civils qui l'ont dirigée n'avaient pas beaucoup, si je puis dire, pensé la guerre. Ils s'y sont lancés avec une inexpérience, des maladresses incroyables, de telle sorte qu'ils ont donné l'impression d'être responsables de cette guerre, d'être coupables et, par-dessus le marché, d'être battus, ce qui était le pire. Voyez, c'est quelquefois utile de penser la guerre.

b) Croissance économique et rivalité idéologique

D. W. — *En 1963, vous publiez ce qui avait été un cours à la Sorbonne en 55-56 : les 18 Leçons sur la société industrielle. Ce livre sera suivi par La lutte de classes et Démocratie et totalitarisme. C'est un grand succès de librairie.*

R. A. — Je n'ai pas commencé par un succès. Quand j'ai fait mon cours à la Sorbonne, à l'amphithéâtre Descartes, j'avais entre trente et quarante auditeurs. J'avais dit aux étudiants qu'il n'était pas utile pour leur examen. J'ai eu des lecteurs ensuite. Mais c'était sept ans plus tard.

J.-L. M. — *Comment expliquez-vous le succès, puisque, finalement, c'est un succès ?*

R. A. — Oui. Le succès des *18 Leçons...*, en particulier, s'explique, comme toujours pour un livre de ce genre, par l'accord entre une demande du public et la nature d'un livre. Celui-ci était plutôt un livre de vulgarisation. Il reprenait la notion de société industrielle qui était classique dans la première moitié du XIXᵉ siècle, avant le triomphe du marxisme. Et le concept de société industrielle me donnait la possibilité d'esquisser une comparaison entre les sociétés capitalistes d'un côté, les sociétés dites socialistes de l'autre côté, en les rattachant à un concept qui était la société industrielle.

Or, à ce moment-là, un certain nombre d'intellectuels avaient plus ou moins rompu avec le marxisme orthodoxe à cause des discours de Khrouchtchev, à cause de la répression de la révolution hongroise. Ils ont trouvé dans ces trois petits livres une espèce d'interprétation partiellement marxiste mais pas du tout soviétique de la confrontation entre les deux types de sociétés industrielles qui existent des deux côtés de l'Europe.

J.-L. M. — *Il y a un autre thème important dans les 18 Leçons..., c'est le thème de la croissance économique.*

R. A. — Oui, mais le terme de croissance existait déjà dans la littérature. Je crois que le premier livre essentiel sur ce sujet est celui de Colin Clark : *le Progrès économique.* Il y avait aussi les livres de Fourastié. Mais le mien était peut-être différent parce que je mettais en relation la croissance calculée de manière purement mathématique avec les relations sociales, avec les types de croissance possibles. En ce sens on allait, si vous voulez, de Colin Clark et de Fourastié à une nouvelle version d'un marxisme non dogmatique.

J.-L. M. — *Vos 18 Leçons... sont, selon vous, un des premiers livres qui analyse les transformations structurelles des sociétés. Les dirigeants à l'époque avaient-ils conscience de ces transformations ?*

R. A. — Ils en avaient bien conscience, mais ils n'avaient pas considéré encore que la croissance de la production et de la productivité constituait le trait structurel, essentiel, des sociétés modernes. Quand ce fait a été reconnu, la représentation française d'une société équilibrée entre l'agriculture et l'industrie, qui était à la mode avant 1939, a disparu. Les Français ont compris alors qu'ils voulaient épouser leur siècle, comme a dit le général de Gaulle ensuite. J'ai aidé à cette prise de conscience en donnant une espèce de vision globale de la société dans laquelle nous vivons et dont nous ne pouvons pas sortir.

Elle ne s'est pas faite sans résistance. En 1956, quand il y a eu la crise de Suez et la pénurie du pétrole, un certain nombre des représentants de l'agriculture ont repris le thème : « Vous voyez, la société industrielle c'est très bien, mais s'il y a une pénurie de pétrole, le pays tout entier est en danger. » Il subsistait encore une nostalgie de l'équilibre, mais elle a disparu assez rapidement.

Depuis, en 73-74, il y a eu une remise en question de la théorie de la croissance. Mais, à l'époque, tout le monde a pris cette théorie de la croissance comme une espèce d'introduction à la compréhension des sociétés à la fois capitalistes et socialistes.

J.-L. M. — *En gros, vous étiez moderniste ?*

R. A. — Oui, bien entendu, comme je l'étais avant la guerre et comme, disons, tous les hommes de ma génération l'ont été après la guerre. Je l'ai dit déjà plusieurs fois : nous avions le souvenir de la décadence des années 30, de l'humiliation de 1940. Pour effacer ce passé il était nécessaire d'entrer dans la modernité. En ce sens *les 18 Leçons* ont été acceptées, à ma grande surprise, comme une espèce de livre standard que l'on donnait dans les lycées et aussi aux P.-D.G.

D. W. — *Mais en montrant que l'industrialisation, la croissance, se retrouvent aussi bien à l'Est qu'à l'Ouest, n'avez-vous pas donné à croire qu'il y avait une convergence entre le capitalisme et le socialisme ?*

R. A. — Oui, j'ai contribué à cette erreur d'interprétation. C'est une erreur, car je n'ai jamais pensé que les deux types de sociétés convergeaient vers une forme unique qui serait, comme disait, je crois, Duverger, un socialisme libéral. J'ai essayé d'analyser dans le deuxième livre, *la Lutte de classes*, la structure des groupes, des élites, des classes dans les deux types de société et j'ai démontré le mieux possible qu'il n'y avait pas de convergence vers une structure sociale qui aurait été la même des deux côtés.

En ce qui concerne la politique, j'ai montré encore avec une force accrue que le régime politique de l'Union soviétique n'avait aucune intention, ni même la possibilité, de se libéraliser pour rejoindre la démocratie pluraliste. L'Union soviétique ce n'est pas la Russie, c'est l'Union soviétique, c'est-à-dire le parti unique qui gouverne au nom d'une idéologie. Celle-ci combine une vision globale de l'histoire et un projet à accomplir. En fonction de cette situation, j'ai analysé aussi exactement que possible, vers la fin de mon troisième livre *Démocratie et totalitarisme*, les libéralisations qui sont concevables dans les régimes soviétiques et aussi leurs limites. Et les limites que je fixais étaient très étroites. J'ai été probablement plutôt trop optimiste sur les possibilités de transformation du régime soviétique. Mais, pour l'essentiel, ce que je disais reste vrai aujourd'hui.

J.-L. M. — *Donc, c'est sur le plan idéologique que les deux systèmes, comparables dans leur structure industrielle, divergent. Mais vous-même avez annoncé la fin des idéologies. N'est-ce pas contradictoire ?*

R. A. — L'expression « la fin des idéologies » vient, je crois, de Daniel Bell, aux Etats-Unis. Quant à moi, il est vrai que dans la conclusion de *l'Opium des intellectuels* j'avais indiqué en titre « Fin de l'âge idéologique ? »... Avec un point d'interrogation. Je pense que ce titre était dangereux. Le mot idéologie a de nombreux sens différents. Dans un certain sens du mot, il est absurde d'envisager la fin des idéologies. Mais je partais d'une définition de l'idéologie comme représentation globale de l'histoire universelle qui, simultanément, indique l'avenir et aussi ce qu'il faut faire. Or je cherchais à suggérer que le marxisme représentait l'idéologie par excellence, qu'il n'y avait pas d'idéologie de substitution et que si le marxisme perdait son autorité sur les esprits, bien entendu, il resterait des valeurs au nom desquelles on se battrait, il y aurait des transformations au nom d'un certain nombre d'idées, mais il n'y aurait pas un système aussi complet, aussi impératif que le marxisme-léninisme.

Aux Etats-Unis, un débat intellectuel s'est poursuivi pendant des années à ce sujet. Il a même fait l'objet d'un livre : *le Débat de la fin des idéologies*. Il n'est plus très actuel mais une question subsiste : y a-t-il une autre idéologie englobante comparable au marxisme, qui pourrait remplacer celui-ci ? Or, jusqu'à présent, il y a des gauchistes, il y a des écologistes, il y a un grand nombre d'esprits qui protestent contre tel ou tel aspect de la société existante, mais je ne pense pas qu'ils aient réussi à concevoir l'équivalent de ce qu'était le marxisme. En ce sens, il y avait une part de vérité dans la formule « fin de l'âge idéologique ». Depuis j'ai écrit au moins une demi-douzaine d'articles pour corriger mon point de vue. Mais je vous fais grâce de mes corrections...

D. W. — *Pensez-vous qu'il y a encore une lutte des classes dans les pays développés ?*

R. A. — Bien entendu. Nous en avons déjà parlé. Mais tout dépend du sens que vous donnez à l'expression « lutte des classes ». S'il s'agit de la rivalité des différents groupes sociaux pour la répartition du produit national et pour l'organisation de la politique ou de l'économie, de toute évidence il y a, encore aujourd'hui, une lutte des classes dans la plupart des pays occidentaux.

Mais la question se pose s'il s'agit d'une lutte inexpiable, conséquence d'une représentation totale par le prolétariat ou les partis d'opposition de la société telle qu'elle doit être. La bataille entre les classes n'est alors pas seulement l'objet d'une rivalité qui peut se résoudre par des compromis. Elle devient cette lutte inexpiable qui ne peut se liquider que par une victoire totale, c'est-à-dire révolutionnaire, du parti qui refuse la société existante.

Je dirai qu'il n'y a pas de lutte de classes dans le deuxième sens aux Etats-Unis, puisque aucun des syndicats, aucun des grands partis, n'est partisan d'une révolution fondamentale contre l'organisation américaine.

En France, on peut dire qu'il y a un élément de la lutte de classes traditionnelle dans la mesure où une fraction du prolétariat est, ou semble être, fidèle à un certain révolutionnarisme marxiste. Mais dans la plupart des pays occidentaux, s'il y a une lutte de classes dans le premier sens, quelquefois très âpre comme en Grande-Bretagne, les partis et les classes les plus hostiles au régime existant restent légalistes. En Grande-Bretagne, les syndicats, le parti travailliste, restent légalistes contre la politique de Mme Thatcher qu'ils détestent.

D. W. — *Malgré les points communs du point de vue de la structure de la société entre les pays socialistes et les pays capitalistes développés, vous pensez qu'il n'y a pas rapprochement sur le plan du fonctionnement politique. Vous jugez donc que le système politique est déterminant par rapport aux structures économiques ?*

R. A. — C'est en effet ce que je pense. Le régime soviétique se définit par le parti unique, c'est-à-dire le pouvoir total concentré dans le parti. Et encore, à l'intérieur du parti, c'est une minorité étroite qui, réellement, gouverne et dirige le pays.

J.-L. M. — *Alors la question de la propriété des moyens de production est une question secondaire ?*

R. A. — Ce n'est pas secondaire, mais on pourrait concevoir un régime économique où la propriété publique des instruments de production serait très répandue sans être totale et où il n'y aurait pas le parti messianique, le parti idéologique qui impose une discipline de parole et de pensée à l'ensemble de la population. Tel est l'essentiel : le rôle dominant du parti.

Prenez un exemple. Lorsque des syndicats dans un pays soviétique réclament le droit d'être l'expression des ouvriers eux-mêmes, le pouvoir répond, idéologiquement : c'est contraire au principe du rôle dominant du parti, c'est-à-dire que les syndicats ne doivent pas avoir un pouvoir autonome par rapport au parti. Or, tant qu'un régime soviétique ne renonce pas au monopole du parti, au rôle dominant du parti, et surtout ne renonce pas à ce qu'on appelle le langage de bois, lequel répète que le pouvoir du parti c'est le socialisme et la liberté, aussi longtemps que ces caractéristiques des régimes de l'Europe orientale sont permanentes, ce qu'il peut y avoir de libéralisation n'est pas méprisable mais très limité.

On peut dire que c'est une forme de libéralisation que les dirigeants de l'Union soviétique aient renoncé à professer une vérité idéologique de la génétique. Du temps de Staline, ils ont envoyé les généticiens dans les camps de concentration parce que la génétique, d'après eux, était en contradiction avec le marxisme. Ces sortes d'exagération ou de stupidité, aujourd'hui, ont dans une large mesure disparu. Les savants, surtout les savants qui sont utiles pour la puissance militaire, ont une relative liberté de pensée.

Cela dit, il faut qu'ils continuent dans les grandes circonstances à parler les mots, les mots officiels, le langage de bois, qui sont le fossé séparant l'Est et l'Ouest. Tant qu'il subsistera, il n'y aura pas de convergence des deux sortes de régimes.

J.-L. M. — *C'est pour cela que vous appelez le régime soviétique une idéocratie ?*

R. A. — Pendant la guerre, j'ai plutôt parlé de « religion séculière ». L'expression s'appliquait partiellement au moins, à l'hitlérisme. Elle s'appliquait également à l'Union soviétique. Elle concerne une idéologie qui est présentée comme une espèce de vérité religieuse, ou encore comme une vérité contre-religieuse, négatrice de la religion. Mais il s'agit toujours d'une vérité suprême dont les membres du parti sont les grands prêtres. Staline, de manière évidente, était le grand prêtre de la religion marxiste-léniniste et sa parole était impérative à travers tout le monde soviétique. Aujourd'hui, il y a une dislocation de cette impressionnante unité de la pensée ou de la parole soviétique, mais l'essentiel subsiste.

J.-L. M. — *Paradoxalement, le thème de la fin des idéologies s'accompagnait, dans les années 65, d'un renouveau du marxisme, cette fois dans sa version structuraliste. Comment pouvait-on expliquer le retour au marxisme alors qu'on était dans une société en croissance, qu'on s'éloignait d'une situation de paupérisation ou de révolution ?*

R. A. — Vous faites allusion au marxisme d'Althusser. Ce dernier était membre du parti communiste, il était philosophe, il était un excellent préparateur des Normaliens à l'agrégation. Etant membre du parti, réfléchissant sur le marxisme, il a cherché un certain nombre de thèmes qui renouvelleraient l'interprétation de la théorie. Tout le monde a dit qu'il y avait du structuralisme dans les livres de Althusser. Je ne suis pas sûr d'en avoir trouvé. Disons qu'il avait une certaine manière de lire *le Capital* qui était, jusqu'à un certain point, différente des lectures antérieures.

233

Il a voulu un jour s'informer sur l'économie, pour me répondre. Il est allé demander à un de ses camarades de lycée, qui était un banquier, ce qu'il fallait lire pour comprendre l'économie. Le banquier a répondu à son camarade Althusser : « Le mieux pour toi, c'est de lire les livres de Raymond Aron. » Bien entendu, Althusser a cherché d'autres lectures.

J.-L. M. — *Vous avez repris la polémique avec Althusser et les structuralistes, presque dix ans après celle qui vous a opposé aux existentialistes. Cela valait-il vraiment la peine de ferrailler comme ça encore ?*

R. A. — Je n'en suis pas sûr. Mais j'avais trouvé un titre : *D'une sainte famille à l'autre,* qui m'a un peu incité à écrire ce livre. Quand Lévi-Strauss l'a lu, il m'a remercié en disant : « Maintenant, j'ai compris que j'avais raison de ne pas lire Althusser. » La parenté entre le structuralisme de Lévi-Strauss et celui d'Althusser n'existait que dans les imaginations parisiennes. Soit, disons que j'ai perdu mon temps pendant quelques mois à écrire ce petit livre qui m'a amusé mais qui, probablement, était inutile.

J.-L. M. — *La croissance économique, le développement de la société de consommation ont-ils accentué le divorce entre la société française et ses intellectuels ?*

R. A. — Lesquels ? Ceux du *Nouvel Observateur ?* Ceux des *Temps modernes,* d'*Esprit ?* Si on inclut dans les intellectuels les élèves de l'E.N.A. ils sont plutôt indifférents à ces exercices des agrégés de philosophie parisiens. Ces mouvements que l'on appelle des mouvements intellectuels sont très limités. Ils s'expliquent par le rôle ancien des professeurs de philosophie dans les lycées il y a quelques années et par la nécessité pour ces enseignants de trouver de temps en temps une interprétation astucieuse qui permette de présenter une vision du monde plus ou moins favorable à l'Union soviétique dans une forme philosophiquement tolérable.

J.-L. M. — *Pour les élèves de l'E.N.A., on a inventé un mot différent pour les qualifier. Ce ne sont pas des intellectuels mais des technocrates...*

R. A. — On m'a raconté qu'un jour Sartre avait rencontré un élève de l'E.N.A. L'élève de l'E.N.A. lui avait dit que Raymond Aron avait une certaine influence sur les élèves de l'Ecole d'Administration. Sartre avait été stupéfait et indigné. Mais je pense que j'avais plus de chance d'avoir une influence sur les élèves de l'Ecole d'Administration que Sartre, — non pas sa littérature, mais sa politique difficilement utilisable par les grands fonctionnaires.

D. W. — *Vous suggérez que ces débats entre les intellectuels, ou entre « des » intellectuels pour vous faire plaisir, n'ont pas beaucoup d'importance. Pourtant, en ce qui concerne la gauche, il existe un lien assez direct entre les débats intellectuels et les débats politiques. Comme ce n'est pas votre famille d'esprit mais celle avec laquelle vous ferraillez, vous dites : « en définitive, ça n'avait pas beaucoup d'importance ». Mais si on reprend les problèmes politiques de l'époque qui se discutaient dans les journaux comme le Monde, l'Observateur, et même l'Express ou le Figaro on trouve, à l'origine, des débats entre des intellectuels.*

R. A. — Dites-moi dans quelles circonstances l'althussérisme a eu un impact sur les débats authentiquement politiques ?

D. W. — *C'est à partir de l'althussérisme que s'est constituée pour la première fois une gauche à la gauche du parti communiste. Les mouvements gauchistes constitués dans les années 65, sortis en mai 68, ont tout de même eu une certaine influence sur la société, au moins jusqu'en 1974. Dix ans de la vie politique française ont donc trouvé dans ce débat intellectuel des années 65 une origine.*

R. A. — Je ne trouve pas dans les écrits d'Althusser l'origine du gauchisme. C'est plutôt le contraire. Il y a davantage de gauchisme dans *la Critique de la raison dialectique* de Sartre. Ce qui est vrai, c'est que parmi les fidèles d'Althusser, un certain nombre sont devenus gauchistes, d'autres sont devenus maoïstes, d'autres sont restés dans le parti communiste. Je veux bien accepter qu'Althusser soit pour quelque chose dans les mouvements gauchistes, au-delà du parti communiste. Je ne crois pas que son influence ait été considérable. D'abord ses textes sont relativement difficiles pour ceux qui ne sont pas des agrégés de philosophie et, d'autre part, les conséquences qu'il tire de la lecture du *Capital* me restent obscures.

J.-L. M. — *Au cours de cette période, vous êtes allé souvent aux Etats-Unis, notamment pour y enseigner. Quelle importance revêt pour vous votre expérience des Etats-Unis ?*

R. A. — J'ai toujours eu le goût des pays étrangers. Et j'ai toujours eu le goût d'être chez moi, en dehors de la France aussi bien qu'en France. En 53 ou 54, j'ai enseigné en Allemagne, à Tübingen, où j'ai fait une sorte de résumé de ce qui est devenu *les 18 Leçons,* en allemand, devant un public d'étudiants. C'était une expérience très enrichissante. J'ai pu comparer les étudiants allemands que j'avais connus dans les années 30 avec les étudiants sortis de la guerre.

En ce qui concerne les Etats-Unis, ceux-ci avaient presque le monopole des études de relations internationales. Il n'y avait pas de département des relations internationales en France, il n'y en avait pas beaucoup en Grande-Bretagne, presque pas en Allemagne. Donc, il était assez normal, pour moi, d'aller voir. De plus, j'avais des amitiés avec un grand nombre de professeurs de l'Université d'Harvard. Le doyen aurait bien voulu que je devienne professeur à Harvard, ce que, évidemment, je ne voulais pas. Mais j'y ai passé un semestre en tant que professeur de recherche.

J.-L. M. — *Mais au-delà des amitiés, ce qui vous attirait là-bas n'était-ce pas aussi votre accord politique et culturel avec les Etats-Unis ?*

R. A. — Ce n'est pas ça. Ce qui me paraît essentiel, c'est que je ne suis pas et que je n'ai jamais été anti-américain. C'est une singularité d'un grand nombre de Français d'être très facilement hostiles aux Américains en tant que tels, à leur culture, à l'organisation américaine. La société dite mercantile par excellence, celle des Etats-Unis, est l'objet souvent d'une polémique passionnée. Je ne connais pas bien les Etats-Unis mais je connais les universités américaines. Jusqu'à présent, ce sont les meilleures universités du monde. Si vous allez à l'Université de Berkeley où j'ai été, ou à Harvard, vous rencontrerez un nombre substantiel de savants qui ont reçu un prix Nobel. Donc, quel que soit son accord ou désaccord sur les problèmes politiques, ce que l'on rencontre dans les universités américaines, c'est un milieu enrichissant.

D. W. — *Oui, mais en outre, vous êtes d'accord avec le régime politique des Etats-Unis. Vous aviez, à l'époque, l'image d'un pro-américain, ce qu'on appelle un atlantiste. C'est bien ça ?*

R. A. — Oui, mais cela n'est pas injurieux, à ma connaissance. Je ne vois pas pourquoi les Français seraient hostiles aux Etats-Unis qui leur ont assuré la victoire en 1918, qui ont, en 44-45, contribué à leur libération, et à la reconstruction de la France après la guerre, à moins d'en vouloir à ceux qui leur ont rendu service. A la rigueur, on peut reprocher aux Etats-Unis d'avoir été hostiles à l'empire français. Mais maintenant les Français regrettent de ne pas l'avoir abandonné plus tôt. On est tenté de dire rétrospectivement que leurs conseils étaient meilleurs que nos convictions.

J.-L. M. — *Ce que craignent beaucoup de Français dans l'influence des Etats-Unis, c'est la disparition de la culture française, un affaiblissement du rôle de la langue française.*

R. A. — Je ne suis pas aussi pessimiste. Je ne pense pas que la puissance de la culture américaine soit telle que la culture française soit en danger. Il est incontestable qu'au XXe siècle un certain nombre des institutions les plus typiques de notre société viennent des Etats-Unis. Le fait est malheureusement que la langue universelle est devenue l'anglais. Qu'on soit content ou non, c'est un fait incontestable dans la plupart des congrès scientifiques. Cela dit, il faut défendre le plus possible la langue française mais je trouve que c'est médiocre d'en vouloir aux Etats-Unis d'avoir été, pendant une courte période, la puissance dominante du monde. Après tout, ça n'a pas duré longtemps et déjà on commence à s'interroger sur le déclin des

Etats-Unis. Cela devrait atténuer les mauvais sentiments des Français.

J.-L. M. — *Mais l'impérialisme économique, les sociétés multinationales, c'est un danger réel, non ?*

R. A. — En quoi, sinon par définition, les sociétés multinationales sont-elles impérialistes ?

J.-L. M. — *On a l'impression que vous faites deux poids, deux mesures. Tout le mal est du côté des Soviétiques. Les Américains ont droit à l'indulgence.*

R. A. — C'est absurde. Je n'ai jamais dit qu'aucune société soit parfaite. Pour les sociétés multinationales, prenons un exemple, la société I.B.M.. Elle a eu presque un monopole des ordinateurs. Elle a encore une position énorme. Il y a une filiale de l'I.B.M. en France. Puisque vous avez étudié ces questions, considérez-vous que l'existence d'une filiale d'I.B.M. en France soit contraire aux intérêts nationaux de la France ?

J.-L. M. — *En tout cas, le général de Gaulle l'a pensé puisqu'il a, de façon très volontariste, créé une société française d'informatique.*

R. A. — Votre réponse est un sophisme. Il n'a pas dit que la filiale de I.B.M. était contraire à l'intérêt de la France. Il a jugé souhaitable d'avoir aussi une grande société française d'ordinateurs. Et nous en avons une maintenant. Mais il était préférable alors d'avoir I.B.M. que de ne rien avoir du tout.

J.-L. M. — *En somme, la politique d'indépendance vous semble un peu ridicule ?*

R. A. — Ça dépend comment on définit la politique d'indépendance. Lorsqu'on est dans une économie d'échanges libres, personne n'est économiquement indépendant. Par exemple, nous, nous dépendons aujourd'hui des producteurs de pétrole beaucoup plus que des Etats-Unis. Ce que peut être l'indépendance, aujourd'hui, c'est de ne pas dépendre d'une seule puissance, c'est d'avoir une pluralité de dépendances. C'est aussi avoir de son côté un certain nombre de moyens pour que d'autres dépendent de nous. Dans la société économique d'aujourd'hui, qui est une société internationale d'échanges libres, présenter les sociétés multinationales comme un instrument de guerre économique me paraît une analyse très sommaire.

Les multinationales sont devenues une espèce de monstre. Quand on dit les multinationales, comme vous l'avez fait, on suggère qu'il n'est pas décent de ne pas leur être hostile. Moi je pense qu'il convient dans chaque cas d'étudier aussi tranquillement que possible les avantages et les inconvénients, ce que l'on paie par les multinationales et ce que l'on tire des filiales.

Quant à la société américaine dans son ensemble, je n'ai aucune intention de dire qu'elle est parfaite. C'est absurde. D'abord, elle n'a pas de structures comparables à celles de l'Union soviétique ; elle a une population extraordinairement hétérogène, avec le meilleur et le pire un peu partout, selon ce que l'on veut y voir...

J.-L. M. — *En gros, la seule multinationale qui vous fasse peur, c'est la IIIe Internationale ?*

R. A. — Non, c'est l'armée soviétique. La multinationale des partis soviétiques ne m'inquiète pas. Ce qui m'intéresse, c'est que nous avons de l'autre côté de l'Europe une puissance qui, économiquement, dans l'ensemble est un échec, une faillite, mais qui, par ailleurs, a une puissance militaire considérable. I.B.M. a une grande puissance, mais ce n'est pas la même sorte de puissance.

Si la Russie était encore la Russie, alors qu'aujourd'hui elle est l'Union soviétique, si la Russie tsariste était installée, par l'intermédiaire de ses troupes, à deux cents kilomètres du Rhin, tout le monde penserait que le véritable danger, et le seul, c'est la supériorité de puissance de l'empire russe.

Alors, comme en plus cet empire russe est un empire soviétique ou idéologique, il y a, me semble-t-il, toutes les raisons de prendre au sérieux, disons, la menace orientale, et de faire la distinction entre les multinationales occidentales et les missiles soviétiques.

D. W. — *On dit toujours : Raymond Aron, le libéral. En quoi se caractérise votre libéralisme ?*

R. A. — D'abord, je pense que dans les sociétés modernes, ce qu'il faut craindre par-dessus tout, c'est le système du parti unique, du totalitarisme. Aujourd'hui, il y a à ce sujet une large mesure d'accord entre la gauche modérée et un « libéral » comme moi. Touraine, par exemple, reconnaît volontiers avec moi que la menace essentielle pour nos sociétés serait précisément le totalitarisme qui est l'expression non pas de la nationalisation des moyens de production mais de l'idéologie conquérante, en l'espèce le marxisme-léninisme.

Si je me définis par le refus du parti unique, j'arrive de manière naturelle à la notion de pluralisme, et de la notion de pluralisme à une certaine représentation du libéralisme. Il n'est pas fondé chez moi, à la différence du libéralisme du xixᵉ siècle, sur des principes abstraits. C'est par l'analyse des sociétés modernes que j'essaie de justifier le libéralisme politique et intellectuel. Montesquieu a déjà justifié le libéralisme par l'analyse sociologique, Alexis de Tocqueville lui aussi et Max Weber aussi. Dans la mesure où je me réclame des trois, à partir de l'étude des sociétés économiques modernes, je vois quels sont les dangers qui résultent de la concentration de tous les pouvoirs dans un parti unique. Je cherche alors les conditions économiques et sociales qui donnent une chance à la survie du pluralisme, c'est-à-dire du libéralisme à la fois politique et intellectuel.

D. W. — *Vous pourriez aussi être socialiste. Pourquoi ne l'êtes-vous pas ? Le socialisme, la social-démocratie en particulier, défend le pluralisme.*

R. A. — La raison pour laquelle je ne le suis pas, c'est que je ne pense pas que la plupart des socialistes, en France en particulier, soient aussi résolument libéraux qu'ils devraient l'être. Pour des raisons économiques que je n'ai pas le temps de développer, je pense qu'aujourd'hui, il est essentiel de maintenir les mécanismes du marché, alors que nombre des socialistes français continuent d'être hostiles aux mécanismes du marché.

Ils sont obsédés par les sociétés multinationales. Malgré tout, leur manière de penser n'est pas radicalement étrangère à la mienne.

c) De Gaulle, Israël, et les Juifs

J.-L. M. — *En 1967, au moment de la guerre des Six jours, de Gaulle, au cours d'une conférence de presse qui est demeurée fameuse, a parlé du « peuple juif sûr de lui et dominateur. » Vous...*

R. A. — « Peuple d'élite »...

J.-L. M. — *Vous avez réagi par un livre...*

R. A. — Oh ! un article, un article un peu long...

J.-L. M. — *C'est quand même un livre, dont le titre est* De Gaulle, Israël et les Juifs. *C'est votre premier livre sur le judaïsme. Vous n'écrivez pas en 33, au moment de Hitler et des premières formes d'antisémitisme nazi. Vous n'écrivez pas davantage en 45 à la Libération, après l'holocauste. En 48, sur Israël et le sionisme, le silence. Et voilà maintenant une conférence de presse du chef de l'Etat qui vous fait démarrer sur le judaïsme ?*

R. A. — Vous êtes toujours surpris que j'aie choisi pour parler un moment qui, d'après vous, n'était pas le bon. Alors, vous êtes en train, avec une certaine astuce, de reconstruire une biographie de votre goût, meilleure selon vous que la biographie réelle. Je pense qu'il faut respecter la personnalité de ceux avec lesquels on discute.

Je vous ai dit mes réactions à la découverte de l'antisémitisme en Allemagne hitlérienne, les raisons pour lesquelles je n'avais rien de particulier à dire sur le sujet. En 45, je n'avais pas davantage quelque chose de précis à dire. J'ai écrit par accident dans des revues qui m'ont demandé des articles sur les Juifs.

Et puis il y a eu cette conférence de presse du général de Gaulle qui m'a heurté. Elle m'a blessé parce que la notion de « peuple d'élite, sûr de soi et dominateur », pour ceux qui se souviennent de l'antisémitisme, avait une origine facile à reconnaître. Dominateur, c'était l'expression qu'utilisait pendant la guerre Xavier Vallat pour qualifier le peuple juif. Et je jugeai qu'en 67, vingt-deux ans après la guerre, présenter ainsi le peuple juif, à la fois les Israéliens et les Juifs de France, c'était ranimer le débat sur les Juifs, voire l'antisémitisme. De Gaulle n'était pas antisémite, j'en suis convaincu.

D. W. — *Vous en êtes sûr ?*

R. A. — En toute honnêteté, je ne le crois pas. Il a été, lui, heurté par la réaction des Juifs français en 1967, c'est-à-dire par leur enthousiasme pour la victoire des Israéliens. Il avait conseillé aux Israéliens de ne pas faire la guerre. Il s'est dit alors : « Ces Juifs français sont des Juifs, ce ne sont pas des Français comme les autres. » Telle fut, je pense, l'origine de cette conférence de presse. Mais lui-même a été si convaincu qu'elle était dangereuse que, quelques semaines plus tard, il s'est tourné vers le grand rabbin pour écarter certaines interprétations de ses propos.

D. W. — *Tout de même, votre livre est plus qu'une simple réaction. C'est un acte. C'est votre seul livre sur la question du judaïsme.*

R. A. — Oui. La raison c'est que personne, parmi les grandes consciences françaises, juives et non juives, n'avait réagi à la conférence de presse du général de Gaulle. Je sais bien que l'interprétation a été très différente selon les personnes. Le R.P. Riquet, par exemple, qui est certainement tout sauf antisémite, était convaincu que les propos du Général ne suggéraient pas du tout l'antisémitisme. Mais un bon nombre de Juifs se sont dit : « ça recommence. » Comme je l'ai dit au R.P. Riquet : c'était de nouveau le temps du soupçon. Quand il y a une situation où les Juifs sont mis en cause, on pose la question : « Est-ce que les Français juifs se conduisent en Français ou en Juifs ? » Le fait est que la condition des Juifs est ambiguë, paradoxale. Je vous l'ai déjà indiqué. Il faut que chacun des Juifs décide lui-même de son destin.

J.-L. M. — *Mais en 67, avec la guerre des Six jours, vous avez ressenti une solidarité avec Israël.*

R. A. — Le fait est que j'ai écrit alors un article pathétique, qui doit vous plaire, je le suppose, puisque vous me reprochez de ne pas m'indigner dans mes articles, d'être toujours glacé. Pour une fois c'était un article passionné. Pendant un moment, de manière erronée, d'ailleurs, j'ai eu peur qu'Israël fût en danger. Mais Israël n'était pas réellement en danger. Sa supériorité militaire était incontestable. Ce que j'avais écrit auparavant devait m'épargner cette émotion.

D. W. — *Vous regrettez cet article ?*

R. A. — Non, non. Un article comme « Adieu au gaullisme », que vous m'avez reproché, je le regrette parce qu'il était excessif, injuste. Mais lorsqu'il s'agit d'un texte qui est, pour ainsi dire, l'explosion d'un sentiment, je suis obligé de le respecter même si, en réfléchissant, je me dis : « Pourquoi ai-je été ému à ce point ? »

D. W. — *Votre excitation, votre passion, était tout de même très relative. Vous avez écrit dans votre livre : « J'ai plus de points communs avec un antisémite français qu'avec un Juif du Sud marocain. » Alors, pour une passion, c'est vraiment une demi-passion !*

R. A. — Selon votre habitude de polémiste, vous sortez une phrase du contexte. Quand j'écris un article de passion, il y a toujours une analyse. Cette phrase qui pourrait choquer, qui est strictement vraie, je puis la justifier par les références suivantes. Vous connaissez Drumont, *la France juive ?*

D. W. — *Sinistre personnage.*

R. A. — Bon. Vous savez qui a été le disciple de Drumont ? Bernanos, qui a écrit un livre à la gloire de Drumont. Alors, si je vous dis qu'il y a plus de points communs entre Bernanos, même lorsqu'il était antisémite, et moi, qu'entre moi et un Juif du Sud du Maroc, est-ce que c'est faux, paradoxal ?

On peut épiloguer indéfiniment sur cette phrase. Mais elle signifie tout simplement ceci : un Français, iuif d'origine, qui n'est pas religieux, qui ne croit pas à Dieu et qui, par réflexion ou par affection, décide d'une certaine solidarité avec l'ensemble des Juifs, peut en même temps dire : « Le fait est que j'ai plus de traits communs, davantage d'idées et d'expériences communes avec, disons, un Bernanos ou un antisémite convenable — il y en a qui ne sont pas convenables — qu'avec un Marocain du Sud avec lequel je n'ai en commun ni la langue, ni l'expérience, ni la croyance. »

Mon livre ou mon long article a été commenté, en particulier par mon ami le père Fessart. Celui-ci avait laissé dans ses papiers un ouvrage qui est paru récemment, après sa mort : *la Philosophie historique de Raymond Aron*. Gaston Fessart m'interprète de manière telle qu'il me fait essentiellement sémite. C'était son droit. J'ajoute qu'en dépit de mon amitié pour lui qui était grande, je ne suis pas convaincu par son interprétation.

TROISIÈME PARTIE

Liberté et raison

I

LA GAUCHE, IMMUABLE ET CHANGEANTE

a) Mai 1968

J.-L. MISSIKA. — *Vous avez quitté la Sorbonne en janvier 68. Vous sentiez venir l'orage ?*

RAYMOND ARON. — En réalité, j'étais un peu dégoûté de ce qu'était devenue la Sorbonne. J'ai quitté une première fois la Sorbonne en 1928, après avoir passé l'agrégation. J'y suis revenu en 1955. Fondamentalement, à peu de chose près, c'était la même. Mais, entre 55 et 65, ce n'était plus la même. C'était le même cadre mais tout avait changé : le nombre des étudiants était énorme. J'avais le sentiment que je ne pouvais plus faire d'enseignement tel que je le concevais, c'est-à-dire des cours qui pouvaient devenir des livres, qui étaient une manière de travailler les problèmes que je considérais comme d'intérêt pour moi-même et pour les étudiants.

Donc j'ai décidé de passer de la Sorbonne à la VIe section de l'Ecole pratique des Hautes Etudes. Il y avait aussi la perspective, un an ou deux plus tard, du Collège de France. Je suis donc revenu à la VIe section, avant d'être élu en 69 au Collège de France, où j'ai fait ma dernière période d'enseignement de 1970 jusqu'en 78.

D. WOLTON. — *Vous avez aimé votre passage à l'Ecole pratique des Hautes Etudes ?*

R. A. — Oui, mais j'ai préféré le Collège de France parce qu'il me faisait travailler encore plus. L'enseignement a toujours été pour moi une manière de me défendre du journalisme, de m'obliger à travailler sérieusement. Alors, pour ça, le Collège de France était excellent. L'Ecole pratique, c'était moins convaincant.

J.-L. M. — *Vous n'avez eu aucun regret en quittant la Sorbonne ?*

R. A. — Aucun. Au contraire. Je trouvais qu'il fallait changer l'essentiel et je ne pouvais rien obtenir. Dans les réunions de professeurs, mes remarques, mes idées, n'avaient aucun succès, aucune chance. D'abord, il y avait trop de professeurs. Non, c'était devenu impossible.

J'avais écrit dans *le Figaro*, quelques années avant 68, un article dont le titre était : « La grande misère de la Sorbonne. » Au début de l'année 67-68, il y avait eu une réforme des études qui avait commis un certain nombre d'erreurs cardinales. Les étudiants qui avaient commencé dans l'ancien régime risquaient de perdre une année en entrant dans le nouveau système. En France, on ne peut pas faire ça. Ce fut une des petites causes qui ont été à l'origine de l'explosion.

D. W. — *En mai 68, vous êtes apparu comme le porte-parole de la majorité silencieuse. Qu'est-ce que vous avez fait — encore — pour vous retrouver dans cette situation ?*

R. A. — Eh bien, j'ai écrit des articles dans *le Figaro* vers la fin du mois de mai ou au début du mois de juin. Et puis j'ai écrit, ou plutôt j'ai parlé, en dialogue avec Alain Duhamel, un petit livre : *la Révolution introuvable*. Du coup, j'ai eu la réputation d'être le plus résolu dans l'opposition aux événements de mai 68.

J.-L. M. — *Vous étiez un conservateur ?*

R. A. — Pour vous faire plaisir... En fait, sur les questions universitaires, j'avais toujours été plutôt un révolutionnaire. J'étais très hostile à l'organisation de l'Université telle qu'elle était. Mais je n'étais pas partisan de détruire cette Université à la manière dont vos camarades (puisque vous étiez étudiants à ce moment-là) avaient le désir de le faire.

J.-L. M. — *Justement, vous avez écrit en 1960, huit ans avant 68 : « Je ne propose pas de supprimer l'agrégation. Une telle révolution n'est pas concevable pour notre pays réputé pour son goût de l'idéologie révolutionnaire. Je n'insiste même pas sur la fusion capès-agrégation. Je me borne à souhaiter qu'en fait les professeurs cessent d'attribuer à un concours scolaire et anachronique une importance qu'il n'a pas. » Mais les étudiants disaient la même chose !*

R. A. — Je ne pense pas qu'ils disaient la même chose, en tout cas, ils ne le disaient pas dans le même esprit.

D. W. — *Oh !*

R. A. — Bien. Après ces articles du *Figaro,* j'ai reçu une correspondance considérable, des lettres d'agrégés qui m'injuriaient. Ne sachant pas que j'étais agrégé moi-même, ils étaient parfois convaincus que j'avais écrit par ressentiment à cause de mes échecs. Cela dit, l'agrégation n'était qu'une question parmi toutes celles qui étaient discutées en mai 68. En mai 68, il y a eu quoi ? Une semaine de bagarres d'étudiants. Puis deux semaines de grèves qui se sont élargies progressivement presque à l'ensemble de la France et qui ont paralysé la vie économique du pays. Il y a eu une semaine de crise politique, où on a presque cru que le régime pouvait s'effondrer sous les coups de Cohn-Bendit. Ce jour-là, dans la dernière semaine, j'ai été gaulliste.

D. W. — *Ah ! Enfin !*

R. A. — Et quand j'ai entendu le petit discours du général de Gaulle à la radio, c'était, je crois, le 30 mai, j'ai été convaincu que l'affaire était finie. J'écoutais chez moi avec des amis et j'ai crié : « Vive de Gaulle ! »

D. W. — *Pour une fois !*

R. A. — Je trouvais tout à fait indigne que des bandes de gamins renversent le gouvernement, le régime et la France politique.

D. W. — *Mais de quoi aviez-vous peur ?*

R. A. — Je n'avais peur de rien du tout. Simplement je trouvais que ces étudiants étaient en train de détruire l'Université ancienne sans en construire une autre. En même temps, ils essayaient de mettre la pagaille dans l'économie française qui, tout de même, était reconstruite depuis une génération. On retrouvait dans les événements de mai 68, disons, des souvenirs des journées révolutionnaires du XIXe siècle. Une fois de plus, on avait le sentiment que les Français étaient incapables de faire des réformes et capables de temps en temps de faire une révolution.

Avant les événements de mai 68, Pompidou disait : « Ce dont je suis le plus fier, c'est de ce que j'ai fait pour l'Université. » Il avait, en effet, augmenté le nombre des étudiants et des enseignants plus qu'aucun Premier ministre. Mais ce n'était pas une réforme. Simplement, il avait fait entrer dans les vieux cadres un nombre énorme d'étudiants et d'enseignants.

Il y avait aussi, dans le monde entier, un mouvement de révolte d'une partie de la jeunesse contre la société établie, révolte qui a pris la forme d'une révolution estudiantine. Comme la France n'avait pas des universités mais une Université, la même Université pour l'ensemble de la France, au lieu d'avoir comme aux Etats-Unis des révoltes successives dans les différentes universités, on a eu presque en même temps, d'un coup, la révolte dans toutes les Universités.

Et puis, il y a eu un phénomène plus mystérieux, c'est-à-dire les grèves généralisées.

D. W. — *Qu'est-ce qui vous a le plus choqué ? La révolte des étudiants ? L'attitude des professeurs ? Les grèves et la crise sociale ? Ou bien le déséquilibre et la déliquescence de l'Etat ?*

R. A. — La déliquescence de l'Etat m'a impressionné, exagérément peut-être. L'idée qu'un Etat qui se présentait sous une forme décente, respectable, donnait le sentiment de s'effondrer sous des coups aussi faibles, c'était un peu décourageant. La France était tellement centralisée et, dans le régime gaulliste, tout était tellement concentré dans la personne du général de Gaulle que, si pour des raisons accidentelles, l'autorité du Général était atteinte, c'était comme si l'ensemble était mis en question. Il était ridicule que les bagarres d'étudiants dans la première semaine fussent traitées par de Gaulle au Conseil des ministres.

D. W. — *Mais qui étaient les responsables de cette situation ? Les institutions ou les hommes ? Il faut bien des responsables. Prenons le ministre de l'Education nationale. Qui était-ce ?*

R. A. — Vous le savez puisque vous étiez étudiant à l'époque. C'était Alain Peyrefitte. Mais les responsabilités étaient tellement diffuses qu'il est tout à fait impossible de déterminer s'il était plus ou moins responsable que les autres ministres.

D. W. — *Comment un historien comme vous peut-il dire sur un événement comme celui-ci qu'il n'y a pas de responsabilités particulières, qu'il n'y a que des responsabilités diffuses ?*

R. A. — Vous croyez que les historiens trouvent avec certitude les causes. De Gaulle a dit plusieurs fois à ce sujet quelque chose qui était à la fois décevant et profond. Il a dit : « C'était insaisissable. » D'une certaine manière c'était en effet insaisissable, car avant ces événements la France était en apparence normale. Il y avait eu un article, devenu fameux après coup, de Viansson-Ponté, dans *le Monde* : «La France s'ennuie ». Mais en dehors de cette indication, il n'y avait aucun signe d'un mécontentement profond dans le pays. Waldeck-Rochet devait publier un livre sur le parti communiste après les vacances et il avait dit : « Ce n'est pas nécessaire de publier ce livre avant l'été, il ne se passera rien d'ici là. » Le parti communiste a été tout aussi surpris que les autres.

D. W. — *Que les hommes politiques n'aient pas vu venir les événements, après tout ce n'est pas la première fois dans l'histoire mais vous, observateur de la réalité, historien ou sociologue, comment n'avez-vous pas vu venir...*

R. A. — Ecoutez, je ne suis pas un voyant, on attendait des troubles dans les Universités, mais on ne pouvait pas prévoir qu'il y aurait neuf ou dix millions de grévistes à la suite des manifestations d'étudiants. Les ouvriers, et en tout cas la C.G.T., n'avaient aucune sympathie pour les mouvements d'étudiants, surtout pas pour Cohn-Bendit. Il y a eu des grèves sauvages organisées non pas par la C.G.T. mais par les gauchistes. Et le parti communiste, pour retrouver le contrôle des masses, a mis pour ainsi dire tout le monde en grève. Il était difficile de savoir à l'avance que les gauchistes avaient la capacité de troubler le jeu normal du parti communiste avec le gouvernement gaulliste.

Il y a eu pendant toute cette période des entrevues secrètes entre le parti communiste et le pouvoir. Ça n'a jamais été, je crois, une situation réellement révolutionnaire, sauf dans la dernière semaine où, après les accords de Grenelle, il y a eu un refus par la base d'accepter ce qu'on offrait aux grévistes. Alors pendant cette semaine, on observait des phénomènes très comparables à ceux de 1848 : il n'y avait plus personne dans les ministères, les fonctionnaires disparaissaient. Au ministère de l'Education nationale, la solitude guettait le secrétaire général, Paul Laurent. Les autres attendaient les nouveaux maîtres. Comme si montait une vague révolutionnaire ! comme si le régime français était demeuré aussi instable, aussi précaire, aussi fragile que dans le passé. C'est cela qui m'a impressionné le plus.

J.-L. M. — *C'est ce qui vous a décidé de passer à l'action ?*

R. A. — Non, non. C'était le carnaval qui, à la longue, m'énervait un peu.

D. W. — *Attendez, je ne comprends pas : il y a la crise des institutions ou il y a le carnaval ? Ce n'est pas la même chose.*

R. A. — Il y a les deux. Pour le carnaval des étudiants, il fallait tout de même essayer de mettre fin à ce genre d'exercice qui n'était pas authentique. En France, les relations entre les professeurs et les étudiants n'étaient ni très intimes, ni très bonnes en général. Les professeurs avaient trop d'étudiants, trop de thèses. Ils ne pouvaient pas voir les étudiants comme le font les professeurs américains. Et tout d'un coup, dans un certain nombre d'universités, étudiants et professeurs ont fraternisé, se sont tutoyés, se sont appelés par leur prénom. C'était tout à fait ridicule parce que ce n'étaient pas des relations réelles. Je croyais avoir avec les étudiants des relations authentiques, telles qu'elles sont...

D. W. — *Vous ?*

R. A. — Oui, moi. Et je n'avais aucune envie de jouer au carnaval.

Et puis il y a eu le marathon des palabres ! Pendant quinze jours les Français se sont rattrapés de leur silence ordinaire. Ils ont parlé, parlé, parlé...

J.-L. M. — *C'est la « prise de parole ». Il n'y a pas de mal à ça.*

R. A. — Oui. La prise de parole. Vous avez conservé un bon souvenir de votre prise de parole ?

J.-L. M. — *Un excellent souvenir.*

R. A. — Qu'est-ce que vous en avez tiré ? La conviction que vous saviez parler ? Bon. C'est excellent !

D. W. — *Alors, vous condamnez tout ce qui s'est passé ? Vous n'étiez d'accord ni avec l'affaiblissement de l'Etat ni avec le carnaval étudiant. Mais cette fois, vous n'analysez pas les causes. Vous vous contentez de dire : « Elles sont diffuses. » En somme vous avez la dent dure sur les événements et de la mansuétude sur l'analyse des causes. Pourtant il y avait quand même un Etat, des institutions, un gouvernement, des partis politiques...*

R. A. — Mais non, je ne condamne pas, et j'analyse, tout de même. Enfin, dans mon livre je l'ai fait. Faut-il me répéter ? Le peuple français est un peuple très surprenant. J'ai eu, vers la fin, un jour avant le discours du général de Gaulle à la radio, une longue conversation de trois quarts d'heure avec Kojève. Quand il y avait des troubles français, Kojève me donnait toujours un coup de téléphone. Il m'a dit : « Ce n'est pas une révolution, ça ne peut pas être une révolution. On ne tue personne. Pour qu'il y ait une révolution, il faut qu'on tue. Or, ici, ce sont des étudiants qui sont dans la rue. Ils appellent les policiers SS, mais ces SS ne tuent personne, ce n'est pas sérieux, ce n'est pas une révolution. » A la fin de cette conversation, nous avons décidé de nous retrouver dans les premiers jours du mois de juin. Il partait pour Bruxelles où il devait faire un discours le 2 juin. Il est mort subitement au milieu de son discours. Notre conversation téléphonique a été la dernière, et je n'ai pas pu discuter avec lui de la signification des événements de mai 68.

D. W. — *Vous dites : « J'ai craint l'effondrement des institutions. » En même temps vous parlez d'un psychodrame ou du carnaval étudiant.*

R. A. — Oui, c'est bien ça. Psychodrame, je l'ai dit. A Radio Luxembourg, le 1ᵉʳ juin, j'ai provoqué des réactions vives, presque indignées des syndicalistes.

D. W. — *Oui, mais alors, de deux choses l'une, comme dirait Raymond Aron : ou bien c'était l'effondrement des institutions, ou bien c'était un psychodrame.*

R. A. — Comme toujours quand on dit : « Ou bien... ou bien », il y a une troisième possibilité : ça peut commencer comme le carnaval, ça peut commencer par des bagarres d'étudiants et, de proche en proche, à travers des grèves indéfinies, ça peut devenir une crise politique. Le fait est qu'à partir d'un psychodrame, il y a eu pendant quarante-huit heures le sentiment d'une crise politique ou, au moins, la possibilité d'une crise politique.

Aujourd'hui, après coup, je dis : j'ai été un peu fou, moi aussi, comme les autres, mais seulement pendant quarante-huit heures. Pendant quarante-huit heures je me suis posé la question : et si ça allait devenir sérieux ? N'oubliez pas : le jour où de Gaulle est parti, sans dire à Pompidou où il allait, Pompidou a reçu, je crois, six députés, parmi lesquels les uns demandaient la démission du général de Gaulle et les autres celle de Pompidou.

Et dans ce mois de mai 68, il y a eu les séances à l'Assemblée nationale où le gouvernement a été pris à partie. Il y a eu une conférence de presse de Giscard d'Estaing qui n'a pas été très aimable pour Pompidou. Et Pisani, qui devait parler pour les gaullistes, a fait un discours contre le gouvernement. Il y avait tout de même une espèce de bouleversement politique très typique des habitudes des Français.

J'ai relu Flaubert à cette occasion et j'ai trouvé des détails dans l'*Education sentimentale* qui rappellent de très près ce qu'on disait dans les palabres de mai 68. Par exemple, Frédéric se rend à une réunion pendant la révolution de 1848. Un type déclare : « Camarade, il faut supprimer les diplômes ! — Non, répond l'autre, non, camarade, il ne faut pas supprimer les diplômes, c'est le peuple qui doit décerner les diplômes. » Le niveau intellectuel des discussions, parmi les étudiants, n'était pas toujours très différent en 1968.

J.-L. M. — *Mais vous, là, vous avez agi. Vous avez lancé au début de juin un appel pour créer un « Comité d'action contre la conjuration de la lâcheté et du terrorisme » !*

R. A. — Oui, pour donner un peu de confiance et de courage à ces braves professeurs qui étaient tout de même très abattus. J'ai reçu trois mille, quatre mille lettres. Pendant quelques semaines, j'ai eu la visite des professeurs qui sortaient de leur lycée encore effarés par tout ce qui s'était passé. Et on s'est efforcé de les rassurer, de leur dire que ce n'était pas si terrible. Mais cela dit, au bout de quelques semaines, je n'ai pas poursuivi cette entreprise.

D. W. — *Mais pourquoi aviez-vous décidé d'agir, là ? C'est quand même assez étonnant !*

R. A. — Comme d'habitude, quand je fais quelque chose, vous me dites : « Pourquoi l'avez-vous fait ? » Je n'en sais rien ! A ce moment-là, j'avais le sentiment qu'il était nécessaire de faire quelque chose. Je l'ai fait. Bon, dans mon appartement, il y avait des amis. On discutait le coup, Leroy-Ladurie est venu quelquefois, Alain Besançon. Nous nous disions que nous étions des résistants. Il y avait aussi Papaioannou, Baechler, et d'autres.

J.-L. M. — *Et avec Jean-Paul Sartre ? De nouveau la polémique ?*

R. A. — Une polémique unilatérale. Il a d'abord écrit un article épouvantable contre le général de Gaulle où il disait : « Le roi est nu. » Et puis (c'était très flatteur pour moi), il m'a mis presque au même niveau : j'étais moi aussi un affreux comme de Gaulle.

D. W. — *J'ai retrouvé l'interview dans le* Nouvel Observateur *du 19 juin 68. Il dit trois phrases très précises. Première phrase :* « *Je mets ma main à couper que Raymond Aron ne s'est jamais contesté. Et c'est pour cela qu'il est, à mes yeux, indigne d'être professeur.* »

R. A. — Ah, ah ! oui.

D. W. — *Seconde phrase à propos effectivement du général de Gaulle à nu :* « *Il faut, maintenant que la France entière a vu de Gaulle tout nu, que les étudiants, tous, puissent regarder Raymond Aron tout nu !* »

R. A. — Ah, ah ! en effet !

D. W. — « *On ne lui rendra ses vêtements que s'il accepte la contestation !* »
Vous n'avez pas répondu ?

R. A. — Ecoutez, ce souvenir me fait rire. Mais en même temps, je trouve que la qualité, le ton de cette attaque étaient à ce point méprisables qu'il était au-dessous de ma dignité de répondre. A ma connaissance, la plupart de ceux qui ont esquissé un portrait intellectuel de moi ont mis l'accent sur le fait que je mets toujours tout en doute et qu'il est rare qu'après avoir affirmé une proposition, je n'ajoute : « Mais, après tout... » Donc, me présenter comme un homme tellement

256

assuré de lui-même qu'il ne s'est jamais contesté, je trouve cela légèrement idiot. Par-dessus le marché, en dépit de son génie, Sartre avait une véritable propension au monologue. A partir d'une certaine date il n'a jamais plus discuté avec personne, sinon avec Simone de Beauvoir, il ne s'est pas soumis au dialogue et à la controverse. Il a parlé tout seul.

J.-L. M. — *Mais comment avez-vous pu devenir en quelque sorte le symbole de l'Université ancienne ?*

R. A. — Comme toujours dans mon cas, c'est un malentendu. C'est un malentendu en ce sens que je n'avais jamais été le défenseur de l'ancienne Université. Les articles que j'avais écrits dans *le Figaro* en 1960 avaient eu un grand retentissement et ils avaient été contestés par tous les conservateurs. Quand, quelquefois, je discutais dans les assemblées de l'Université, sur l'avenir ou les réformes, j'étais toujours du côté des réformistes. Mais à partir du moment où l'on maltraitait d'une manière indigne ces honorables professeurs, je les défendais. Je n'étais pas d'accord avec eux, mais je les défendais, et je ne le regrette pas du tout !

D. W. — *A l'époque, vous êtes devenu un leader d'opinion. Est-ce que ça vous a plu ?*

R. A. — Voyez-vous une raison impérieuse pour que ça me déplaise ? Vous savez, quand on écrit, on a le désir d'être lu. Quand on veut convaincre, on a l'espoir de convaincre. Le fait que pendant quelques jours je sois devenu le « héros » de la résistance au mouvement de mai m'a paru un peu bizarre, à la limite ridicule, mais enfin, pourquoi pas ? Mais ça ne pouvait pas durer et ça n'a pas duré !

Mon livre, *la Révolution introuvable*, que j'ai dicté, pendant quatre matinées, corrigé un petit peu ensuite, m'a, si je puis dire, purifié des humeurs peccantes que je conservais des journées de mai 68. Après avoir écrit, j'étais, si vous voulez, purifié.

En ce qui concerne les attaques de Sartre, elles ne m'avaient pas du tout atteint. Quand un lecteur m'écrit : « Votre style est mauvais, vous répétez trop souvent le même mot », ça m'atteint. Mais quand Sartre me dit que je suis indigne d'enseigner, ça me fait rigoler. Ça me fait rigoler parce que j'avais le choix d'enseigner presque dans n'importe quelle Université en France, aux Etats-Unis, en Angleterre et en Allemagne. Il était peu probable que je fusse indigne d'enseigner.

J.-L. M. — *Sur le fond, peut-on dire qu'en mai 68 vous avez préféré l'Etat à la société ?*

R. A. — Il n'y avait plus de société.

D. W. — *Mais si, au contraire, elle était en pleine effervescence.*

R. A. — Ce que vous appelez la société en effervescence, c'étaient les ouvriers en chômage, les étudiants en bavardages, les fonctionnaires en vacances, tout ça.

D. W. — *Non, en grève.*

R. A. — C'était très agréable, mais ce n'était pas une société. C'était une société qui cessait de fonctionner. Lorsque le général de Gaulle a fait son dernier discours, le 30 mai, il a dit : « Il est temps que les professeurs enseignent, que les élèves apprennent, que les ouvriers travaillent », et ainsi de suite ! Autrement dit, il fallait que la société redevînt elle-même. Donc je n'ai pas préféré l'Etat à la société. J'ai dit que la déliquescence de la société avait atteint un point où il était raisonnable d'arrêter. Non ?

J.-L. M. — *Etait-ce la déliquescence ? Dans une interview au Nouvel Observateur, en mars 67, vous aviez dit : « Je suis au fond un sociologue qui a peu le sens du social. J'ai peut-être le sens de l'économique et du politique, mais il faut que je me force pour avoir le sens du social en tant que tel. » Alors, mai 68, n'était-ce pas l'irruption du social en tant que tel, justement ? Et n'êtes-vous pas passé à côté parce que, en fin de compte, ça ne vous intéresse pas beaucoup ?*

R. A. — J'aimerais revoir le texte entier. Je me méfie de vos citations. Cela dit je suis assez sensible à votre objection. Je la trouve pertinente. Il ne faut pas tout de même prendre au pied de la lettre une phrase d'autocritique ou d'auto-analyse. Je n'ignore pas la société et la dimension sociale. De toute évidence, il y avait un mouvement social chez les étudiants. Mais les étudiants constituent tout de même une collectivité particulière. On n'est pas étudiant toute sa vie. Donc, il ne s'agissait pas de l'explosion d'un groupe permanent de la société. En ce qui concerne les grèves, pour la plupart c'étaient des grèves organisées par les communistes pour parer à l'influence des gauchistes.

J.-L. M. — *Oui, mais enfin, si les ouvriers se sont mis en grève en mai 68, c'est aussi peut-être qu'ils avaient des motifs pour se mettre en grève, et même des raisons profondes.*

D. W. — *On ne fait pas dix millions de grévistes, comme ça, sur des mots d'ordre ?*

R. A. — Bien. Du moment que ça s'est passé, il y a certainement eu d'autres raisons que les relations entre les gauchistes et les communistes. Mais ces grèves prolongées de millions et de millions d'ouvriers restent encore aujourd'hui relativement mystérieuses, parce qu'il n'y avait pas eu de signes précurseurs.

D. W. — *Et les inégalités ? Les différences de revenus énormes ? La stagnation du S.M.I.G. ?*

R. A. — C'est vrai qu'on a fait apparaître en 68 un certain nombre de phénomènes intolérables qu'il fallait modifier. Mais je ne suis pas convaincu que ce soient des smicards qui aient été l'élément actif des mouvements de grève. D'après ce qu'on a pu étudier, d'après ce que l'on sait, les premières grèves sauvages ont été déclenchées par des maoïstes et des gauchistes. Et c'étaient des grèves sauvages qui n'étaient pas ordonnées par les syndicats. On a constaté alors que des millions d'ouvriers étaient disposés à faire grève alors que le parti communiste lui-même ne le savait pas. Que dire de plus sinon qu'on connaissait mal l'état d'esprit de la masse française en 1968 et que je n'ai pas prévu l'événement plus que les autres ?

J.-L. M. — *Vous n'avez pas prévu mai, mais surtout vous n'y avez pas été sensible. Certains ont été touchés, émus, convaincus ou simplement sensibilisés par les événements de mai, et vous, vous avez eu plutôt une réaction de rejet.*

R. A. — Ecoutez. Ce ne sont pas les grèves qui ont suscité l'enthousiasme des jeunes bourgeois. Et le culte de mai 68 n'est pas un culte ouvrier, c'est un culte d'intellectuels qui, à cette occasion, ont découvert que la croissance de l'économie ne résout pas tous les problèmes, que les conditions de vie dans une société industrielle sont souvent dures, que l'obsession du taux de croissance est au fond une erreur. Autant d'éléments d'idéologie propre à des intellectuels. Ça n'a pas grand-chose à voir avec les grèves ouvrières.

J.-L. M. — *Mai 68, c'est aussi la naissance d'un certain nombre de mouvements sociaux : l'écologie, le régionalisme, la sexualité... Donc des conflits qui sont bien étranges à la lutte des classes.*

R. A. — Oui, c'est du Touraine tout cela. Bertrand de Jouvenel l'avait expliqué depuis très longtemps. Tous ces thèmes idéologiques existaient dans la littérature. Mai 68 en a popularisé un certain nombre qui, soudain, ont été appréhendés par la masse de l'opinion et en particulier par les jeunes bourgeois. Mais ce n'est qu'un aspect des phénomènes de 68. Je me demande si le mécontentement des étudiants ne tenait pas davantage au fait que certains d'entre eux, pour la première fois dans leur famille, arrivaient à l'enseignement supérieur. C'était une situation dans laquelle ils ne savaient pas très bien comment se débrouiller. Et ils éprouvaient une sorte d'angoisse pour leur carrière et pour leur avenir.

Il y a l'explication spiritualiste qui consiste à dire : « Cette admirable jeunesse a découvert ce que les vieux n'avaient pas compris : que le progrès économique n'était pas un progrès humain. Ils ont secoué ces vieux messieurs, ils ont eu bien raison ! »

Et puis on peut aussi être un peu sociologue et se demander si ces étudiants n'étaient pas eux aussi préoccupés de leur avenir, de leurs chances de carrière, ce qui est tout aussi légitime, mais moins poétique, si je puis dire, que l'autre aspect du problème.

D. W. — *Justement, revenons à la crise étudiante. Ce que je ne comprends pas chez vous, c'est quand même la tendance...*

R. A. — Vous ne comprenez jamais ce que j'ai fait. Je n'ai pas de chance. Moi qui ai la réputation d'être clair ! Enfin, continuez...

D. W. — *C'est vraiment une difficulté de compréhension, c'est ça qui est clair. Je ne comprends pas qu'au lieu de chercher les responsabilités du côté de l'action gouvernementale, vous dites : « Les responsabilités sont tellement diffuses que, ma foi, on ne peut pas trouver de responsables spécifiques. »*
Deuxième point : il y a la crise sociale ensuite, dix millions de grévistes. Vous dites là aussi : « C'est diffus, c'est mystérieux. Mais ce qui est sûr, c'est que dix millions de grévistes ce n'était pas formidable ! » Troisième point : il y a une crise de l'Etat. Là encore vous condamnez ces gamins qui pourraient mettre en cause la stabilité de l'Etat. Mais là non plus vous ne cherchez pas de responsables. Finalement, vous n'aimez pas ce qui se passe mais vous ne l'analysez pas.

R. A. — Vous êtes vraiment sérieux ? C'est votre impression en m'écoutant maintenant ou après avoir lu *la Révolution introuvable* ?

D. W. — *Je dois dire que dans* la Révolution introuvable, *vous êtes plus nuancé que maintenant.*

R. A. — « Nuancé ». Vous me faites rire.
— Ecoutez. En me poussant, vous m'acculez à être véhément, mais je ne le suis pas normalement. Et si vous me dites que je condamne sans analyser, alors je ris. Revenons à la crise estudiantine puisque vous le voulez. Je ne dis pas du tout que je ne puisse pas voir les causes. Elles sont très visibles. On a augmenté de manière exorbitante le nombre des étudiants — comme je vous l'ai dit —, sans donner les ressources nécessaires

au fonctionnement des universités. Et en plus, beaucoup de ces étudiants étaient angoissés par l'incertitude de l'avenir.

Par-dessus le marché, il s'agit d'un phénomène à ce point planétaire qu'on est obligé de se demander pourquoi des pays tellement différents, ont eu, presque au même moment, des révolutions d'étudiants.

Le deuxième phénomène, c'est les huit ou neuf millions de grévistes. Alors ça, c'est une particularité française, et il est difficile, je le répète, de donner une explication satisfaisante.

Qu'il y ait eu des grèves, il y en a partout, et il n'y en a pas, en France, plus qu'ailleurs. Mais ce dont les Français conservent le secret, c'est la transfiguration quasi révolutionnaire de grèves généralisées. Pourquoi ? Encore une fois je n'ai pas de réponse catégorique. Mais ce n'est facile pour personne de savoir pourquoi, au mois de mai 68, alors qu'aucun des syndicats ne le prévoyait, il s'est produit un des mouvements sociaux les plus extraordinaires de l'histoire de France.

Alors, quand je dis que je ne suis pas sûr de l'explication, c'est que je me conteste, comme dirait Sartre, je me mets en question. Je ne connais pas la réponse certaine à une question difficile. Je prétends personnellement que le phénomène essentiel a été la relation entre les gauchistes et le parti communiste. Pourquoi n'y a-t-il pas eu de grève de l'électricité ? Parce que Electricité de France était contrôlée entièrement par le parti communiste, et celui-ci savait bien que s'il supprimait l'électricité, on entrait dans une phase révolutionnaire.

J.-L. M. — *Et l'Etat ? Cet effondrement ?*

R. A. — A mon avis, on ne peut l'expliquer qu'historiquement. De Gaulle, lui, était furieux. Il disait à peu près : « Qu'est-ce qu'on attend pour tirer ? » Mais les ministres, en particulier Pompidou, étaient convaincus qu'il était nécessaire de laisser les choses se développer, d'attendre que l'opinion se retourne. Au début elle était pour les étudiants...

J.-L. M. — *Vous voulez dire que de Gaulle voulait tirer sur la foule ?*

R. A. — Il envisageait de recourir aux moyens extrêmes, tandis que Pompidou, lui, comme il me l'a écrit, s'était donné comme objectif majeur d'éviter l'effusion de sang. Dans cette lettre que j'ai reçue après un de mes articles, il disait : « La raison pour laquelle j'ai capitulé le samedi 11 mai alors qu'il y avait l'ordre de grève générale et de défilé pour le lundi, c'est que si la Sorbonne avait été encore fermée, le défilé de la grève générale du lundi aurait abouti à des effusions de sang. » Et c'est pour éviter cela qu'il a capitulé le samedi soir, en revenant de l'Afghanistan. De Gaulle, avant le retour de Pompidou, ne voulait pas de cette capitulation devant les étudiants. Il était exaspéré. Quand il est revenu de son voyage en Roumanie, où il a fait l'éloge de tout ce que nous ne faisions pas dans l'Université française, il a parlé du chienlit et toute la suite. Mais Pompidou avait mis en question son portefeuille. Il avait accepté, pour ainsi dire, la paralysie du pays pendant des jours jusqu'à ce que l'opinion se retourne et se retrouve, à la fin du mois, derrière le gouvernement.

D. W. — *Mai 68, c'est quand même le plus fantastique exemple de la fragilité de la France gaulliste !*

R. A. — Ecoutez, nous revenons au début de notre conversation. De quelle sorte de fragilité s'agit-il ? Peut-être est-ce une impression de fragilité. Dans *la Révolution introuvable,* il y a un chapitre qui s'appelle : « Effondrement et renaissance du gaullisme. » Tout ça s'est terminé à la suite d'un discours de cinq minutes du général de Gaulle décidant la dissolution de l'Assemblée. Le peuple français a conservé un talent exceptionnel de faire quelque chose de rien et de créer des événements dramatiques que l'on commente ensuite indéfiniment.

b) Le cercle carré

D. W. — *En 73, au moment où la dynamique de l'union de la gauche bat son plein, où on a vraiment l'impression que l'alternance du pouvoir va enfin être possible, vous prenez carrément parti contre le programme commun dans un article du* Figaro *qui s'appelle « Le cercle carré ». Qu'est-ce que vous reprochez encore à la gauche et au programme commun ?*

R. A. — L'article, en effet, a eu un certain retentissement. Ce fut, si je puis dire, mon plus grand succès journalistique. D'abord, un journal qui n'est pas systématiquement de droite, comme vous dites, c'est-à-dire *l'Express*, a reproduit intégralement mon article « Cercle carré ». Ensuite, il se trouve que Giscard d'Estaing, qui était alors ministre des Finances, m'a téléphoné après l'avoir lu : il avait trouvé, disait-il, plus d'arguments dans mon article que dans tous les rapports qui lui avaient été soumis par ses conseillers.

Donc, d'une certaine manière, ce fut un petit événement d'ordre politique. Mais je n'ai pas écrit cet article parce que je suis systématiquement contre la gauche, comme vous voulez absolument m'en convaincre. C'est simplement que le programme économique de la gauche était tout à fait absurde : le but qu'il se donnait, c'est-à-dire l'augmentation du taux de croissance, une nouvelle répartition des revenus, était contradictoire avec les moyens que, selon le programme commun, la gauche allait employer. J'ai fait une critique d'ordre économique des contradictions intrinsèques du programme commun. Et j'ai rappelé ce qui s'était passé en 1936, où la gauche avait perdu parce que le programme économique posé au point de départ ne pouvait pas réussir.

D. W. — *Vous étiez en désaccord sur les objectifs ou sur les moyens ?*

R. A. — Sur la contradiction entre les moyens et les objectifs. Je ne suis pas du tout contre l'augmentation du taux de croissance. Si on peut accélérer la croissance, je suis pour. Si on peut modifier la répartition des revenus dans un sens favorable aux conceptions de justice, je n'ai absolument aucune objection. Mes objections étaient que les nationalisations, la nationalisation de tout le système de crédit, la réduction des profits des entreprises avec, en même temps, la volonté d'augmenter les investissements, tout cela créait de manière inévitable la pagaille. La gauche, à ce moment-là, recevait une économie qui se développait bien : 5 à 6 % de taux de croissance annuel. Ce qu'elle aurait fait si elle avait appliqué le programme commun de 73, ç'eût été de provoquer de nouveau une crise économique profonde. Je n'ai aucune chance de vous convaincre. Mais mon article, en ce sens, n'était pas un article de droite. C'était seulement un article de bon sens.

J.-L. M. — *Mais c'était un article qui donnait beaucoup de munitions à la droite.*

R. A. — Incontestablement. Le malheur est que la gauche n'avait pas de bon sens. Si elle en avait eu, elle n'aurait pas établi ce programme.

J.-L. M. — *Vous considérez que, depuis 36, la gauche n'a rien appris en matière économique ?*

R. A. — Un certain nombre d'hommes de gauche ont appris. Le parti communiste a très peu appris parce qu'il ne veut pas apprendre. Pour le parti socialiste, la moitié a appris et un bon quart ne veut pas apprendre. A l'intérieur de ce parti, il existe des hommes capables de comprendre les problèmes actuels, encore faut-il accroître le pouvoir de ces hommes. Mais encore aujourd'hui le parti socialiste est déchiré entre de multiples tendances, entre une gauche proche du marxisme, même du marxisme-léninisme, et de l'autre côté, disons Rocard. Certainement Rocard acceptait le programme commun la mort dans l'âme, et aujourd'hui je pense qu'il soutiendra le programme socialiste de 81 avec honnêteté, sincérité et hésitation.

J.-L. M. — *En 73 et en 74, au moment des échéances électorales, vous avez donc pris parti. Alors pourquoi nous dire que vous n'êtes pas partisan ?*

R. A. — Je ne vous ai jamais dit que je n'étais pas partisan en ce sens. Je suis partisan, en ce sens que je prends parti. L'article « Un cercle carré » commençait par un paragraphe où je disais que, pour la première fois dans ma vie politique, j'intervenais dans les élections, et j'intervenais parce que cette fois l'enjeu était sérieux. Quand les enjeux n'étaient pas sérieux, quand il s'agissait de savoir quelle était la force relative du parti socialiste, du M.R.P. et des autres, j'étais peu intéressé. Mais là, il y avait un enjeu sérieux. Il était également sérieux en 1974

265

dans le choix de Giscard d'Estaing ou Mitterrand comme président de la République. Et quand un enjeu est sérieux, un commentateur qui a une certaine influence doit prendre parti.

J.-L. M. — *Vous êtes de ceux qui pensez que si la gauche arrive au pouvoir en France, c'est le chaos ?*

R. A. — Non, pas la gauche en tant que telle. L'union de la gauche avec le parti communiste et le parti socialiste, armés par-dessus le marché par un programme absurde. Mais on pourrait concevoir que ces deux partis se présentent ensemble pour gagner les élections, sans lancer en même temps un programme qui garantisse, pour ainsi dire, à l'avance l'échec. En ce qui concerne mon article « Un cercle carré », Attali, socialiste avec lequel à l'époque j'avais de bonnes relations, ne me donnait pas raison mais il m'écrivit que c'était la meilleure critique du programme commun de la gauche qui eût été rédigée. Vous qui êtes un économiste, est-ce que vous trouvez que ce programme était raisonnable ?

J.-L. M. — *Non, je ne le trouve pas raisonnable.*

R. A. — Alors pourquoi me reprocher de penser la même chose que vous ?

J.-L. M. — *Mais la question que je me pose est différente. Pourquoi présentez-vous comme une analyse ce qui est une opinion ?*

R. A. — C'est une opinion, bien sûr, mais fondée sur une analyse. Ce n'est pas une opinion lancée comme ça, en l'air. C'est une opinion qui se dégage d'une analyse aussi proche, disons, de la connaissance économique que possible, dans le cadre d'un article de journal. Et vous qui enseignez l'économie politique, au fond vous me donnez largement raison dans cet article « Cercle carré ».

D. W. — *Mais il y a deux questions différentes bien qu'elles soient liées : la politique économique de la gauche et l'engagement politique à gauche. Un certain nombre de personnes, qui n'ont jamais été particulièrement enthousiastes sur le programme commun*

de la gauche, n'ont pas voté pour la majorité aux élections de 73 et de
74.

R. A. — Je ne doute pas un instant que le mythe de la gauche garde sa force. Je l'ai exécuté une fois pour toutes mais je suis sûr que l'exécution, pour être intellectuellement définitive, est, dans les faits, inefficace.

J.-L. M. — *On a l'impression que vous avez une querelle personnelle avec la gauche.*

R. A. — Vous y tenez, décidément. Encore une fois, en toute honnêteté, je souhaiterais qu'il y eût dans le pays une possibilité d'alternance. Mais, pour qu'il y ait dans ce pays une alternance, il faut que la gauche puisse montrer d'abord la capacité de gouverner, c'est-à-dire que les socialistes et les communistes puissent gouverner ensemble. D'autre part, il faut que son programme soit comparable à celui des partis socialistes dans les autres pays de l'Europe occidentale.

Dans ces pays, seules la France et l'Italie ont un grand parti communiste. Mais en Italie, je peux discuter avec des communistes. Les communistes italiens, comme on dit en anglais, « they talk sense ». Ils parlent de manière raisonnable. J'étais un jour à Milan, à propos de la traduction d'un de mes livres. Un député communiste a fait un discours. Il m'a envoyé une petite note et il m'a dit : « Certainement M. Raymond Barre aurait été satisfait de mes propos ! » Et je lui ai dit : « Certainement oui ! » Et j'ai ajouté : « Aucun député communiste, en France, ne tiendrait un discours de cet ordre ! »

D. W. — *Vous dénoncez les illusions ou les échecs de la gauche. Mais vous dénoncez moins souvent les injustices sociales ou les atteintes aux libertés du régime actuel.*

R. A. — C'est possible. Même ceux qui s'efforcent d'être des observateurs honnêtes sont amenés, en fonction de leurs préférences et de leurs amitiés, à être plus conscients des défauts des adversaires que des défauts de leurs amis. Cela dit, je n'ai jamais présenté les différents gouvernements comme impeccables.

J'ai eu un témoignage qui m'a fait un grand plaisir, c'est celui de Pompidou. Il m'avait reçu une fois, à ma demande. Quelques jours après, j'ai écrit un article très sévère pour lui, sur une question que j'ai oubliée. Un de ses conseillers lui a dit : « Ce n'est tout de même pas gentil de la part de Raymond Aron, vous l'avez reçu et maintenant il écrit cet article ! » Et Pompidou a répondu : « On ne pourra jamais compter sur Raymond Aron. » C'était une manière de dire que toujours Raymond Aron critiquera ce qu'il a envie de critiquer, qu'il pense et écrit librement. En ce sens, bien que j'aie pris des positions tout à fait catégoriques sur des questions précises, je n'ai jamais été au service d'aucun homme au pouvoir. A une exception près, peut-être, j'ai réussi à être toujours fâché avec tous les hommes de pouvoir.

D. W. — *Quelle exception ?*

R. A. — L'ancien président de la République, Giscard d'Estaing. Il a probablement supporté avec peine un certain nombre de mes articles qui lui ont beaucoup déplu, mais il ne s'est pas fâché avec moi.

J.-L. M. — *Vous avez dit pourtant sur lui une phrase qui est devenue fameuse : « Le drame de Giscard c'est qu'il ne sait pas que l'histoire est tragique. »*

R. A. — C'est vrai. J'ai écrit souvent que Giscard d'Estaing, qui est un homme très intelligent, très instruit, est en même temps un homme irénique, c'est un homme de la paix. Quand vous écoutez ses discours, vous avez toujours le sentiment que tout peut s'arranger par négociations, compromis, en étant raisonnable. A peu près jamais il ne donne le sentiment qu'il y a, dans le monde où nous sommes, des conflits probablement inexpiables, qu'il y a le risque, le danger des tragédies. En ce sens il est, par rapport au monde actuel, une espèce de paradoxe vivant. Il parle de décrispation. Même avec le parti communiste il essaie de maintenir des relations détendues. Or le monde du xxe siècle, celui dans lequel nous vivons encore, est un monde de violences, de passions, de haines. Encore aujourd'hui, entre nous et le monde soviétique, il y a dans ce qui nous oppose quelque chose qui touche à l'essentiel. Mais, quand on écoutait le président de la République, on n'avait jamais le sentiment qu'il ressentait le côté tragique ou excessif des relations entre les pays ou entre les idées. Pour lui, les Soviétiques sont des hommes qui ne pensent pas de manière foncièrement différente de la nôtre. Je ne crois pas qu'en profondeur il puisse comprendre les véritables bolcheviks ou les Soviétiques, parce que leur manière de penser est étrangère à sa rationalité. Il faut qu'il se fasse violence pour arriver à se représenter les Soviétiques tels qu'ils sont. Cette difficulté fut à l'origine de mes dissentiments avec l'ancien président de la République, en particulier en ce qui concernait sa politique étrangère.

J'ajoute qu'avant lui le général de Gaulle, quand il était président de la République, parlait toujours des Russes au lieu des Soviétiques. Il avait tendance à croire qu'il avait affaire à la Russie éternelle plutôt qu'à l'Union soviétique. Je me demande souvent si, pour Giscard d'Estaing comme pour de Gaulle, les Soviétiques ne sont pas simplement un avatar des Russes éternels. Mais la réalité russe, peut-être pour une longue période, ça n'est pas les Russes traditionnels, ce sont les Soviétiques ; des marxistes-léninistes.

II

LE CHOC DES EMPIRES

a) Les illusions de la détente

D. WOLTON. — *Comment s'explique la méconnaissance de la réalité soviétique par les hommes politiques occidentaux ? N'est-ce pas la nature du phénomène totalitaire qui leur échappe, qu'il s'agisse de l'Allemagne nazie ou de l'Union soviétique ?*

RAYMOND ARON. — Oui et ce fut très grave, dès les années 30. La plupart des hommes d'Etat en France et en Grande-Bretagne ne comprirent pas l'intention monstrueuse de la personnalité hitlérienne. Pour l'Union soviétique, il est plus difficile de se tromper tout à fait. D'abord, elle dure depuis plus de soixante ans et semble avoir une capacité exceptionnelle de rester fidèle à elle-même, de rester la même. D'autre part, même si on ne comprend pas bien l'Union soviétique, on en connaît la puissance militaire. On est donc bien obligé, même si l'on imagine que l'Union soviétique est une forme quelconque de Russie, d'y faire attention. Malgré tout, je pense que certaines décisions prises par l'ancien président de la République n'étaient explicables que par une méconnaissance de la nature profonde du régime soviétique. Par exemple, je crois qu'il a préfacé un livre sur la valeur pacifiante des échanges commerciaux, *Armes de la paix,* théorie que je crois radicalement fausse.

D. W. — *Pourtant les Occidentaux y ont cru pendant quinze ans.*

270

R. A. — C'est une manière pour eux de se rassurer, mais c'est une théorie qui jusqu'à présent n'a été confirmée par rien. Elle a été démentie depuis des années par le fait que les échanges que nous entretenons avec l'Union soviétique ont pour résultat de faciliter le développement économique et militaire de l'Union soviétique, sans que le régime soviétique soit en train de se transformer dans la direction que nous souhaitons. Nous leur vendons à crédit, et à crédit favorable, nos instruments, nos machines-outils et ainsi de suite, ils achètent et nous vendons, mais ils restent ce qu'ils sont. Tout le monde sait que ceux qui vont en Union soviétique pour monter des usines, quand nous vendons des usines clés en main, n'ont pratiquement pas de relation avec la population. Donc l'idée que les relations commerciales contribuent à la paix entre l'Est et l'Ouest est, je pense, une théorie sans démonstration jusqu'à présent. Et encore est-ce une expression très modérée. A dire vrai, je pense que c'est une erreur.

D. W. — *Mais que faudrait-il faire ?*

R. A. — Il faudrait ne pas se faire d'illusions. Quant à la question de savoir s'il est bon ou mauvais pour la France d'avoir des relations commerciales avec l'Union soviétique, c'est une autre question que je ne veux pas trancher en quelques mots. Je dis simplement que cette idée que nous allons transformer en profondeur l'Union soviétique et les autres pays de l'Europe de l'Est, en maintenant des relations commerciales ou en intensifiant ces relations, non, non, non, ce n'est pas sérieux. Songez à ce qui se passe en Pologne. Les milliards de dollars que les pays occidentaux ont prêtés à la Pologne n'ont pas suffi à transformer le régime économique. L'inefficacité du régime subsiste. Quant à la révolte populaire, elle ne naît pas du commerce avec l'Ouest.

D. W. — *A quelles conditions le régime dans les pays de l'Europe de l'Est et en U.R.S.S. pourrait-il évoluer ?*

R. A. — En ce qui concerne les pays de l'Europe de l'Est la condition est très simple : il suffirait que l'Union soviétique acceptât que les pays dits satellites eussent la liberté de modifier le régime, et celui-ci changerait immédiatement. Il n'y a pas, en Europe, un empire soviétique accepté, il y a une domination militaire par l'armée soviétique. Les révoltes se sont multipliées. Il y en a eu une en Hongrie, une autre en Tchécoslovaquie, deux en Pologne. Tous ces mouvements ont été arrêtés le jour où l'Union soviétique a considéré que les changements franchissaient la ligne que l'on n'a pas le droit de franchir, c'est-à-dire touchaient à ce qui est l'essentiel du régime soviétique, par exemple le rôle dirigeant du parti. Or des syndicats autonomes, libres par rapport au parti, c'est une contradiction par rapport au régime tel qu'il s'est défini lui-même.

J.-L. MISSIKA. — *Voulez-vous dire que si l'évolution vers une certaine détente, vers une certaine transformation du régime soviétique ne se produit pas, la confrontation serait inévitable ?*

R. A. — Non, non, non. Je vais reprendre l'expression que j'ai employée en 1948 : paix impossible, guerre improbable.

Ce que je continue à penser c'est que, aussi longtemps que l'Union soviétique continuera à penser comme elle pense, aussi longtemps qu'elle sera gouvernée par des hommes qui sont prisonniers de la même idéologie et des mêmes ambitions, il y aura une confrontation entre le monde soviétique et le monde occidental ; cette confrontation ne prendra pas nécessairement le caractère d'une guerre au sens conventionnel du terme parce qu'il y a les armes atomiques, parce que l'Union soviétique n'est pas l'Allemagne hitlérienne. Le communisme est un mouvement historique considérable. Il croit posséder l'avenir, il n'a pas de raison de se précipiter dans des aventures militaires dangereuses.

Ce que je trouve absurde très souvent dans la pensée occidentale, c'est de dire : ou bien la détente, ou bien la guerre. Qu'il y ait détente ou guerre froide ne signifie pas du tout que dans un cas il y a danger de guerre et que dans l'autre il n'y en a pas. Détente et guerre froide, ce sont des modalités différentes de la même confrontation. Quand il y avait la guerre froide, la violence allait un peu trop loin par rapport au souhaitable ; quand il y a détente, les relations sont moins tendues mais n'empêchent pas l'Union soviétique de conquérir tel ou tel pays en Afrique ou ailleurs. Il n'est pas du tout souhaitable de revenir à la guerre froide, mais s'il y avait une tension nouvelle entre l'Est et l'Occident, et même si les journalistes recommençaient à dire : c'est épouvantable, on revient à la guerre froide, il n'en résulterait pas un danger supplémentaire de guerre.

D. W. — *En somme, vous dites : la situation pourrait changer si les Soviétiques cessaient de considérer les pays de l'Europe de l'Est comme leur possession...*

R. A. — Mais ce n'est pas ça ! Il suffirait que les dirigeants soviétiques exigent seulement des pays de l'Est de l'Europe qu'ils restent fidèles à l'alliance avec l'Union soviétique et que, en contrepartie, ils donnent aux gouvernants de ces pays une certaine liberté d'interprétation de la doctrine socialiste. Par exemple, le Kremlin accepterait que les syndicats fussent libres, eussent un certain degré d'autonomie. Mais pour assurer sa domination politique et militaire, le Kremlin veut être sûr de la fidélité à l'Union soviétique des hommes qui gouvernent ces pays. C'est là qu'intervient la nature des Soviétiques. Ils sont convaincus qu'ils ne peuvent avoir confiance dans les dirigeants des pays de l'Est de l'Europe que si ceux-ci sont de bons marxistes-léninistes selon la définition acceptée à Moscou. Lorsque Dubcek, qui avait été toujours un marxiste-léniniste et un bon fidèle, a employé un certain nombre d'expressions dangereuses, lorsqu'il a toléré la liberté de la presse, à partir de ce moment-là les Soviétiques ont considéré qu'ils ne pouvaient plus compter sur la Tchécoslovaquie. Or la Tchécoslovaquie, pour l'Union soviétique, c'était la frontière.

D. W. — *Nous, les Européens, les Occidentaux, que faisons-nous pour les pays de l'Europe de l'Est ?*

R. A. — Nous faisons du commerce avec eux et nous leur donnons à chaque occasion notre bénédiction en ajoutant immédiatement : « Si vous avez des ennuis, il ne faut pas compter sur nous. »

273

D. W. — *Vous nous avez dit qu'il n'y avait pas eu à Yalta de partage du monde et de l'Europe. Mais alors...*

R. A. — Je n'ai jamais dit qu'il n'y a pas eu un partage de l'Europe, j'ai dit simplement que ce partage a été déterminé par le mouvement des armées victorieuses contre l'Allemagne hitlérienne, non par les conversations ou accords de Yalta.

J.-L. M. — *Mais dans ces conditions, s'il est vrai que l'armement soviétique dépasse largement et va dépasser encore plus l'armement américain, ce partage par les armes ne va-t-il pas se déplacer vers l'ouest ?*

R. A. — En ce qui concerne l'Europe, le déplacement de la ligne de démarcation exigerait des moyens militaires. Ce qui pourrait arriver aussi — il y aurait alors un danger très sérieux — ce serait le glissement de la République fédérale d'Allemagne dans le neutralisme. Il y a aujourd'hui nombre de phénomènes inquiétants dans ce sens.

D. W. — *Une Allemagne neutraliste, qu'est-ce que ça veut dire ?*

R. A. — L'Allemagne occidentale est à l'intérieur de l'alliance Atlantique et, jusqu'à ces dernières années, elle fondait l'essentiel de sa sécurité et de son avenir sur la protection des Etats-Unis. Mais les Allemands ont aujourd'hui moins confiance dans les Etats-Unis. D'autre part ils tournent leurs regards vers l'Union soviétique parce qu'ils ont obtenu, grâce à des traités, des conditions humaines plus favorables pour les Allemands de l'autre côté de la ligne de démarcation. Par exemple, un certain nombre de dizaines de milliers d'Allemands sont revenus de l'Est vers l'Ouest.

Ces avantages, le chancelier Schmidt voudrait les conserver. Il tenterait donc de mener, disons, une double politique : être protégé par les Etats-Unis et avoir de bonnes relations avec l'Union soviétique. C'est ainsi que les Allemands envisagent d'accorder des crédits considérables, des milliards de marks, pour la construction des tubes à travers lesquels arriverait le gaz de la Sibérie. Une bonne partie de l'Europe occidentale dépendrait alors pour son ravitaillement en énergie de l'Union soviétique, ce qui, évidemment, contribuerait à réduire la liberté d'action de la République fédérale d'Allemagne.

Je ne dis pas du tout que les Allemands rompraient avec l'alliance Atlantique car, pour mener à bien cette politique de rapprochement avec l'Union soviétique, il faut une protection ou un appui de l'autre côté. Mais la tentation deviendrait grande. On verrait le glissement vers le neutralisme le jour où la République fédérale d'Allemagne aurait l'espoir d'obtenir une espèce d'unité avec l'autre Allemagne, sous la bénédiction de l'Union soviétique. Pour l'instant, c'est encore relativement lointain.

D. W. — *Ainsi la condition de la réunification serait la neutralisation de l'Allemagne ?*

R. A. — Au minimum. Mais, à mon avis, l'Union soviétique pour l'instant ne veut d'aucune manière cette unification des deux Allemagnes. Elle veut seulement que l'Allemagne fédérale soit le moins atlantique possible.

D. W. — *Quelles sont les principales causes de faiblesse de l'empire soviétique actuellement et pour le futur ?*

R. A. — En Europe, la faiblesse de l'Union soviétique, c'est que les peuples qui sont soumis à sa domination sont imparfaitement résignés et pas du tout convertis. A l'autre extrémité, en Afghanistan, les troupes soviétiques ont peine à pacifier le pays. A court terme, ces causes de faiblesse ne sont pas très dangereuses. Mais le fait est que l'empire soviétique n'est pas tellement séduisant pour ceux qui le supportent, ce qui à long terme risque de le miner.

D'un autre côté, l'économie soviétique, en tant que telle, s'est révélée de multiples manières peu efficace. Le taux de croissance diminue. L'Union soviétique d'aujourd'hui est essentiellement une puissance militaire avec une économie qui produit sur le papier beaucoup d'acier mais qui donne très peu de biens à la population. Le niveau de vie est donc très bas. La population y est habituée et l'accepte. A notre époque, dans une civilisation qui se dit économique, c'est paradoxal. Nous sommes en face d'une espèce de monstre historique : le régime qui a été créé au nom de la prospérité et du marxisme est devenu essentiellement un empire militaire où le bien-être n'est pas prioritaire.

D. W. — *Cette distorsion entre un suréquipement militaire et un bas niveau de vie n'est-elle pas un risque de guerre?*

R. A. — Si bas que soit le niveau de vie il est tout de même supérieur au niveau de vie d'il y a vingt ou vingt-cinq années. Cela dit, le niveau de vie de la population soviétique de 1928, c'est-à-dire avant la collectivisation, n'a été rejoint — en mettant les choses au mieux — qu'entre 50 et 60.

J.-L. M. — *Oui, mais si toute l'économie est tournée vers l'armement, vers la militarisation, n'y a-t-il pas là, surtout, un risque de guerre?*

R. A. — On peut dire, en effet, qu'on ne fait pas des armements pour pêcher à la ligne. Seulement, l'Union soviétique est une entité historique très originale. L'Union soviétique maintient en permanence des forces, face à l'Europe occidentale, supérieures aux forces de l'O.T.A.N. Pourquoi? Pas nécessairement pour faire la guerre. Plutôt pour intimider, pour faire pression, pour que les Européens de l'Ouest se rendent compte qu'ils sont en permanence menacés par une puissance militaire supérieure. Ça ne signifie pas qu'ils vont lancer leurs chars vers Paris.

Si on lance les chars, en effet, on ne peut pas savoir ce qui se passera. Il y a tout de même beaucoup d'armes aussi en Occident, beaucoup d'armes nucléaires des deux côtés. Alors l'Union soviétique utilise plutôt sa puissance militaire pour sa diplomatie.

Les Soviétiques prendront-ils des risques plus grands précisément parce qu'ils ont aujourd'hui acquis une espèce de supériorité? C'est bien possible. Ils l'ont fait, par exemple, en Afghanistan, à un moment où ils étaient certainement convaincus que le rapport des forces s'était transformé en leur faveur. Les Soviétiques emploient constamment l'expression « rapport des forces ». Vous savez comment ils expliquent la détente au peuple soviétique? Ils disent : « Il y a détente entre l'Est et l'Ouest en raison de l'amélioration du rapport des forces en faveur de l'Est. » C'est une conception de la détente différente de celle que l'on entretient à l'Ouest, et bien particulière. Mais il suffirait de lire les textes soviétiques pour la connaître.

D. W. — *Etant donné ce rapport de forces, quelle est la principale faiblesse de l'Europe ? Faiblesse militaire ou faiblesse politique ?*

R. A. — Vous savez, c'est très difficile d'être fort politiquement quand on est faible militairement. Je sais bien qu'il y a aujourd'hui, aux Etats-Unis, parmi les théoriciens des relations internationales, une école selon laquelle les forces militaires ne jouent plus maintenant qu'un rôle secondaire. Les facteurs décisifs sont la politique, l'idéologie, l'économie. Ça ne me paraît malheureusement pas vrai. La faiblesse de l'Europe occidentale, c'est la peur, et du fait qu'elle a peur, elle n'a pas beaucoup de volonté politique. De plus, il n'y a pas d'unité réelle de l'Europe occidentale pour la bonne raison que les seules armes nucléaires disponibles en Europe occidentale, la force nucléaire française, ne sont pas officiellement au service de la sécurité européenne, elles sont exclusivement au service de la sécurité française.

D. W. — *De 83 à 88, il est à peu près acquis que les Soviétiques auront une supériorité militaire accrue. Ce décalage supplémentaire augmente-t-il les risques ?*

R. A. — Vous voulez parler de ce qu'on appelle le « créneau des occasions ». Ce dont il est question quand on parle de la relation des forces entre 83 et 88, c'est essentiellement le fait que pendant ces quatre à cinq années, les missiles soviétiques — en particulier les SS 18 au nombre de 308 — seront sur le papier, capables de détruire les missiles terrestres des Etats-Unis, c'est-à-dire les Minutemen 1, 2, 3. Bon, c'est une possibilité sur le papier mais, dans cette hypothèse extrême et pessimiste, les Etats-Unis auraient encore la possibilité de répliquer avec les missiles qui sont transportés par les sous-marins et par les avions.

Il reste que pendant cette période où il y aurait, sur le papier, une supériorité nucléaire de l'Union soviétique, les Américains auraient tendance, dans le cas d'une confrontation, à ne pas avoir autant de fermeté que dans les périodes où ils avaient la supériorité. C'est tout ce que l'on peut dire. Alors quand il s'agit des avantages que saisiront les Soviétiques entre 83 et 88, chacun peut spéculer.

b) Déclin de l'empire américain

D. W. — *En cinquante ans vous avez vu la montée et l'effondrement des puissances européennes qu'étaient la France et la Grande-Bretagne, vous avez vu la folie du Reich hitlérien, vous avez vu la lente montée de l'Union soviétique, et vous avez vu aussi la fulgurante ascension de l'empire américain. Mais cet empire américain, vous en prédisiez déjà l'effondrement dans votre livre* la République impériale.

R. A. — Non, je n'ai pas annoncé l'effondrement, j'ai dit que la position exceptionnelle des Etats-Unis entre 1947 et 1972 était anormale et ne pouvait pas persister sous une forme semblable. On parle aujourd'hui beaucoup du déclin américain. Personnellement je préfère parler d'abord d'abaissement relatif des Etats-Unis, lequel était inévitable. En 1950, le produit national des Etats-Unis représentait 60 % du produit total des pays de l'O.C.D.E. — chiffre tombé à 34 %. Ce n'était pas normal. La productivité du travail aux Etats-Unis était double ou triple de la productivité du travail dans les pays européens, ce n'était pas normal. Il y a donc eu à la fois un abaissement relatif de la richesse des Etats-Unis par rapport aux Européens et aux Japonais, et un abaissement relatif de la productivité des Etats-Unis. Les Européens, les Japonais les ont rattrapés et, dans certains domaines, les ont dépassés. Les Etats-Unis sont rentrés dans le rang à beaucoup de points de vue.

J.-L. M. — *Alors, il n'y a pas de déclin ?*

R. A. — Le déclin, c'est peut-être que les Etats-Unis n'ont plus au même degré confiance en eux-mêmes. Ils ne sont plus au même degré des pionniers, ils acceptent des secteurs de l'industrie qui sont vieillis, ils n'ont pas le courage de les transformer. Mais ils restent pionniers dans un certain nombre d'industries de pointe.

Il ne faut pas rayer déjà du nombre des grands les Etats-Unis qui sont les seuls à posséder à la fois, parmi les Occidentaux, un espace énorme, une population considérable et une productivité qui est parmi les deux ou trois plus élévées du monde, peut-être encore la plus élevée. Les Etats-Unis restent une réalité énorme, les pionniers de la science, ce qu'il y a de plus important en Occident et la condition de liberté des Européens de l'Ouest. Simplement, on constate dans un certain nombre de domaines, une espèce de fatigue, un manque de confiance, d'initiative...

J.-L. M. — *Vous employez beaucoup de termes psychologiques. C'est une crise morale alors ?*

R. A. — Il y a une certaine perte de confiance, confiance dans les institutions, confiance dans l'élite dirigeante profondément divisée. Il est vrai aussi qu'il n'y a plus de supériorité militaire des Etats-Unis. L'armée est d'une qualité médiocre et indigne d'une des deux plus grandes puissances du monde. C'est une armée de volontaires recrutée dans les couches inférieures de la société. Même en ce qui concerne les missiles, on peut admettre une approximative égalité entre les deux grands, mais dans la mesure où la notion de supériorité et d'infériorité signifie quelque chose, d'ici trois ou quatre ans, il y aura plutôt une supériorité des missiles intercontinentaux du côté soviétique.

J.-L. M. — *Vous avez parlé du suicide d'une élite à propos des libéraux américains, de leur engagement contre la guerre du Vietnam.*

R. A. — Ils ont d'abord été pour. L'élite de la côte Est, l'élite libérale, mes amis aux Etats-Unis — tous ceux qui étaient autour de Kennedy, Mac George Bundy par exemple —, ont été, partiellement au moins, responsables de la guerre du Vietnam. C'était pour eux la même chose que la défense de la Corée du Sud : c'était la défense d'un pays menacé par les communistes, la politique de « containment », d'endiguement, dans une interprétation probablement excessive et dangereuse.

Et puis, quand ça a mal tourné et lorsque Nixon a été élu, ils ont été contre l'engagement américain et ont poussé la polémique et la propagande contre l'administration Nixon-Kissinger. Ils ont contribué, avec beaucoup d'autres, à déchirer le peuple américain à propos de cette guerre du Vietnam qui a été un désastre pour les Etats-Unis et reste encore aujourd'hui un poids.

D. W. — *Un désastre militaire ou un désastre moral ?*

R. A. — Ça n'a pas été un désastre militaire puisqu'ils n'ont pas perdu la guerre militairement. Mais à la suite de cette guerre, ils ont renoncé à l'armée de conscription pour une armée de volontaires. Cette armée, de qualité très discutable, c'est la conséquence de la guerre du Vietnam.

Et en ce qui concerne la situation économique, la guerre du Vietnam a été à l'origine de l'inflation déchaînée à partir de 1965 qui a entraîné la crise monétaire généralisée. Depuis 65, les Etats-Unis ont contribué à installer le monde entier dans une économie d'inflation qui a été encore aggravée par l'augmentation du prix du pétrole. Et puis il y a eu la crise morale du Watergate qui a encore aujourd'hui des conséquences. Le citoyen américain n'a plus aujourd'hui la confiance dans son régime et dans les hommes au pouvoir qu'il avait auparavant.

D. W. — *Même depuis l'élection de Reagan ?*

R. A. — Il est trop tôt pour en juger.

J.-L. M. — *Vous croyez que les Etats-Unis peuvent sortir de cette crise morale ?*

R. A. — Bien sûr ! Les Etats-Unis sont un pays jeune, capables de rebondir. Ils paraissent écrasés à un moment donné, désespérés et, quelques années plus tard, ils sont d'un optimisme délirant. C'est un peuple historiquement jeune qui oublie au fur et à mesure. Au cours d'un voyage aux Etats-Unis pour recevoir un doctorat *honoris causa*, j'ai parlé de la guerre du Vietnam et j'ai eu le sentiment que le public d'étudiants se demandait pourquoi je parlais encore de cette vieille histoire. C'était frappant.

D. W. — *Quelles sont les principales forces du système américain ?*

R. A. — La force du système américain, c'est qu'il est le seul régime politique, avec peut-être celui de la Grande-Bretagne, qui bénéficie d'un respect fondamental de la communauté, parce que le régime politique est le principe fondateur des Etats-Unis.

Les Etats-Unis ne sont pas une nation historique comme la France ou la Grande-Bretagne, les Etats-Unis c'est un contrat entre les hommes ou entre les groupes. De ce contrat est née une communauté politique, une « policy » — comme on dit aux Etats-Unis. De ce fait, ce qu'on ne peut pas mettre en question, c'est le régime politique ; ces Américains qui sont de couleurs différentes, d'origines différentes, de religions différentes, sont ensemble les citoyens de la République américaine.

D. W. — *C'est ça, pour vous, leur principale force ?*

R. A. — C'est la condition de leur existence en tout cas. En outre, ils restent encore aujourd'hui, en ce qui concerne la production, les meilleurs avec les Japonais. Et puis, ils ont quelque chose que les Japonais n'ont pas : leurs universités et leurs savants continuent à produire l'essentiel des innovations scientifiques. Il se peut qu'une des raisons pour lesquelles les Etats-Unis aujourd'hui sont moins brillants en économie, c'est que leurs universités sont un peu devenues, comme les universités anglaises, des universités d'excellence, qui ont produit des prix Nobel, mais où on s'intéresse moins à la transformation des découvertes scientifiques en techniques de production.

c) La Chine et le Tiers-Monde

J.-L. M. — *Dans ce face à face entre l'Union soviétique et les Etats-Unis, l'irruption récente de la Chine modifie le rapport des forces. Dans un article récent de la revue* Commentaires, *comparant la situation actuelle et celle de la Seconde Guerre mondiale,*

vous avez posé la question : « Les démocraties doivent-elles toujours
s'allier à un totalitarisme pour en combattre un autre ? »

R. A. — C'était une bonne phrase pour conclure un article.
Cela dit, c'est tout à fait sérieux. Pour l'instant nous avons, nous
Occidentaux, une alliance objective avec la Chine. Je dis
« objective » en ce sens que l'Union soviétique est obligée de
maintenir une cinquantaine de divisions en Extrême-Orient, un
tiers de son aviation, et que tout ça n'est pas à l'Ouest. Donc, de
ce fait, nous avons des intérêts communs avec la Chine
populaire. D'un autre côté, nous n'irions pas au secours de la
Chine populaire si elle était attaquée par l'Union soviétique, et
elle n'irait pas non plus à notre secours si nous étions attaqués
par l'Union soviétique. Donc, selon le langage soviétique :
alliance objective mais non pas subjective.

Dans l'immédiat, la Chine populaire n'est pas encore une
grande puissance parce que son développement économique et
technique n'est pas suffisant et que son armée, en ce qui
concerne son armement, est en retard d'une vingtaine d'années.
Il n'en reste pas moins que si dans les années qui viennent le
Japon décide d'armer la Chine, cela représenterait pour l'Union
soviétique une modification défavorable du rapport des forces.

Mais il y a aussi un risque contraire : si les Chinois ont le
sentiment qu'ils ne peuvent rien espérer des Occidentaux et en
particulier des Américains, peut-être alors feront-ils quelque
arrangement avec l'Union soviétique pour échapper au danger.

D. W. — *Vous voulez dire que les Occidentaux devraient*
davantage aider les Chinois ?

R. A. — Ils devraient considérer que dans le rapport mondial
des forces, un certain progrès de la Chine est dans leur intérêt.
Et la seule raison pour laquelle nous n'aidons guère la Chine,
c'est parce que nous avons peur de l'Union soviétique. Les
Européens ont peur, certainement. Les Américains, eux, pen
sent que c'est un jeu trop dangereux d'aider ouvertement les
Chinois. Ils ont dit cependant aux Européens, n'est-ce pas
curieux : « qu'ils n'avaient pas d'objection si les Européens
armaient la Chine. » Chacun a suggéré à l'autre qu'il pouvait le
faire. Interprétez comme vous voudrez.

D. W. — *Vous avez dit plus haut qu'aider l'Union soviétique, commercer avec elle, n'avait pas servi la détente mais accru le potentiel militaire de l'U.R.S.S. Maintenant, vous dites qu'il faudrait aider la Chine. Il n'y a pas contradiction entre les deux positions ?*

R. A. — Non. Malheureusement la politique étrangère est un exercice de truands ou de gangsters. Quand on a un ennemi immédiat, on a tendance à aider un ennemi futur et lointain contre l'ennemi immédiat.

J.-L. M. — *Il faut fermer les yeux sur la dictature en Chine ?*

R. A. — S'il ne fallait avoir comme alliés que ceux qui respectent les droits de l'homme, je pense que les démocraties occidentales n'auraient pas d'autres alliés qu'elles-mêmes.

D. W. — *N'y a-t-il pas d'autres problèmes plus graves que les rapports Est-Ouest ? Ceux de la faim, de la démographie, vont se poser dans les prochaines années.*

R. A. — Ce n'est pas du même ordre. La question est en effet discutée un peu partout mais je ne peux pas lui donner de réponse. La rivalité entre le monde soviétique et le monde occidental, en un certain sens, est stupide dans la mesure où les uns et les autres sont des pays développés. S'il n'y avait pas les oppositions idéologiques, les relations entre ces pays devraient être normales. Mais le monde soviétique étant ce qu'il est, le grand conflit actuel depuis 1945, est le conflit entre l'Est et l'Ouest.

Dans cette même période s'est produite la libération de tous les pays colonisés. Bien. Ce fut un mouvement historique tout aussi considérable que le mouvement soviétique. Aujourd'hui on nous dit, ce qui est vrai, que des millions d'hommes souffrent de la faim. On demande alors : « Est-ce que c'est plus ou moins important que la rivalité entre l'Union soviétique et les Etats-Unis ? » Mais quel sens a cette question ?

D. W — *Attention. On la pose du point de vue des risques de guerre.*

R. A. — De ce point de vue la réponse est facile : la faim n'est pas une cause de guerre. En ce qui concerne la faim au Bangladesh par exemple, je ne vois pas que ce soit d'une manière quelconque une cause de guerre. Il y a une surpopulation en Asie du Sud-Est, des risques de famine ici ou là, en Indonésie peut-être, mais non plus en Inde. Tout cela est vrai. C'est un scandale pour la conscience. Ce n'est pas un danger de guerre.

D. W. — *Et les guerres incontrôlées ?*

R. A. — La guerre entre l'Irak et l'Iran n'a rien à voir ni avec les facteurs démographiques ni avec les facteurs économiques. C'est une guerre entre deux pays qui ont des griefs et qui avaient tendance ou le goût d'en découdre.

D. W. — *Attendez. Il faut que je revienne à cette question. Vous considérez que de 45 aux années 70 la plupart des causes de tension étaient les relations entre l'Est et l'Ouest ?*

R. A. — Oh ! pas toujours. La décolonisation, la guerre du Vietnam des Français : huit années ; la guerre algérienne : huit années. Ce n'était pas Est-Ouest. Les Algériens ne sont pas du côté est. Ils ne sont pas non plus du côté ouest. Il y avait la décolonisation. Les Soviétiques étaient toujours pour les pays qui se révoltaient. Les Américains étaient souvent aussi pour ceux qui se révoltaient, mais, comme ils étaient alliés des Français, ils ne pouvaient pas le dire.

D. W. — *Mais les Américains au Sud-Vietnam ? C'était bien un conflit Est-Ouest ?*

R. A. — Dans une grande mesure. Mais les conflits dans le monde pendant cette période ne sont pas seulement, je le répète, des conflits Est-Ouest.

D. W. — *Je veux dire ceci : si on met en rapport les conflits liés à la tension Est-Ouest, et ces conflits incontrôlés ou liés au problème démographique, à la faim, lesquels font courir au monde les risques les plus importants ?*

R. A. — Je dirai les choses autrement. Il y a eu, entre 46-47 et jusque vers 1970, une espèce d'équilibre dans le monde qui tenait à la supériorité des Etats-Unis et à des règles de conduite dans les relations entre les Etats-Unis et l'Union soviétique. Aujourd'hui, il n'y a plus aucune puissance, ni les Etats-Unis ni l'Union soviétique, qui contrôle l'ensemble du système international, d'où la possibilité des guerres que vous appelez « incontrôlables ».

En ce qui concerne la démographie ou la faim, ce n'est pas nouveau, ça existe depuis longtemps, on en parle davantage surtout parce qu'il y a eu la révolte de certains pays qui possédaient des matières premières ou de l'énergie dont les Occidentaux avaient besoin.

Alors il y a d'un côté, si vous voulez, les moralistes, ceux qui protestent contre le gaspillage des ressources occidentales en armements, qui préféreraient aider le développement des pays pauvres, et puis il y a les autres qui tiennent des raisonnements beaucoup moins idéalistes, beaucoup moins sublimes : ils savent que l'Europe ne peut vivre que des industries de transformation. Elle a besoin de matières premières et d'énergie, tout particulièrement de pétrole, qui ne peuvent venir que de l'extérieur et souvent de pays que l'on appelle pays du « Tiers-Monde ». Il faut bien qu'elle s'en procure sous peine de ne plus exister. C'est un aspect nouveau de la situation des Européens.

Cela dit, je répète qu'en ce qui concerne l'Europe occidentale et en particulier la France, la question est de savoir si nous pouvons rester la France ou si nous devons devenir la Pologne. Ça me paraît, pour les Français, plus important que la surpopulation au Bangladesh. Mais pour le Bangladesh la surpopulation est, à coup sûr, plus importante.

J.-L. M. — *Vous pouvez faire un pronostic sur les chances de la France de rester la France ou de devenir la Pologne ?*

R. A. — Ecoutez : quand on se bat pour quelque chose, on ne calcule pas la probabilité de gagner ou de perdre

D. W. — *Ah! quand même, ça fait partie des calculs stratégiques.*

R. A. — Non. Quand on a le choix entre survivre et mourir, on ne fait pas de calculs, on se bat.

D. W. — *Nous n'en sommes pas encore à cette extrémité!*

R. A. — Non, mais vous me posez la question : est-ce que la France restera la France ou deviendra la Pologne d'aujourd'hui ? Je réponds : si la question se pose en ces termes, on ne calcule pas, on se bat. Tant qu'il y aura une possibilité de le faire, je continuerai.

Vous pourriez alors demander : croyez-vous que vos petits-enfants vivront en France ou aux Etats-Unis ? La question est sérieuse. Feront-ils leur carrière en France, ou la France sera-t-elle devenue à tel point proche de l'Union soviétique qu'ils iront de l'autre côté de l'Atlantique où, même si cela tourne mal, il y aura encore une chance de société libérale ? Je réponds : je pense qu'ils feront leur vie en France ; je l'espère, je n'en suis pas sûr.

d) Les droits de l'homme ne font pas une politique

J.-L. M. — *Le grand événement en 74, c'est l'expulsion d'Union soviétique de Soljenitsyne et la publication, en France notamment, de l'Archipel du Goulag. On a l'impression qu'à cette occasion il y a une sorte d'ébranlement de l'opinion : la gauche découvre, on peut dire officiellement, la réalité du régime soviétique et les camps de concentration. Elle en avait déjà une certaine connaissance. Avec l'Archipel du goulag cette connaissance devient quelque chose d'autre.*

R. A. — Je pense que ce qui est frappant, et peut-être merveilleux, c'est l'acte du génie. La documentation existait déjà. Les livres qui racontaient l'équivalent, on pouvait les prendre dans n'importe quelle bibliothèque. Mais avec Soljenit-syne il y a eu une espèce de bilan des camps de concentration, un bilan qui a été écrit, pensé, par un écrivain de génie. Du coup, le choc, l'impact, a été quelque chose de tout à fait différent. Est-ce qu'il a frappé l'ensemble de la population française ou essentiellement les intellectuels ? Je ne sais pas.

Chez les intellectuels, je me demande s'il n'y avait pas une attente, s'ils n'attendaient pas une bonne raison pour un changement.

D. W. — *En effet, c'est justement à ce moment-là qu'apparaît le thème des droits de l'homme qui va occuper une place centrale.*

R. A. — Oui. Au fond, ces intellectuels étaient à mon sens déjà prêts à renier le sophisme que pour créer une société parfaite on a le droit de commettre dans l'immédiat tous les crimes possibles. Telle était la morale initiale du mouvement communiste. C'est d'ailleurs la morale initiale de tous les mouvements révolutionnaires. Dans la Révolution française aussi, il y a eu des phénomènes de cet ordre...

Simplement il semble qu'après cinquante-cinq ans, soixante années de révolution, l'argument devenait de moins en moins acceptable. Quand Sartre et Merleau-Ponty, dans les années 40 dirent : « Il y a une dizaine de millions de concentrationnaires en U.R.S.S. », l'impact fut presque nul, ce qui est tout de même étonnant. Alors bon, peut-être que c'est le génie de Soljenitsyne qui a changé quelque chose mais peut-être aussi que les hommes de gauche en avaient assez de ce jeu avec eux-mêmes et qu'ils avaient le désir profond de revenir à leur authenticité ou de reconnaître qu'il y a des choses qui ne sont pas acceptables, même si le but ultime est sublime.

D. W. — *A votre avis, le mouvement autour des droits de l'homme explique ce changement d'attitude ?*

R. A. — Le mouvement des droits de l'homme c'est plus compliqué. Pour une part, il résulte d'une évolution des hommes de 68.

D. W. — *Et des femmes..*

R. A. — Et des femmes ; dans ce cas je ne fais pas de distinction. Les militants de 68, si vous voulez, avaient la possibilité d'être récupérés par le parti communiste. Certains d'entre eux l'ont été. D'autres pouvaient aller, comme ceux de l'Italie, vers le terrorisme. Ce qui est très frappant, c'est que les meilleurs d'entre eux ont eu à un moment donné le sentiment qu'ils risquaient de devenir des fascistes. Ils se sont arrêtés et je crois que c'est la notion des droits de l'homme qui les a arrêtés sur le chemin où les Italiens ne se sont pas arrêtés. Et puis il y avait, me semble-t-il, une recherche de quelque chose qui ne fût ni l'acceptation du gouvernement, ni la révolution, ni le terrorisme. La théorie des droits de l'homme, c'était une manière pour ces hommes de 68 d'être fidèles à eux-mêmes et tout de même de dire quelque chose de tout autre.

Ce n'était pas simplement, je dirais, du libéralisme aronien, prosaïque et ennuyeux. C'était retrouver une poésie dans l'action au nom de quelque chose de supérieur qui est le respect dû à tous les hommes.

D. W. — *C'est une phase de repli en attendant une autre utopie ? Ou bien c'est une conversion plus profonde à la démocratie occidentale ?*

R. A. — Il est difficile de faire des prévisions. Le culte des droits de l'homme dans une partie du monde intellectuel, c'est aussi l'absence d'une idéologie pouvant remplacer le communisme. A défaut, on a une série d'idéologies sympathiques : la libération des femmes, des enfants, des noirs, etc. C'est sympathique et tout à fait normal mais ce n'est pas assez pour remplir le cœur des jeunes gens qui veulent se dévouer à une cause transcendante. Le communisme était une cause universelle. C'était la fin d'une certaine histoire et le début d'une autre. La libération des hommes et des femmes — particulièrement des femmes — on peut dire que c'est encore plus fondamental que le changement de la société. Mais je ne crois pas que les jeunes gens qui s'en préoccupent soient capables de concevoir le même enthousiasme que les jeunes communistes de 1945, ou les jeunes gauchistes de 1968. C'est autre chose.

Les défenseurs des droits de l'homme ne le savaient pas, mais leur action était une certaine manière de revenir à la bourgeoisie. C'est la possibilité à la fois d'être contre le gouvernement en place et aussi contre l'autre côté, c'est une manière de ne pas prendre parti d'un côté contre l'autre, car il va de soi que dans toutes les sociétés il y a des manquements au respect des hommes, il y a des manquements au respect des droits. Mais on oublie qu'il y a des différences de degrés, lesquels deviennent, de degré en degré, des différences de nature.

F. W. — *Vous croyez qu'on peut fonder une politique sur les droits de l'homme ?*

R. A. — On peut vivre dans l'obsession de défendre les droits de l'homme. S'il s'agit d'avoir une politique étrangère, non, on ne peut pas faire une politique étrangère à partir de l'idée du respect des droits de l'homme. Si les Etats-Unis avaient comme principe absolu de ne reconnaître comme alliés que les régimes qui respectent les droits de l'homme, je me demande combien d'Etats, en dehors de l'Europe occidentale, pourraient être les alliés des Etats-Unis.

D. W. — *A supposer que les Etats-Unis les respectent eux-mêmes tout le temps d'ailleurs...*

R. A. — J'ai dit, il y a un instant, qu'il n'y a aucun pays où les droits de l'homme soient toujours respectés et en particulier *tous* les droits de l'homme. La définition et l'énumération des droits de l'homme n'est pas tellement facile à faire et on ne sait pas très bien au nom de quoi on considère ceci comme fondamental et cela comme secondaire.

J.-L. M. — *On a l'impression que vous n'êtes pas loin de penser, en fin de compte, que les droits de l'homme, pour les intellectuels, c'est un nouveau moyen, une nouvelle ruse pour refuser de penser la politique...*

R. A. — C'est excessif, mais je pense, en tout état de cause, que c'est une manière de ne pas s'engager dans des combats douteux, et tous les combats politiques sont douteux. Ce n'est jamais la lutte entre le bien et le mal, c'est le préférable contre le détestable. Il en est toujours ainsi, en particulier en politique étrangère. Alors, quand on a vécu dans l'atmosphère de 68, vous savez : le rêve, la pureté, lorsqu'on a réagi contre les adultes, contre la société, c'est difficile de rentrer, disons, dans ces combats douteux où nous sommes tous impliqués. Or la défense des droits de l'homme, d'une certaine manière et dans les meilleurs cas, mais pas toujours, c'est un combat pur et non pas douteux.

J.-L. M. — *Avec l'accent mis sur les droits de l'homme ce ne sont pas les idées de Raymond Aron qui triomphent ?*

R. A. — Quelque chose tout de même de ce qu'il a dit pendant très longtemps. J'ai toujours accepté de penser politiquement, d'agir politiquement. Je n'ai jamais prétendu à la pureté de l'ange parce que sans quoi j'aurais renoncé à penser la politique. Et je crois que certains ont fait un pas dans cette direction en reconnaissant le sophisme, ou encore, si vous voulez, en renonçant à ce confort intellectuel qui consiste à accepter le terrorisme, le mépris des droits de l'homme au nom d'une cause dite sublime, ce qui est le début de l'affreux, de l'horrible. Certains ont compris le sophisme, non pas grâce à moi, mais grâce aux événements.

D. W. — *Vous dites que penser la politique c'est la penser à partir de la réalité, mais vous dites aussi que c'est la penser à partir d'un certain nombre de valeurs. Pourquoi le thème des droits de l'homme ne peut-il pas être un des thèmes à partir desquels on peut penser la politique ?*

R. A. — On le pourrait mais à condition de chercher quelle est l'organisation politique, quel est le régime politique, qui a les meilleures chances de respecter les droits de l'homme. Il faudrait alors observer la réalité, comparer les régimes, ce qui a conduit à accepter tel ou tel régime dans son impureté parce que ce régime donne plus de chance aux droits de l'homme. Or la plupart de ceux qui militent pour les droits de l'homme protestent dans le monde entier, défendent de leur mieux dans le monde entier les victimes des gouvernants. C'est un travail utile, respectable, auquel je participe dans la mesure du possible. Mais ce n'est pas à partir de là que l'on peut définir une politique étrangère. On ne le peut pas quand on est les Etats-Unis. Même quand on est la France, on ne le peut pas. La France ne peut pas déterminer ses amitiés et ses décisions en fonction du degré de mépris ou de respect des droits de l'homme dans les différents pays. Et je ne connais pas, dans l'histoire, de pays qui ait fondé sa politique étrangère uniquement sur les vertus de ses alliés.

D. W. — *Autrement dit, il n'y a jamais de morale dans les relations internationales ?*

R. A. — Il y a toujours dans la politique internationale des éléments d'immoralité parce que la politique étrangère, c'est du combat, à un degré ou à un autre. C'est aussi parce que, dans les relations internationales, il n'y a pas de tribunal. A l'intérieur des Etats il y a les droits, les lois, et il y a les tribunaux. Mais il n'y a pas de tribunal international. Vous me direz qu'après la dernière guerre il y a eu le tribunal de Nuremberg. Mais nous savons maintenant — je crois que je l'ai écrit à l'époque — que l'Etat qui perd la guerre subira les décisions d'un tribunal comme celui de Nuremberg. Mais nous n'avons pas la certitude que celui qui subira le verdict de Nuremberg sera l'Etat coupable ; ce sera l'Etat vaincu. A l'époque, cet Etat vaincu était le plus coupable c'est-à-dire l'Allemagne hitlérienne. Mais à partir du moment où l'on condamne « le crime contre la paix », par exemple, je suis sûr que celui qui gagnera la guerre démontrera que le vaincu avait été responsable de la guerre.

J.-L. M. — *N'est-ce pas un symbole de cette importance accordée aux droits de l'homme que votre rencontre, en 77, après trente ans de brouille et de polémiques, avec Jean-Paul Sartre ? Vous avez fait avec lui une démarche commune auprès du président de la République en faveur des réfugiés vietnamiens.*

R. A. — Oui, bien sûr... Je ne vais pas diminuer la signification pour Sartre et pour moi-même de cette rencontre. Mais sa signification a été encore plus grande, je crois, pour les journalistes qui nous ont photographiés ensemble. Nous étions là pour demander quoi ? Pour demander au gouvernement français d'accueillir un nombre supérieur de réfugiés, de sauver des vies humaines. A partir du moment où les hommes ne sont plus empoignés, pour ainsi dire, par la passion idéologique, demander au président de la République d'ouvrir les frontières à des malheureux, c'est un acte de simple compassion humaine... Je suis heureux que nous ayons été tous les deux à l'Elysée, bien que l'efficacité de notre démarche ait été faible. Mais enfin ce n'est pas un événement qui signifie une conversion de l'intelligentsia.

D. W. — *Pourtant, il y a vingt ans, cette démarche n'aurait pas été concevable. Donc il y a quand même eu un changement.*

R. A. — Ecoutez, Sartre n'est plus là et je ne veux pas avoir seul la parole. Disons que dans des circonstances de cet ordre, j'aurais accompagné n'importe qui pour plaider en faveur de ces malheureux. Sartre, il y a vingt ans, était engagé dans l'action politique. Il acceptait mieux que moi les aspects durs, impitoyables de la bataille politique. A cet époque, il n'aurait pas accepté une démarche commune avec moi, même quand nous étions d'accord sur l'indépendance algérienne. Mais dans les dernières années de sa vie, à tort ou à raison par rapport à sa biographie, il a évolué sous l'influence de son entourage, sur certains points. Il a ainsi accepté, sans aucune protestation, que nous allions ensemble voir le président de la République. Mais je crois que cette rencontre a été un moment de nos relations et non pas un épisode de l'histoire universelle.

Encore une fois, je trouve tout à fait normal, tout à fait bien, de soulager des misères, de sauver des malheureux. Quand on le peut, il faut le faire. Quand des hommes de qualité consacrent leur vie à cette activité, je les admire. Je n'ai absolument rien, aucune espèce de réserve à formuler contre eux. Malheureusement, la politique ne s'épuise pas dans ce genre d'activités de samaritain. Si la politique était uniquement cela, comme ce serait mieux !

e) L'Europe décadente

D. W. — *Dans cette rivalité entre les empires, l'Europe semble à la fois spectatrice et enjeu. Vous avez écrit, à la fin de* Clausewitz, penser la guerre : « *Les Européens voudraient sortir de l'histoire, de la grande histoire, celle qui s'écrit en lettres de sang. D'autres, par centaines de millions y entrent.* » *A votre avis, est-ce que l'Europe peut sortir de l'histoire ?*

R. A. — Non, je ne pense pas que l'Europe puisse sortir de l'histoire. Mais l'ensemble de l'Europe occidentale — qui est encore une des parties de l'humanité la plus riche — est incapable de se défendre et ne conçoit sa défense que par et en tout cas avec les Etats-Unis.

Tenez, il me revient un souvenir. C'était peu de temps après la révolution portugaise, à l'époque où l'on avait le sentiment qu'elle conduisait à un régime de gauche ou d'extrême gauche. Un journaliste m'interrogeait à la télévision. Il en est venu à me dire : « En somme, c'est un échec des Etats-Unis. » Et je lui ai répondu : « C'est une manière de voir les choses que je trouve tout à fait extraordinaire. Lisbonne est plus proche de Paris que de New York. S'il y a un gouvernement soviétique à Lisbonne, ce n'est pas selon vous un échec pour les Européens de l'Ouest mais pour les Etats-Unis. Eh bien, c'est idiot. Vous avez toujours l'illusion que l'Europe est au balcon de l'histoire. L'Europe marque les coups. » Quand il se passe quelque chose en Afghanistan et en particulier dans la région du golfe Persique, la région d'où dépend l'existence industrielle même de l'Europe, tout se passe comme si c'était la responsabilité exclusive des Etats-Unis.

J.-L. M. — *D'où vient cette attitude ? Il n'y a plus de résolution collective de l'Europe ?*

R. A. — Il n'y en a plus. Les Européens se sont trop fait la guerre ; ils ont mesuré l'inanité et l'absurdité, la stérilité de ces guerres inexpiables. Ils préfèrent trouver une espèce de sécurité sous la protection américaine. Et puis ils conservent vaguement la nostalgie de la neutralité. Ils voudraient la protection américaine d'un côté, des bonnes relations avec l'Union soviétique de l'autre. Cette situation n'est pas glorieuse ; c'est probablement la seule que les Européens jugent possible aujourd'hui.

Je souhaite que cette espèce de confiance dans la prudence

soviétique soit confirmée par les événements. J'espère que les Etats-Unis, ou la bonne chance, seront suffisants pour assurer le ravitaillement de l'Europe en pétrole. C'est faire beaucoup de paris optimistes...

Je n'ai jamais été neutraliste. Aujourd'hui personne ne l'est en théorie : les Européens appartiennent à l'alliance Atlantique. Bon ! Ils limitent leurs ambitions ; ils savent les limites de leurs armements ; ils connaissent les armements de l'autre côté...

J.-L. M. — *Vous avez pourtant écrit un plaidoyer pour cette Europe sans résolution, en 77. Votre livre a un titre bizarre :* Plaidoyer pour l'Europe décadente.

R. A. — Oui. Il n'a pas été accepté aisément par les éditeurs, à tel point que dans certaines traductions, la *Défense de l'Europe décadente* est devenue la *Défense de l'Europe libérale.*

Je voulais dire deux choses à la fois. La première, c'est que si l'on compare l'Europe occidentale à l'Europe orientale au point de vue de la civilisation, de la liberté, de la créativité, il n'y a pas de question : personne ne choisit l'Europe orientale contre l'Europe occidentale.

Mais, d'un autre côté, si l'histoire continue comme de coutume : « history as usual » disent les Anglais, si elle continue à être une marâtre, si elle reconnaît finalement les brutes et non pas les vertueux, il n'est pas démontré que, dans la compétition actuelle, les Européens de l'Ouest soient les plus résolus, les mieux armés, les plus capables de s'entendre et de se défendre eux-mêmes. Si donc, selon une philosophie pessimiste de l'histoire, la terre appartient aux brutes, alors l'Europe éclatante peut être l'Europe condamnée.

J.-L. M. — *Vous analysez aussi dans ce livre ce que vous appelez « l'autodestruction des démocraties libérales ». Considérez-vous que les démocraties sont suicidaires ? L'expression est de vous.*

R. A. — Oui, je sais. Mais dit ainsi, c'est excessif. Je dis que les Européens n'ont pas confiance en eux-mêmes, qu'ils n'ont pas conscience de leur supériorité humaine et économique sur l'Europe de l'Est. Je pense aussi que les démocraties occidentales ont tendance à aller au-delà de ce qui est tolérable pour la cohérence des nations. Je crois que c'est à ce point de vue que je faisais allusion au « penchant suicidaire » des Européens de l'Ouest. Mais ce qui me paraît l'essentiel, c'est ceci : si les verdicts de l'histoire sont prononcés par un tribunal de vertu, il n'y a pas de question : l'Europe occidentale gagnera. Mais si le tribunal qui prononce le verdict est celui qui compare la « virtu » au sens machiavélien, ou qui compare l'unité collective, la résolution des peuples, alors là je ne suis pas sûr que le tribunal sera indulgent pour les Européens de l'Ouest. Parce que ceux-ci, au fond, n'ont pas confiance dans leur force, ils s'en remettent à la prudence des Soviétiques.

J.-L. M. — *Cette « virtu », cette résolution collective, n'est-elle pas en contradiction avec la morale de l'individu et celle de la démocratie ?*

R. A. — Non. La morale du citoyen, c'est de mettre au-dessus de tout la survie, la sécurité de la collectivité. Mais si la morale des Occidentaux est maintenant la morale du plaisir, du bonheur des individus et non pas la vertu du citoyen, alors la survie est en question. S'il ne reste plus rien du devoir du citoyen, si les Européens n'ont plus le sentiment qu'il faut être capable de se battre pour conserver ces chances de plaisirs et de bonheur, alors en effet nous sommes à la fois brillants et décadents.

C'est ce que j'ai essayé d'exprimer dans ce titre contradictoire de mon livre, titre qui m'a fait grand plaisir, mais qui a irrité tout le monde. Je l'ai maintenu parce que je voulais dire les deux choses à la fois.

J.-L. M. — *Mais toute la culture occidentale va dans le sens de la recherche individuelle du bonheur ?*

R. A. — C'est vrai. C'est une civilisation hédoniste. Mais cette philosophie pourrait s'accompagner de la tradition du citoyen. Il faudrait en même temps prendre conscience des conditions nécessaires pour conserver la possibilité de rechercher ce bonheur que l'on souhaite si passionnément. Il y a un texte de Tocqueville où il dit que d'un côté, les Américains désirent passionnément le bien-être et que le lendemain ils sont empoignés par le patriotisme, c'est-à-dire par le souci du bien public. C'est le propre d'une démocratie vivante. Si le deuxième élément n'existe plus, alors il faut prier l'histoire d'être indulgente à ceux qui en ont oublié les leçons.

D. W. — *Le XXᵉ siècle, c'est le conflit entre les totalitarismes, sous leur forme fasciste ou communiste, et les démocraties. Pensez-vous que les démocraties occidentales ont encore une chance d'être le régime dominant en Europe ?*

R. A. — Oh, je n'en sais rien.

D. W. — *Vous n'êtes pas très optimiste.*

R. A. — Ni optimiste, ni pessimiste. C'est de l'observation, de l'analyse. Je pense que, si on laisse de côté les pressions extérieures et les accidents diplomatiques, l'Europe occidentale devrait rester jusqu'à la fin du siècle un ensemble de civilisation libérale.

Cela dit, ce pari est suspendu à un certain nombre d'événements dont nous n'avons pas le contrôle : ce qui se passera au Moyen-Orient, ce qui se passera dans le golfe Persique, ce qui se passera dans l'Europe orientale, et ainsi de suite.

L'Europe occidentale libérale, à mon avis, ne va pas se ruiner elle-même par ses propres démarches, mais elle dépend d'un grand nombre de forces dont elle n'a pas le contrôle. Aussi est-elle obligée, pour ne pas trop perdre confiance en elle-même, de faire un grand nombre de paris. Et il est toujours dangereux de faire un trop grand nombre de paris.

D. W. — *Simultanément.*

R. A. — Ou successivement.

D. W. — *Mais comment l'Europe peut-elle renforcer sa résolution collective, condition, selon vous, de sa survie ?*

R. A. — Il faut qu'elle se souvienne que dans une démocratie, les individus sont à la fois des personnes privées et des citoyens. Or ce qui m'impressionne le plus, c'est qu'il est presque impossible me semble-t-il, en France, de faire des cours sur le patriotisme dans les écoles et qu'il est probablement extraordinairement difficile, même dans une faculté, de faire un cours sur les devoirs du citoyen, de rappeler que notre civilisation, dans la mesure où elle est libérale, est aussi une civilisation du citoyen et pas seulement du consommateur, pas seulement du producteur.

Nos sociétés, nos démocraties, sont des pays de citoyens. Aujourd'hui, les citoyens sont essentiellement consommateurs et producteurs. C'est très bien, cela va de soi. Mais c'est une représentation marxiste dévoyée.

Le paradoxe, c'est que dans le pays qui se déclare marxiste, on passe son temps à rappeler aux individus qu'ils sont d'abord et avant tout, je ne dis pas des citoyens, mais des serviteurs de l'Etat soviétique.

Cette comparaison des deux extrêmes, des deux blocs, de ces deux entités, ne nous fournit aucune raison d'enthousiasme, ne nous assure pas que l'avenir nous appartient.

Mais si l'avenir appartient à la liberté des hommes, nous avons gagné.

III

LE SPECTATEUR ENGAGÉ

a) L'unité de l'œuvre

D. WOLTON. — *Finalement, vous avez traité un nombre considérable de thèmes, de sujets, et dans des genres très différents. Alors, quelle est l'unité de votre œuvre ?*

RAYMOND ARON. — A supposer qu'il y ait une unité, elle est essentiellement celle d'une personne, mais si vous voulez absolument trouvez une unité, on peut dire qu'il y a eu une réflexion philosophique sur l'histoire et, simultanément, une réflexion sur les conditions de l'existence historique : ce sont mes livres d'avant-guerre.

Et puis je me suis trouvé engagé dans les tumultes historiques, principalement comme journaliste. Dans cette période, entre 47 et 55, j'ai écrit deux livres qui étaient une tentative d'analyse de la situation globale : *le Grand Schisme* et *Guerres en chaîne ;* et puis un livre, *l'Opium des intellectuels* qui appartient à mes écrits de débat idéologique avec la gauche, les marxistes, Jean-Paul Sartre, Merleau-Ponty, etc., partie du débat des Français, des intellectuels français sur la situation politique à la lumière d'une certaine philosophie.

Quand je suis revenu à l'Université, j'ai écrit ce que je voulais écrire depuis longtemps, c'est-à-dire une tentative d'analyse — au moins succincte — de ce qui caractérisait d'un côté les sociétés occidentales et de l'autre les sociétés soviétiques. Ça a donné les trois petits livres *les 18 Leçons sur les sociétés industrielles* et les deux suivants. Si je n'avais pas été journaliste, j'aurais fait un seul grand livre. Mais le temps me manquait pour écrire « le » livre. Et puis je n'aime pas reprendre une question quand je l'ai discutée d'une certaine manière. J'ai d'abord refusé de laisser publier les cours de la Sorbonne, puis j'ai fini par accepter, d'où ces trois petits livres qui sont les substituts d'un livre qui aurait été meilleur.

En même temps, il y avait cette innovation bouleversante pour l'humanité : les armes nucléaires. Etant une sorte de « correspondant diplomatique » — comme on dit en Angleterre — du *Figaro,* je me devais d'analyser la situation globale et de tenir compte des données nouvelles de l'économie, de l'armement, etc. Alors j'ai commencé à écrire des livres sur les relations internationales. Ce furent *Paix et guerre entre les nations,* puis, un autre qui est plus lisible parce qu'il est plus court : *le Grand Débat. Initiation à la stratégie nucléaire,* et finalement un livre pour lequel j'ai peut-être un certain faible : *Penser la guerre, Clausewitz.* Un faible parce que c'est un livre que je n'aurais pas dû écrire.

J.-L. MISSIKA. — *Pourquoi ?*

R. A. — J'ai essayé dans ce livre, non pas seulement d'interpréter à ma manière le plus grand stratège du passé, mais de trouver dans l'œuvre de ce stratège philosophe les origines des interprétations contradictoires que l'on a données de sa pensée. Or il aurait été plus difficile mais plus instructif d'appliquer la même technique à Marx. Probablement, avec ma paresse ordinaire, j'ai reculé devant les difficultés de faire, aux dépens de Marx, ce que j'ai essayé de faire aux dépens de Clausewitz. La postérité de Clausewitz n'est pas illimitée. Celle de Marx, elle, est vraiment illimitée. Il aurait été plus intéressant de comprendre pourquoi Marx prêtait à tant d'interprétations. Le cas de Clausewitz était d'une certaine manière trop facile.

Alors, finalement, qu'est-ce qu'il y a de commun à tous ces livres ? C'est une réflexion sur le xxᵉ siècle, à la lumière du marxisme, et un essai d'éclairer tous les secteurs de la société moderne : l'économie, les relations sociales, les relations de classes, les régimes politiques, les relations entre les nations et les discussions idéologiques.

Après tout, Nietzsche a écrit que le xxᵉ siècle serait un siècle de grandes guerres livrées au nom de philosophies. Par conséquent, quand j'essaie de me justifier d'avoir écrit des articles, des livres de débat idéologique, je dis que, au bout du compte, je participais aux grandes guerres du xxᵉ siècle livrées au nom de philosophies. Tout cela ne fait pas une unité, tout cela est imparfait, esquissé, mais celui qui veut tout appréhender ne peut aller au bout d'aucun des sujets qu'il a saisis. Peut-être y a-t-il une place pour des amateurs de mon genre qui, tout en étant universitaires, se donnent des libertés que les meilleurs universitaires ne s'accordent pas.

J.-L. M. — *Je trouve que vous avez un jugement sévère sur votre œuvre.*

R. A. — Non. Je ne sais pas moi-même la valeur de mon œuvre. Je ne sais pas si elle sera dans une dizaine d'années simplement le témoignage d'une personnalité, ou bien si on lira encore les livres auxquels je tiens. On ne peut pas le savoir.

J.-L. M. — *En 1976, dans une interview, vous avez dit : « Je redoute l'imagination aussi bien en philosophie qu'en politique, en quoi je suis plutôt, d'ailleurs, un analyste ou un critique. »*

R. A. — Je pense que c'est vrai. J'ai analysé beaucoup de situations politiques et économiques de manière convenable. Je crois que, en gros, j'ai eu du jugement. Quand il y avait des débats fondamentaux qui touchaient à l'essence de la civilisation moderne, j'ai été, je crois, toujours du bon côté. Je n'ai pas eu d'illusions sur Hitler, je n'ai pas eu d'illusions sur Staline. Je n'ai pas cru que la France pouvait se rénover par l'Algérie française. Tout cela c'est, si je puis dire, en ma faveur. Ce n'est pas de la prétention. Je crois que c'est vrai et je le dis simplement, de manière détachée.

En revanche, si on me demande : que vaut *Paix et guerre entre les nations ?* je suis moins optimiste qu'il y a quinze ans. Aujourd'hui, je vois les défauts du livre, la part de journalisme

300

qu'il contient et que j'aurais pu éviter. Une tentative de théorie aurait pu être plus abstraite et plus détachée de l'actualité.

D. W. — Il y a autre chose. Vous préférez expliquer la réalité plutôt que la rêver ou l'inventer. On a l'impression qu'il y a une partie de votre personnalité que vous avez brimée.

R. A. — C'est ce que me dit toujours Bertrand de Jouvenel. Mais quand on analyse les sociétés actuelles on est tellement convaincu des contraintes qui pèsent sur les gouvernants comme sur les gouvernés qu'il est difficile de rêver ou d'inventer comme vous dites. Quand on observe les différents types de régimes politiques qui existent aujourd'hui, il est très difficile d'imaginer un régime politique qui serait radicalement différent des deux que nous connaissons, étant entendu d'ailleurs qu'il y a des modalités de type soviétique et des modalités de type occidental, et qu'il serait absurde de dire qu'on est obligé de choisir entre Washington et Moscou.

Je dis simplement que politiquement, aujourd'hui, jusqu'à présent dans notre siècle, la grande question c'est : est-ce qu'on accepte le dialogue ? Est-ce qu'on accepte de discuter ? Nos sociétés, ici, acceptent le dialogue. L'essence du régime soviétique, c'est le refus du dialogue. Moi, j'ai choisi depuis trente-cinq ans la société dans laquelle il y a dialogue. Ce dialogue doit être autant que possible raisonnable, mais il accepte les passions déchaînées, il accepte l'irrationalité : les sociétés de dialogue sont un pari sur l'humanité. L'autre régime est fondé sur le refus de la confiance aux gouvernés, sur la prétention d'une minorité d'oligarques, comme on dit, de détenir la vérité définitive pour eux-mêmes et pour l'avenir.

Ça, je le déteste ; je l'ai combattu pendant trente-cinq ans, et je continuerai. La prétention de ces quelques oligarques de savoir la vérité à la fois de l'histoire et de l'avenir est insupportable. Comme on dit aujourd'hui, c'est inacceptable.

D. W. — En tout cas il y a une constante dans un certain nombre de vos livres : vous aimez vous confronter à certains auteurs du passé : Montesquieu, Max Weber, Marx, Tocqueville, Auguste Comte.

R. A. — Pour plusieurs raisons. La première c'est que je pense encore aujourd'hui que les grandes doctrines sociales du XXᵉ siècle ont été pour l'essentiel construites au XIXᵉ siècle. Une culture exige de la mémoire. Précisément parce qu'il y avait dans la sociologie américaine à une certaine époque, ou même dans la sociologie française, la tendance à repartir à neuf, comme s'il n'y avait pas une pré-sociologie, moi j'ai été amené à reprendre ces grands auteurs et à les lire à ma manière. Il y a une autre raison : je trouve une satisfaction intellectuelle authentique à me confronter à de grands esprits, sans illusion d'ailleurs sur le résultat de la confrontation. Cette confrontation est une manière de se protéger de la médiocrité. Il faut se mettre en dialogue avec de grands esprits...

En ce qui concerne Tocqueville j'ai contribué à lui rendre la place qu'il mérite à la fois dans la culture française en général et dans la pensée sociologique.

Auguste Comte aujourd'hui est méconnu. Les quelques chapitres que je lui ai consacrés me paraissent intéressants, bien qu'on ne s'y intéresse plus, à tort.

Max Weber c'est autre chose : il a introduit avant la guerre un certain nombre des thèmes de la sociologie allemande dans la pensée française. J'en traite dans *la Sociologie allemande contemporaine,* un petit livre que j'ai écrit quand j'avais vingt-neuf ou trente ans. Il a été traduit en allemand après la guerre. Alfred Weber, le frère de Max Weber, disait que c'était la meilleure introduction à la sociologie allemande contemporaine. Bon. Ce qui est vrai, c'est qu'on peut encore lire aujourd'hui *la Sociologie allemande contemporaine* bien qu'il ne s'agisse plus de la sociologie allemande contemporaine et qu'il y a beaucoup de livres sur certains auteurs qui sont supérieurs au chapitre très étroit que j'ai consacré à chacun d'eux...

J'aime donc le dialogue avec les grands esprits et c'est un goût que j'aime répandre parmi les étudiants. Je trouve que les étudiants ont besoin d'admirer et comme ils ne peuvent pas normalement admirer les professeurs parce que les professeurs sont des examinateurs ou parce qu'ils ne sont pas admirables, il faut qu'ils admirent les grands esprits et il faut que les professeurs soient précisément les interprètes des grands esprits pour les étudiants.

J.-L. M. — *Vous pensez que ce sont les idées qui façonnent le monde ? Par exemple quand vous dites que les doctrines sociales du xxᵉ siècle ont été conçues au xixᵉ siècle.*

R. A. — Non, non, je ne le pense pas. Je ne pense pas non plus que l'histoire du monde soit déterminée par les rapports de production, ou les forces de production. Je ne crois pas que votre question sur le rôle des idées dans le cours de l'histoire comporte une réponse précise et exacte. Je suis convaincu que le marxisme, l'idée marxiste, a joué de toute évidence un rôle considérable mais l'idée marxiste a transformé le monde par l'intermédiaire de la traduction léniniste que probablement Karl Marx aurait refusée. Disons que dans ce cas-là ce sont des malentendus sur un grand auteur qui ont été à l'origine de la fortune du marxisme et de la transformation du monde. Ce malentendu continue. Le marxisme, l'Union soviétique, tout cela c'est encore — pour je ne sais pas combien de temps — notre destin, certains diront notre « malédiction », d'autres diront « bienfait ». Dans cette dernière partie du xxᵉ siècle nous continuons à vivre dans l'obsession du marxisme même si l'intelligentsia française, parisienne, de niveau élevé, a découvert récemment que Marx avait eu tort, et du coup, a passé à l'idée curieuse que Marx était responsable du goulag.

D. W. — *Il y a une école de pensée aronienne ?*

R. A. — Certainement pas !

D. W. — *Mais vos idées ont influencé beaucoup d'universitaires et d'hommes politiques. Comment caractériser cette influence ?*

R. A. — Je peux seulement dire qu'en adoptant un certain nombre d'attitudes j'ai été un homme largement seul face à l'histoire et face aux modes intellectuelles. J'ai des amis qui se réclament plus ou moins vaguement de mon influence mais ce sont des amis, ce ne sont pas des disciples.

J.-L. M. — *Un intellectuel qui ne propose pas d'idéologie ne peut pas avoir d'influence ?*

R. A. — Ça, ce n'est pas vrai. Il y a une influence mais il n'y a pas une secte aronienne. Par exemple, il existe une revue qui s'appelle *Commentaires*. Elle est rédigée par des hommes qui, pour la plupart, ont de la sympathie pour Raymond Aron. Il faut accepter son destin : je ne suis pas un chef de secte.

b) Journaliste et universitaire

J.-L. M. — *Vous avez toujours été à la fois journaliste et universitaire. On peut concilier les deux ?*

R. A. — Je ne pense pas que ce soit réellement un problème. Bien entendu, si l'universitaire est spécialiste de la philosophie grecque, il n'est pas qualifié pour commenter les événements économiques, mais s'il est, en tant qu'universitaire, un spécialiste des relations internationales ou de l'économie ou de la sociologie, cet universitaire a plus ou moins le désir d'exprimer ce qu'il pense des événements.

D'un autre côté, je connais plusieurs journalistes qui pourraient être sans difficulté professeurs dans les universités. Dans les grands journaux, il y a des professeurs qui écrivent des articles et des journalistes qui, quelquefois, rêvent de redevenir ou devenir professeurs.

J.-L. M. — *Ce n'est pourtant pas la même activité.*

R. A. — Je dirais que pour les journalistes il y a un danger qui n'est pas toujours évité : c'est d'être trop obsédés par l'actualité. Je suis sûr que mes livres sérieux auraient été autres — probablement meilleurs — si je n'avais pas fait en même temps du journalisme. Je me souviens d'un mot qui est, je crois, de Maurois. Il a écrit : « Raymond Aron serait notre Montesquieu s'il décollait davantage de la réalité. » Il avait tort sur un point : d'aucune manière je n'aurais été un Montesquieu. Mais il avait raison sur un autre : j'étais trop obsédé par la réalité pour donner à mes livres abstraits, l'ampleur et les dimensions que, éventuellement, ces livres auraient pris si je n'avais pas choisi le chemin de la facilité, c'est-à-dire du journalisme.

J.-L. M. — *Pourquoi rapprochez-vous toujours facilité et journalisme ?*

R. A. — Parce que je respecte le journaliste et le journalisme. Mais il y a un piège : c'est plus facile de faire un article de quatre feuillets, plus ou moins brillant, sur l'événement, que d'écrire un livre substantiel sur un problème fondamental. Les journalistes sont tout aussi intelligents que les universitaires, souvent supérieurs. Mais si l'on ne fait que du journalisme, à la longue on risque de perdre le sens de la durée, des questions essentielles, et on se satisfait trop facilement des commentaires suggérés par les événements. C'est là le piège de la facilité. Mais le reconnaître ce n'est pas du tout mépriser le journalisme, c'est tout le contraire.

D. W. — *Mais si vous avez été journaliste en même temps qu'universitaire, c'est que l'activité journalistique vous a bien apporté quelque chose. Qu'est-ce qu'elle vous a apporté de plus qu'une activité universitaire traditionnelle ?*

R. A. — C'est une question que je me pose de temps en temps et à laquelle je ne donne jamais de réponse. Est-ce que j'ai raté mon existence parce que j'ai fait du journalisme pendant trente-cinq ans ? Ou bien est-ce que, en raison du rôle que j'ai joué dans les débats politiques français, je n'ai pas ajouté aux livres que j'aurais pu écrire, une certaine action sur les événements ou sur la France, action qui n'aurait pas pu être exercée par des livres comme ceux que j'avais écrits avant la guerre ?

D. W. — *Il y a quand même une différence entre écrire de temps en temps dans les journaux, ce que font effectivement un certain nombre d'universitaires, et la discipline d'éditorialiste à laquelle vous vous êtes astreint pendant trente-cinq ans.*

R. A. — C'est vrai, c'est un cas qui n'est pas recommandable. Si on a la responsabilité d'enseigner et si on a le désir de produire des livres, normalement on ne trouve pas de temps pour faire en outre du journalisme. Dans mon cas, c'est presque un accident : à la suite de deuils personnels j'ai pour ainsi dire cherché un refuge ou une fuite dans le travail obsessionnel. De ce fait j'ai travaillé beaucoup trop, j'ai fait beaucoup trop de choses. Si j'avais réfléchi davantage, si le destin avait été plus indulgent pour moi, mon œuvre aurait été différente. Mon cas, je crois, est un peu anormal. Il est probablement acceptable mais il ne devrait pas se répéter pour les universitaires ou pour les éditorialistes. Le résultat, d'ailleurs, c'est que pour démontrer à mes collègues que j'avais malgré tout encore du temps pour produire, j'ai écrit en effet plus de livres que la plupart d'entre eux, y compris un livre de sept cents à huit cents pages qui, du coup, a été respecté à cause de son volume.

Mais un autre cas dans ma génération est beaucoup plus exceptionnel que le mien, c'est celui de Jean-Paul Sartre. Nous en avons déjà parlé. Jean-Paul Sartre a été à la fois le philosophe, le romancier, l'auteur de pièces de théâtre, le journaliste et l'homme politique. Je n'en ai pas fait autant, mais j'ai été tout de même tenté de prendre pour moi-même trop d'activités qui normalement doivent être distribuées entre diverses personnes. Aujourd'hui, dans la génération suivante, mon ami Touraine, qui est un sociologue, manifestement souhaite être le commentateur de gauche des événements, et il le fait dans son style.

D. W. — *Vous êtes tout de même un des premiers à combiner d'une part un travail scientifique et d'autre part le commentaire des événements. Cette double activité ne va-t-elle pas être de plus en plus pratiquée chez les intellectuels et les universitaires ?*

R. A. — Oui et non à la fois. Je pense que de plus en plus il y aura dans les journaux des commentaires, des éditoriaux qui seront écrits non seulement par des journalistes mais par des professeurs, des fonctionnaires et ainsi de suite. Les journaux seront ouverts à d'autres qu'aux professionnels du journalisme.

Mais d'un autre côté, le fait d'exercer les deux métiers à plein, c'est plutôt excessif ; c'est pourquoi j'ai dit que ce n'était pas recommandable. En ce qui me concerne, ceux de mes livres que je préfère sont ceux qui ne sont absolument pas journalistiques : l'*Introduction à la philosophie de l'histoire, Histoire et dialectique de la violence, Clausewitz*. Ce n'étaient pas des livres de journaliste et il n'y avait pas de référence au journalisme. J'ajoute peut-être un livre que nous n'avons pas cité et pour lequel j'ai un faible :

l'*Essai sur les libertés,* que je considère comme un de mes livres les plus philosophiques.

D. W. — *C'est un texte très lisible en plus...*

R. A. — Oui, oui, par accident. Mais j'ai souffert de ma clarté à partir de l'après-guerre. J'en ai souffert dans ma réputation.

J.-L. M. — *Vous n'étiez pas assez obscur pour être un vrai philosophe ?*

R. A. — La pensée française après 1945 était devenue très spécifiquement obscure et germanique. Dans mon cas, j'étais un peu germanique mais certainement clair. Il y avait une expression : « la clarté aronienne ». Selon les cas c'était une constatation morose, ou impertinente, ou teintée d'ironie, rarement élogieuse.

D. W. — *N'avez-vous pas été un précurseur en étant celui qui prend parti sur les événements tout en les analysant ?*

R. A. — Oui. Il me semble que je vous ai déjà indiqué que j'avais décidé mon itinéraire intellectuel quand j'étais assistant à l'Université de Cologne. J'avais décidé d'être un « spectateur engagé ». A la fois le spectateur de l'histoire se faisant, de m'efforcer d'être aussi objectif que possible à l'égard de l'histoire qui se fait et en même temps de ne pas être totalement détaché, d'être engagé. Je voulais combiner la double attitude d'acteur ou de spectateur. J'ai écrit l'*Introduction à la philosophie de l'histoire* pour montrer les limites dans lesquelles on peut être à la fois un spectateur pur et un acteur. C'étaient « les limites de l'objectivité historique ». Ce sous-titre ne signifiait pas que je méprisais l'objectivité, au contraire, cela signifiait que plus on veut être objectif, plus il est nécessaire de savoir de quel point de vue, de quelle position on s'exprime et on regarde le monde.

D. W. — *Autrement dit, l'objectivité n'est pas du tout incompatible avec l'engagement ?*

R. A. — Je l'espère.

c) Les choix politiques

D. W. — *En fait vous avez passé votre vie à aller à gauche, tenant des propos de droite, et à droite tenant des propos de gauche.*

R. A. — C'est la première fois qu'on me présente de cette manière. Elle est astucieuse. Je crois que la plupart de ceux qui me présenteraient diraient : « C'est un homme de droite. » Moi je dirai que j'ai eu, à certaines périodes, des prises de position qui étaient plus proches de la gauche que de la droite, par exemple au sujet de l'Algérie. Je dirai qu'en ce qui concerne l'opposition au stalinisme on me considérait comme de droite parce que je dénonçais le stalinisme, mais aujourd'hui les hommes de gauche dénoncent le stalinisme exactement comme moi.

Ce qui reste vrai c'est que, particulièrement depuis une quinzaine d'années, il y a deux blocs dans la politique française : l'un que l'on appelle la droite, et l'autre la gauche. Le fait est que quand je vote, je vote pour Giscard d'Estaing et non pas pour Mitterrand. Donc si on définit la place d'un intellectuel par ses votes, je suis un intellectuel de droite, mais d'un caractère un peu particulier, c'est-à-dire indiscipliné et rarement d'accord avec celui pour lequel il a voté. Je critique avec la même liberté l'homme pour lequel j'ai voté que je le ferais si l'autre était élu.

J.-L. M. — *Un anarchiste de droite ?*

R. A. — Non. Plutôt une certaine ambition ou prétention intellectuelle d'avoir sur tous les sujets mon opinion, quelles que soient les opinions du pouvoir. Je considère que c'est la seule attitude décente pour un éditorialiste. Aujourd'hui, à *l'Express,* je me sens satisfait. *L'Express* est plutôt pour la majorité que pour l'opposition, mais c'est un des journaux qui critiquent le plus le pouvoir (1). C'est le rôle du journaliste.

(1) L'entretien a eu lieu avant les élections présidentielles de mai 1981.

Mais quand il faut choisir, on peut dire que je suis un homme de droite puisque j'ai choisi Giscard d'Estaing.

J.-L. M. — *Spectateur engagé, à la fois acteur et spectateur, vous avez pris depuis 1940 une position sur tous les grands problèmes, sur tous les grands événements. Alors d'où vient votre réputation d'être quelqu'un qui analyse, qui dissèque et qui ne choisit pas ?*

R. A. — C'est une réputation qui est à la fois fausse et justifiée. J'ai, en effet, toujours pris position sur les grandes questions : l'Union soviétique, la décolonisation, l'Algérie, 68, la conférence de presse du général de Gaulle sur les Juifs, etc. Des questions qui pour moi avaient un retentissement personnel et en même temps une signification historique. Mais comme j'écrivais une fois ou deux par semaine des articles sur les questions économiques, très souvent j'analysais la situation sans dire de manière souveraine : « Voici ce que le ministre devrait faire. » Je me considère comme un amateur plus ou moins éclairé, pas du tout un professionnel de l'économie. Je sais assez d'économie politique pour comprendre les problèmes économiques et pour les expliquer, les éclairer. Mais proposer une solution, un remède, c'est une autre affaire. Or ce refus d'une conclusion catégorique irritait une certaine partie de la clientèle du *Figaro*. Les lecteurs attendent en général d'un commentateur qu'il dise ce qu'ils devraient penser.

Cette protestation me paraît à certains égards justifiée. Mais mes arguments sont très forts aussi. Je considère qu'un journaliste instruit n'est pas nécessairement celui qui endoctrine. Donc quand il y a une situation économique difficile, je ne sais pas avec certitude ce qu'il faudrait faire, mais j'essaye au moins de donner aux lecteurs les données fondamentales à partir desquelles le ministre devrait prendre une décision.

J.-L. M. — *Vous dites que vous écrivez toujours en vous demandant : « qu'est-ce que je ferais si j'étais à la place des dirigeants ? » C'est seulement pour les dirigeants que vous écrivez ?*

R. A. — Non, non. Ecrire pour ceux qui nous gouvernent c'est aussi expliquer la situation aux gouvernés qui, pour la plupart, ne disposent pas des données du gouvernement.

Une fois, j'étais à la Commission des comptes de la nation et le ministre des Finances de l'époque, qui était Giscard d'Estaing, a attaqué courtoisement mais fermement mon dernier article du *Figaro*. Il me reprochait de l'avoir critiqué sans expliciter ce qu'il faudrait faire. J'ai répondu de mon mieux en disant : « Le duel n'est pas à égalité ; vous, vous êtes le ministre et vous disposez de tous les services qui vous donnent les données nécessaires à la compréhension et à la décision. Moi, je suis un journaliste tout seul, sans service d'information. De ce fait je suis amené, de temps à autre, à critiquer le ministre. Le ministre me juge injuste, irritant, insupportable, mais c'est plus ou moins la relation normale entre le ministre et le commentateur. » Rocard a conservé le souvenir de ce débat. Il m'a encore dit récemment qu'il avait eu une certaine peine à l'époque à résumer les débats en termes de bonne société tant l'assaut du ministre des Finances avait été vif.

J.-L. M. — *Encore autre chose : votre refus du sentimentalisme au nom du réalisme. Il n'y a pourtant pas de politique sans sentiment, sauf si on se place exclusivement au point de vue du pouvoir.*

R. A. — Mais non ! C'est toujours la même critique. Quand je prends position, on dit que le ton est glacé, ce qui ne signifie rien du tout. Quand je fais une analyse économique, j'essaie d'être clair et véridique. Faire de la sentimentalité sur une analyse économique, c'est pour moi de la démagogie, c'est presque ridicule. Et l'idée que ma personnalité est définie par l'analyse économique et non pas par tout le reste qui m'appartient à moi et non pas aux autres, c'est également ridicule.

J.-L. M. — *Il n'y a pas que l'analyse économique. Cette distance, vous l'avez montrée devant des questions brûlantes : l'Algérie, mai 68, etc.*

R. A. — Il est vrai que même quand j'ai parlé en faveur de l'indépendance algérienne, François Mauriac m'a reproché un ton glacé. Que voulez-vous, tout le monde ne peut pas être

François Mauriac. Mais, moi, je ne suis pas honteux d'écrire sur les problèmes politiques comme un homme qui observe, réfléchit et cherche la meilleure solution pour le bien des hommes. Et je trouve un peu prétentieux de rappeler à chaque instant mon amour de l'humanité. Une fois pour toutes ou vous me l'accordez ou vous me le refusez.

D. W. — *Vous dites souvent pour définir le rôle d'un intellectuel qu'il a le choix entre « être le confident de la providence ou le conseiller du prince. »*

R. A. — C'est une distinction qui remonte à mon *Introduction à la philosophie de l'histoire*. A l'époque elle était présentée dans un vocabulaire différent. Il y avait d'un côté la politique de l'entendement — une expression qui venait d'Alain — et de l'autre la politique de la Raison — avec un grand R...

Dans le premier cas, l'homme politique ne connaît pas l'avenir, il connaît la réalité et il essaye de naviguer au mieux, au plus serré. Dans l'autre, l'homme politique, le marxiste par exemple, prétend connaître l'avenir. Il prend les décisions politiques en fonction d'une évolution historique qu'il croit prévoir et maîtriser.

Alors, le conseiller du prince est celui qui aide le prince à connaître la situation dans laquelle il vit, ce que l'on peut faire en fonction des événements, sans avoir la prétention ou l'illusion de connaître l'issue du drame ou de la tragédie qui s'appelle l'histoire humaine.

Mais il y a aussi dans notre siècle ceux qui se croient les confidents de la providence, c'est-à-dire ceux qui savent que la providence historique réserve la victoire au prolétariat ou au parti communiste. Ils font de la politique en fonction d'une prévision globale de l'histoire. Ils ont l'assurance — parfois insupportable — que l'aboutissement sera heureux.

Après avoir réfléchi sur le marxisme, il m'a paru impossible d'affirmer que les luttes des classes et des nations, que ces luttes que nous étions en train d'observer et de vivre, conduisaient nécessairement à la société socialiste, telle que l'imaginaient, d'ailleurs vaguement, ceux qui se réclamaient de Marx.

C'est en ce sens que ma politique est une politique de l'entendement. Mais j'ajoutais qu'on ne peut être un conseiller du prince qu'à la condition d'avoir une certaine représentation globale de la société dans laquelle on vit, et à la condition que l'on accepte la société dans laquelle on vit. Il y a pour commencer, un choix, et à partir du choix, il y a des décisions, des décisions ponctuelles qui sont toujours inceitaines, qui comportent toujours un risque extrême d'erreurs. C'est pourquoi tous ceux qui ont été des hommes d'action se sont souvent trompés et les commentateurs aussi. Il est extrêmement facile, si on relit tout ce que j'ai écrit, de trouver un certain nombre d'erreurs ici ou là. Vous en avez trouvé, il y en a encore beaucoup d'autres, mais toute la question c'est la proportion.

D. W. — *Alors, avez-vous trouvé le prince dont vous auriez pu être le conseiller ?*

R. A. — Je ne l'ai pas cherché, donc je ne l'ai pas trouvé. En outre, je ne suis pas du tout sûr que j'aurais pu être un conseiller même d'un prince dont j'aurais accepté fondamentalement les préférences. J'ai écrit dans *la République impériale* : « Jamais je n'aurais pu être le conseiller d'un président des Etats-Unis, ordonner les bombardements au Vietnam et aller ensuite dormir pacifiquement... » Je suis capable, intellectuellement, d'accepter, de comprendre ces nécessités, mais mon tempérament n'est pas exactement en accord avec mes idées, si j'ai le droit d'en parler. Voyez, je ne suis pas assez glacé.

d) Les valeurs

J.-L. M. — *Quelles sont les valeurs auxquelles vous tenez le plus ?*

R. A. — Probablement la réponse — et je la crois sincère — serait : vérité et liberté, les deux notions étant pour moi indissociées. L'amour de la vérité et l'horreur du mensonge, je crois que c'est ce qu'il y a de plus profond dans ma manière d'être et de penser. Et précisément pour pouvoir exprimer la vérité il faut être libre. Il faut qu'il n'y ait pas un pouvoir extérieur qui vous contraigne.

Cela dit, je suis aussi un citoyen, citoyen de la France. Pendant la Première Guerre, bien entendu, j'étais patriote comme tous les enfants, et passionné de la grandeur de la France. Je suis resté toute ma vie un patriote lorrain. Mon père était né à Rambervillers. Les Juifs de Lorraine étaient passionnément français. En ce sens je suis resté fidèle à mon père.

J.-L. M. — *Et le judaïsme dans votre vie ?*

R. A. — C'est toujours difficile à expliquer. Réduit à l'essentiel, je pense que celui qui se trouverait être comme je le suis, né en France, pénétré par la culture française, mais en même temps qui suit une tradition juive, a la liberté de choisir le sens qu'il donne à son judaïsme. Celui qui est incroyant et qui n'est pas intéressé par le destin des Juifs ou d'Israël a parfaitement le droit de dire : « Je suis un citoyen français d'origine juive mais cette origine ne touche pas à l'essentiel de moi-même. »

Ma prise de position, je la rappelle aussi clairement que possible : je suis citoyen français, je suis français d'origine juive, et pour des raisons probablement difficiles à déchiffrer pour moi-même, j'accepte, j'assume une sorte de solidarité avec les Juifs de la diaspora et avec les Israéliens, mais naturellement, il y a une limite à cette solidarité : lorsque j'écris des articles sur la politique étrangère, je les écris en tant que citoyen français et non pas en tant que Juif.

Ainsi je crois avoir trouvé maintenant ma paix avec moi-même en ce qui concerne à la fois mon patriotisme français et les droits que je revendique d'avoir des relations particulières avec les Juifs du reste du monde et en particulier ceux d'Israël.

J.-L. M. — *Cette paix avec soi-même a été longue et difficile à trouver ? Ce fut douloureux ?*

R. A. — Oui, ce fut long et difficile, mais non pas déchirant, parce que mes parents, déjà, étaient déjudaïsés. Je vous l'ai dit : je n'ai jamais fréquenté la synagogue quand j'étais enfant, j'avais peu de conscience juive. La conscience juive m'a été imposée, pour ainsi dire, par Hitler, les événements. Aujourd'hui, je justifie en quelque sorte mon attachement au judaïsme par la fidélité à mes racines. Si, par extraordinaire, je devais apparaître devant mon grand-père qui vivait à Rambervillers et qui était proche du ghetto, je voudrais, devant lui, ne pas avoir honte ; je voudrais lui donner le sentiment que, n'étant plus juif comme il l'était, je suis resté d'une certaine manière fidèle. Comme je l'ai écrit plusieurs fois : je n'aime pas arracher mes racines. Ce n'est pas très philosophique peut-être, mais on s'arrange avec ses sentiments et ses idées le moins mal que l'on peut.

D. W. — *Vous ne croyez pas beaucoup à la sagesse des hommes. Vous pensez que l'histoire est gouvernée par les passions et vous essayez de faire triompher, dans le tumulte et les conflits des âmes, la raison et la lucidité.*

R. A. — Mon ami Eric Weil a écrit dans sa thèse : « L'homme est un être raisonnable mais il n'est pas démontré que les hommes soient raisonnables. » L'histoire que j'ai vécue, que j'ai essayé de comprendre, était, en effet, un tumulte insensé plein de bruit et de fureur. L'histoire humaine s'est toujours déroulée dans le bruit et la fureur. Le XX⁰ siècle a été à certains égards encore plus horrible que d'autres. Mais ce n'est pas une raison pour désespérer.

Ce siècle de guerres épouvantables a été aussi un siècle de découvertes scientifiques et techniques extraordinaires. La médecine, depuis trente ans, a plus progressé que pendant des siècles et des siècles auparavant. Je me souviens de ce qu'était une appendicite quand, dans mon enfance, mon frère a été opéré. C'était vraiment presque encore le XVII⁰ siècle. Bon. Il faut accepter une fois pour toutes que tout ce que l'humanité conquiert est toujours payé, qu'il n'y a pas de progrès qui ne comporte un négatif. Depuis ces quelques milliers d'années que se fait l'histoire des sociétés complexes, il y a eu toujours cet entremêlement de l'héroïsme et de l'absurdité, des saints et des monstres, des progrès intellectuels incomparables et des passions aveugles persistantes.

Ainsi est l'humanité, ainsi est l'histoire.

D. W. — *Vous ne vous faites pas beaucoup d'illusions sur la nature humaine, sur ce que peuvent faire les sociétés. Vous ne croyez pas au « sens de l'histoire », ni aux grandes philosophies qui affirment l'existence d'un début et d'une fin. Et pourtant vous avez*

*quand même un certain optimisme. Vous pensez qu'il y a une marge
de manœuvre pour l'homme.*

R. A. — Je suis sûr qu'il y a une marge de manœuvre.
D'autre part, quand je dis que je ne crois pas au sens de
l'histoire, je ne dis pas que l'histoire humaine ne va pas dans une
certaine direction, et surtout je ne dis pas que l'homme qui
réfléchit ne puisse pas se donner certains objectifs. J'ai été un
disciple de Kant et il y a une notion que je retiens encore
aujourd'hui : c'est l'idée de la Raison, une certaine représentation d'une société qui serait réellement humanisée. On peut
continuer à songer, ou à rêver, ou à espérer, à la lumière de
l'idée de la Raison, une société humanisée.

Mais ce qui est absurde, c'est d'imaginer que, disons, la
propriété collective des instruments de production, soit le début
de la réalisation de l'idée de la Raison. C'est ce qui me mettait en
colère quand je lisais, par exemple, Merleau-Ponty. Bien sûr on
conçoit une idée de la Raison et d'une société qui serait
humaine, mais ce n'est pas le prolétariat ou la propriété
collective qui définit une société conforme à l'idée de la Raison.

D. W. — *Les hommes sont libres de leur destin ?*

R. A. — Ça ne signifie pas grand-chose. Si l'on veut dire que
les hommes considérés collectivement ou globalement font leur
destin, bon, s'il n'y a pas Dieu, ce sont eux, évidemment qui le
font. Mais si on pose la question : « Est-ce que Monsieur X est
libre de son destin, libre de son histoire ? » La réponse est
évidemment, non. Nous sommes tous déterminés par le milieu,
par l'origine, par les chromosomes. Nous sommes, de tous les
côtés, contraints. Cela dit, il y a tout de même une marge de
liberté, il y a une prise de conscience de soi-même qui donne un
sens à notre décision de faire ceci ou cela.

J.-L. M. — *Finalement, vous restez un partisan du progrès
malgré toutes les critiques qu'il peut susciter aujourd'hui ?*

R. A. — Si on ne l'est pas, que reste-t-il ? Les philosophies
biologiques font de l'homme un animal carnassier, destiné à le
rester toujours. Selon elles, chacune des civilisations traverse un

certain nombre de phases et l'aboutissement est toujours le même : la fin de cette civilisation. Tout cela est plausible. Chacun se fait sa philosophie face à l'histoire. En ce qui me concerne, en dépit de mes expériences, en dépit du XXe siècle, je reste un progressiste. Aussi, de temps en temps, je me mets en colère lorsque je lis les textes de ceux qu'on appelle les nouveaux philosophes, lesquels ont découvert tardivement que les Soviétiques n'étaient pas tolérables et, à partir de là, se précipitent vers n'importe quoi.

L'humanité n'a d'autre espoir pour survivre que la Raison et la science. Tout le reste est indispensable pour vivre aussi, mais la condition pour que l'humanité continue son aventure qui est une aventure extraordinaire, si l'on songe au point de départ et à ce que nous sommes aujourd'hui, la condition, si l'on veut que cette aventure ait une espèce de sens ou de valeur, c'est de faire confiance à la manière de penser qui donne sa chance à la vérité. C'est de faire la différence entre les illusions, les passions, les espérances et puis la vérité que l'on peut démontrer. En politique, on ne peut pas démontrer la vérité, mais on peut essayer, à partir de ce que l'on sait, de prendre des décisions raisonnables.

D. W. — *Quel regard portez-vous aujourd'hui sur les années qui viennent, disons, jusqu'à la fin du siècle ?*

R. A. — Nous sommes entrés une fois de plus dans une période de tumulte, de bruit et de fureur. Il nous reste à espérer que le bruit et la fureur n'emporteront pas tout. D'un côté, nous sommes devant une révolution technique aux conséquences considérables. Les développements, que vous connaissez mieux que moi, de l'informatique, ne vont certainement pas transfigurer la société mais ils vont changer un certain nombre de manières de vivre et de penser dans les sociétés développées. Et puis, simultanément, l'espèce d'équilibre mondial qui résultait à la fois de la puissance américaine et de la demi-entente entre les Etats-Unis et l'Union soviétique est, aujourd'hui, pour le moins menacé. La stabilité est menacée par l'abaissement relatif des Etats-Unis, par la surpuissance militaire de l'Union soviétique, par l'augmentation du prix du pétrole et l'augmentation du prix des matières premières. Nous continuons donc à vivre dans

316

la rivalité et la confrontation Est-Ouest. A quoi s'ajoutent les dangers résultant de la puissance acquise par les producteurs de pétrole, d'une économie occidentale qui est en désordre total, où il n'y a plus de monnaie, de valeurs stables, de doctrine acceptée. Le monde développé vit dans une inflation permanente depuis des années, il craint à la fois des guerres incontrôlées — comme on dit — mais aussi des désastres monétaires, bancaires, économiques.

La sorte de stabilité que les pays européens ont goûtée durant la grande période de l'expansion a disparu. A mon sens, il y a peu d'espoir qu'on retrouve une véritable stabilité avant dix, peut-être quinze années. Ceux qui auront la chance de vivre ces années n'auront pas l'occasion de s'ennuyer. Pour ceux qui ont le sens de l'histoire, eh bien, l'histoire sera là. Et l'histoire est plus riche que la théorie de la croissance. Bien entendu, à la confrontation Est-Ouest s'ajoutera la confrontation entre ce qu'on appelle les pays sous-développés et les pays développés. Tous les problèmes qui ont été discutés avec quelque sérénité depuis trente ans sont en train de devenir brûlants, urgents et, d'une certaine manière, insolubles. Mais l'essence de l'histoire, c'est de ne pas résoudre les problèmes. Quand, par bonne chance, elle en résout un, elle en crée immédiatement un autre. Telles sont les sociétés humaines. Tels sont les hommes. Telles sont les conséquences de leurs actions.

En attendant cet avenir et en me retournant vers le passé, il me paraît que la transformation des manières de vivre grâce à la science et à la technique, cette transformation que j'ai vécue depuis cinquante ans, dans l'ensemble c'est un bien. C'est un bien parce que j'ai le sentiment aujourd'hui, en France, que les deux tiers des Français, au moins, vivent dans des conditions décentes et que les inégalités des conditions ne sont pas telles que le dialogue devienne impossible.

Quand j'étais en Inde, ce qui m'a frappé et, au-delà, bouleversé, c'était qu'il ne pouvait pas y avoir de dialogue entre nous, les intellectuels ou les voyageurs, et la masse indienne. Tandis qu'aujourd'hui, en France, je puis avoir un dialogue avec des techniciens, avec des ouvriers. Bien entendu, il peut y avoir une distance considérable entre certains hommes et d'autres hommes, mais il n'y a pas d'un côté ceux qui bénéficient de tous les avantages, et les autres qui sont tellement loin de ces conditions qu'ils ne peuvent même pas se représenter la manière d'être ou de vivre des privilégiés. En dépit de l'injustice de nos sociétés — toutes nos sociétés sont injustes, c'est une affaire entendue, il n'y a pas de société satisfaisante — tout de même, grâce à la croissance économique pendant vingt-cinq ou trente années, la France a été transformée et pour le bien. On proteste aujourd'hui contre la croissance. C'est simplement que dès que l'on a fait quelque chose de bien on découvre qu'il y a un prix à payer.

D. W. — *Vous croyez qu'on peut justifier une société par la croissance ?*

R. A. — Non, bien sûr. On ne vit pas pour un taux de croissance...

D. W. — *Mais d'autre part, depuis trente-cinq ans, vous condamnez les idéologies, les utopies qui ont fait des millions de morts en vue du bonheur futur. Qu'est-ce qui peut alors mobiliser la résolution collective dans nos sociétés ?*

R. A. — Il faut éveiller les espérances mais il n'est pas, me semble-t-il, inévitable d'éveiller ces espérances avec une idéologie dogmatique qui annonce l'avenir inévitable et qui confère à un groupe particulier la mission historique, la mission messianique de sauver l'humanité. Personnellement je crois que je puis éveiller des espérances chez beaucoup d'hommes. Mais je ne peux certainement pas jouer le rôle ou accomplir la mission des prophètes juifs ou marxistes. Je ne suis pas doué, c'est tout.

D. W. — *Vous pensez que les valeurs de la démocratie occidentale ont de nouvelles chances dans cette fin du XXᵉ siècle ?*

R. A. — Les démocraties occidentales dans lesquelles nous vivons représentent aujourd'hui une faible minorité de l'humanité. Mais, en dépit du fait que les Européens ou les Occidentaux ont été des conquérants, et dans l'ensemble se sont conduits aussi mal que les autres conquérants, ils ont tout de même laissé quelque chose que les peuples anciennement conquis veulent conserver : ils veulent conserver les moyens de production qui leur ont été apportés, ils veulent développer leurs capacités de produire. En outre, je pense qu'en dépit des régimes qui se sont établis, beaucoup de peuples, qui ont été maltraités ou conquis par les Occidentaux, conservent la nostalgie des régimes libéraux. La meilleure preuve c'est que beaucoup de ces pays qui ne veulent pas, ou ne peuvent pas, maintenir les institutions démocratiques se réclament de nos mots. Ils ont peut-être hérité aussi de nos maux. Mais en parlant comme nous, ils signifient que peut-être nous sommes, nous autres Occidentaux, un peu différents de la plupart des autres conquérants. Nous avons tout de même apporté quelque chose qui conserve sa valeur et qui justifie la confiance que je garde, malgré tout, dans l'avenir de l'Europe, bien que cette confiance soit fondée plutôt sur des sentiments que sur des faits incontestables.

J.-L. M. — *Vous êtes le dernier libéral ?*

R. A. — Non. Aujourd'hui il y en a beaucoup qui me rejoignent A la limite, je pourrais être à la mode.

CONCLUSION

Les entretiens, consignés dans ce livre, n'étaient pas destinés à la publication et le style s'en ressent. Dominique Wolton et Jean-Louis Missika avaient longuement préparé ces trois émissions, lu la plupart de mes livres, un grand nombre de mes articles et noté quelques citations qu'ils me jetèrent à la figure au moment opportun. De ces discussions parfois vives, il ne reste presque rien dans le film de la télévision. Mon ami Albert Palle, qui fut mon élève au lycée du Havre dans l'année scolaire 1933-34, se chargea de traduire en style semi-écrit mes propos qui, en tout état de cause, devaient être abrégés à la télévision.

Mon discours, provoqué ou interrompu par les objections de mes interlocuteurs, est donc improvisé à la deuxième puissance puisqu'il ne devait ni être entendu ni être lu. J'ai dit, chez moi, puis dans la salle Liard, enfin à la Mazarine, ce qui me passait par la tête — non pas tout ce que je pense de mon passé et des événements que j'ai vécus, mais les souvenirs que des jeunes gens, qui pourraient être mes petits-fils, que je ne connaissais pas, firent remonter à la surface. L'initiative vint d'eux; ils établirent le plan, ils conçurent le dialogue, ils choisirent les thèmes. Quand je regardai pour la première fois les trois émissions, j'éprouvai le sentiment bizarre que ma part dans l'œuvre achevée était en dernière analyse modeste.

Inévitablement, il n'en va pas de même dans ce livre, bien plus proche des entretiens que les émissions de la télévision. Ces entretiens méritaient-ils d'être conservés et offerts aux lecteurs ? J'hésitai à dire oui, mais je ne donnai pas au non assez de force pour résister au désir de mon ami Bernard de Fallois, à mes jeunes amis Dominique

321

et *Jean-Louis, qui me gagnèrent par leur gentillesse pendant la préparation et les deux semaines des enregistrements.*

Plus de six mois se sont écoulés depuis nos conversations. Dominique et Jean-Louis m'interrogèrent sur la critique du programme commun, en mars 1973. Aujourd'hui, ils m'interrogeraient sur la victoire remportée par la gauche, qui, de quelque manière, me renvoie dans le passé, dans l'ancien régime ou, comme on disait en 1940, dans le régime aboli. La victoire de François Mitterrand, le triomphe du parti socialiste ouvrent à coup sûr une autre phase de la Ve République et, plus largement, de la politique française. J'ai fait partie des cent personnalités qui constituèrent le comité de soutien de Valéry Giscard d'Estaing, j'ai voté pour le candidat sortant et j'ai regretté sa défaite. Je vais donc retrouver les plaisirs austères dont j'ai acquis, au long des ans, une longue accoutumance, l'attitude à contre-courant. Du coup, en manière de conclusion, j'ai imaginé le dialogue qui aurait eu lieu si Dominique Wolton et Jean-Louis Missika m'avaient attaqué le 10 mai, dans leur style ordinaire. Il va de soi que questions et réponses ont été rédigées par moi.

D. WOLTON. — *Qu'avez-vous fait pour Giscard d'Estaing, puisque vous souhaitiez sa réélection et craigniez l'arrivée au pouvoir des socialistes, même si ces derniers n'étaient pas alliés aux communistes ?*

RAYMOND ARON. — J'ai fait comme d'ordinaire, ce que vous appelleriez : rien ou presque rien. J'ai expliqué mon vote pour Giscard d'Estaing, élaboré mes arguments contre le programme du candidat Mitterrand. Mais je dois l'avouer : j'ai été moins inspiré, moins résolu qu'en 1973 ou en 1978. En 1978, j'avais rédigé une brochure que je n'aime guère. Cette fois, la controverse m'ennuyait.

D. W. — *Pourquoi cet ennui ?*

R. A. — En profondeur, le débat n'avait pas beaucoup changé, mais les socialistes avaient éliminé les plus grosses sottises du programme commun. En 1973, celui-ci rejetait la force nucléaire stratégique et annonçait en même temps « une stratégie militaire permettant de faire face à tout agresseur éventuel quel qu'il soit ». De même, il autorisait les employés à demander la nationalisation de leur entreprise — demande qui serait transmise à l'Assemblée nationale. Compter dans ces conditions sur une accélération de la croissance, une augmentation des investissements, c'était absurde, c'était un cercle carré. F. Mitterrand et le parti socialiste, en 1981, ne renouvelèrent pas les énormités. Il y avait trois textes, le projet socialiste rédigé par J.-P. Chevènement, le manifeste socialiste qui engageait le parti, et le programme de F. Mitterrand lui-même.

Ce programme, en dépit de sa relative modération, me semblait déraisonnable mais pas de nature à inquiéter les Français désireux de changement. A quoi bon nationaliser onze groupes industriels, les plus « multinationaux », alors que l'Etat dispose de tant de moyens de pression sur les grandes firmes ? Combattre le chômage en recrutant plus de 200 000 fonctionnaires en dix-huit mois me paraît sordidement démagogique. Mais ceux qui ne le pensent pas d'eux-mêmes ne se laisseront pas convaincre par un article.

D. W. — *Comme d'habitude, vous ne voyez que le mal probable de la politique de gauche et vous ne dites rien des fautes de la droite au pouvoir ?*

R. A. — Comme d'habitude, vous oubliez que j'ai maintes fois critiqué la politique de V. Giscard d'Estaing. Vous qui avez toujours en réserve des citations indiscrètes, vous souvenez-vous de l'article « Finlandisation volontaire ? » De l'article sur la visite de Varsovie ? Mitterrand, malheureusement, a repris des arguments que nous avions développés dans *l'Express*. Ce qui comptait, ce n'était pas le contenu des propos qui avaient été tenus, c'était le fait même de se rendre à Varsovie alors qu'en réplique à l'invasion soviétique de l'Afghanistan, les Occidentaux avaient suspendu les négociations au niveau suprême avec Moscou.

J.-L. Missika. — *Vous déplacez le débat. En politique extérieure, en effet, vous vous accordez toutes les libertés parce que vous vous considérez comme un professionnel : à bon droit, je vous l'accorde. Mais quoi sur le chômage, l'inflation, les inégalités, les manquements à la liberté ?*

R. A. — Jusqu'en 1978-79, je jugeai la politique de Raymond Barre la moins mauvaise, en tout cas courageuse dans une conjoncture difficile. En 1977-78, on pouvait compter sur une décélération de l'inflation. La majorité a encore gagné les élections législatives de 1978. Le deuxième choc pétrolier a frappé la France comme tous les autres pays européens. La France a été toujours, depuis la guerre, plus inflationniste que la République fédérale d'Allemagne. Croyez-vous que la gauche, avec son programme d'augmentation des dépenses sociales, réduira l'inflation ?

J.-L. M. — *Et le chômage ? L'acceptez-vous passivement comme une calamité tombée du ciel ? Au lieu d'être un spectateur engagé, vous devenez un spectateur résigné — résigné aux malheurs des autres.*

R. A. — J'ai déjà entendu tout cela. Et la réplique « vous n'avez pas le monopole du cœur. » Ou une autre réplique, de moi cette dernière : « Faut-il déraisonner pour démontrer qu'on a bon cœur ? » Je le sais comme vous : le chômage est, pour la plupart de ceux qui en sont victimes, une épreuve cruelle, morale aussi bien que matérielle. Mais analysons tout de même. Parmi ceux qui sont inscrits au chômage, il y a ceux qui, en quelques semaines ou mois retrouvent un emploi. En période de redéploiement industriel, cette première catégorie de chômeurs est inévitable. Il existe une deuxième catégorie de chômeurs, victimes temporaires de la ruine d'entreprises vieillies, du progrès technique. Il y a enfin le chômage que cause le ralentissement de la croissance. La gauche nous promet une croissance plus forte qui agirait sur une des causes du chômage ; en revanche, elle va rendre encore plus difficiles les licenciements et, du même coup, réduire l'embauche. J'espère me tromper. Je ne crois pas que la relance de l'économie par l'augmentation des revenus nous guérira du chômage. Cette sorte de relance doit en tout cas être lente, faute de quoi elle risque d'aggraver encore l'inflation et le déficit des paiements extérieurs.

D. W. — *Comme pour 1968, vous ne voyez pas des coupables, seulement des responsabilités diffuses.*

R. A. — Et alors ? Et vous ? Quels sont vos coupables ?

324

D. W. — Vous ne me direz pas que le gouvernement ne pouvait pas faire mieux.

R. A. — Bien sûr, il aurait pu faire mieux. La loi sur les plus-values a été ratée, et je l'ai écrit. Tout le monde affirme que la taxe professionnelle est détestable, et sans en être sûr, je suis prêt à le croire. Certains sont partisans d'un impôt sur la fortune à condition qu'il ne soit pas fortement progressif et qu'il ne provoque pas l'effondrement de la valeur des patrimoines immobiliers. Je ne suis pas un expert fiscal et je suppose que des réformes sont possibles. Reste à savoir quelles seront les réformes de la gauche. On peut élever les taux marginaux à 70 et 75 % au lieu de 60 et 65 % ; pourquoi pas 80 ou 85 % ? D'autres pays, la Grande-Bretagne par exemple, on fait l'expérience de ces taux. Il ne suffit pas d'appauvrir les riches pour enrichir les pauvres. De toute manière, la fiscalité la plus rigoureuse n'a nulle part prévenu l'inflation.

Ce que l'on peut reprocher le plus à Raymond Barre, ce que Michel Debré lui a reproché sans intéresser personne, c'est d'avoir parlé d'austérité plutôt que de l'imposer. Il n'a rien entrepris contre les goulots d'étranglement, les blocages qui contribuent à accroître le chômage. Le rapport Rueff-Armand garde toute son actualité. Mais je ne pense pas que la gauche cherchera ces sortes de solution. Mises à part les réformes fiscales sur lesquelles je réserve mon jugement, le programme de relance de François Mitterrand, imité de celui de Léon Blum en 1936, de celui d'Allende risque d'être voué au même sort.

J.-L. M. — *Etes-vous hostile aux buts ou aux moyens des socialistes ? Cette fois, vous ne pouvez pas leur reprocher les compromissions avec les communistes ?*

R. A. — Il existe, vous le savez, trois programmes différents : le projet socialiste, rédigé par J.-P. Chevènement, préfacé par F. Mitterrand, mais que le préfacier n'a pas pris à son compte pendant la campagne électorale ; le manifeste socialiste, lancé en janvier 1981, au lendemain du Congrès de Créteil, lors de la désignation du candidat à la présidence de la République, enfin, le programme de l'actuel président que celui-ci a développé pendant la campagne électorale.

Si je m'en tiens à cette troisième version, je la tiens pour démagogique, de nature à relancer quelque peu l'économie peut-être, voire à ralentir un temps l'augmentation du chômage, mais à un coût qui deviendra bientôt insupportable. Les 200 000 fonctionnaires dans l'immédiat ne coûtent pas trop cher, mais la charge pour l'Etat augmentera d'année en année. On devrait créer des fonctionnaires pour répondre à des besoins, non pour lutter contre le chômage. On ne peut promettre aux Français simultanément de travailler moins et de gagner plus. En d'autres termes, les mesures de relance devraient, d'ici à un an ou dix-huit mois, aggraver l'inflation, le déficit des paiements extérieurs et probablement aussi le chômage.

Parmi les mesures de structure, elles se divisent en deux catégories, les unes de décentralisation que je ne condamne pas et que j'approuve peut-être, les autres de nationalisation (du crédit, des onze groupes) qui, dans le meilleur cas, n'exerceraient presque aucune influence. Il y a en France des entreprises nationalisées qui fonctionnent bien, presque comme des entreprises privées, et d'autres qui sont en permanence en déficit (pas toujours par leur faute). De manière générale, je ne vois pas l'avantage de ces nationalisations si ces entreprises demeurent indépendantes. L'Etat dispose déjà de moyens de pression suffisants sur toute l'industrie. Le maintien d'un secteur privé de banques se justifie de multiples manières. J'ajoute que l'économie, relativement libre, constitue le dernier contrepoids du parti socialiste, aujourd'hui maître de l'Elysée, de Matignon, de l'Assemblée nationale et, partiellement aussi, des syndicats.

Au-delà de la politique de relance et de nationalisations, il suffit de lire le manifeste ou le projet du parti socialiste pour se convaincre qu'une fraction au moins du parti socialiste se propose effectivement de changer en profondeur la société au point que la formule *changer de société* semble appropriée. Lisez simplement le chapitre sur la radio, la télévision et la presse et dites-moi ce qui subsisterait de la liberté, au sens occidental du mot, de la presse ou de la télévision si toutes les conceptions du projet étaient mises en application.

J.-L. M. — *En somme, avouez-le : vous êtes presque aussi peu favorable à la social-démocratie qu'au communisme. Lisez ou écoutez Jean Daniel, converti à l'anticommunisme, presque à votre anticommunisme : il accueille avec extase la défaite du P.C. et le triomphe du P.S. Vous, vous portez le deuil de l'ancien régime, vous déplorez la défaite de ceux que vous avez soutenus mais rarement approuvés.*

R. A. — Me voici donc enfin classé là où vous vouliez me classer. Laissons Jean Daniel à sa joie ; il aura bien le temps de mesurer les embarras d'un hebdomadaire « gouvernemental ». Venons-en à la social-démocratie. L'expression n'est guère plus précise que celle de socialisme. En ce qui concerne la législation sociale, la France est déjà social-démocrate, elle n'est pas en retard sur les autres pays d'Europe occidentale. 42 % du revenu national passent par l'Etat et les administrations para-étatiques (Sécurité sociale). Dans le *manifeste*, les socialistes promettent de ne pas faire accroître ce pourcentage. Le seul point de différence substantielle entre la France et les pays dits sociaux-démocrates, en dehors de la faiblesse du P.C., ce sont la fiscalité, le pourcentage relativement faible de la fiscalité directe, de l'impôt sur le revenu ou le capital (les successions), le mode de financement de la Sécurité sociale (qui réduit le salaire direct). Peut-être Pierre Uri réussira-t-il à modifier cette structure et je souhaite bonne chance aux réformateurs de la fiscalité. Cette réserve faite, importante à coup sûr, le citoyen français, protégé du berceau jusqu'au cercueil, connaît déjà le paradis social-démocrate bien qu'il demeure encore à bonne distance du paradis suédois. Personnellement, je n'aspire pas pour mon pays au paradis suédois. Je ne pense pas que les Français le supporteraient. Même en Suède, les citoyens modèles ont découvert les ressources du marché noir. Que serait-ce en France ?

Pour ce qui me concerne, je remettrais en question l'ensemble de notre législation sociale. L'Etat prendrait en charge ceux qui ne peuvent pas se protéger eux-mêmes contre les accidents de la vie et laisserait aux autres qui en ont les moyens, le soin de se débrouiller eux-mêmes. Il ne manque pas de mutuelles, mais je tombe à mon tour dans l'utopie, bien que les gouvernants risquent de découvrir un jour prochain les limites du financement des transferts sociaux par l'intermédiaire des entreprises. On n'augmentera pas indéfiniment le salaire indirect aux dépens du salaire direct.

Suis-je anti-social-démocrate ? Tout dépend de quelle social-démocratie. Je m'entendrais avec Helmut Schmidt mieux que François Mitterrand ne s'entendra avec lui. En gros, je constate que la plupart des gouvernements sociaux-démocrates vont dans le sens de l'Etat tutélaire tel que le décrivait Alexis de Tocqueville : de plus en plus de responsabilités confiées à l'Etat, de moins en moins la prise en charge par l'individu lui-même de son sort. La France a probablement besoin de certaines réformes fiscales, elle ne doit pas prendre exemple sur la Suède. Je souhaiterais qu'elle s'associât au renouveau libéral. Je crains que tel ne soit pas le chemin qu'emprunte le socialisme français.

Venons à l'ancienne majorité qui vient d'être balayée. Je me souvenais du mot d'Alain Peyrefitte qui m'avait rendu visite en 1958 et m'avait scandalisé par le mot d'ordre : « sortez les sortants ». Le voici, avec d'autres, victime du peuple français « immuable et changeant ». Valéry Giscard d'Estaing et la majorité méritaient-ils leur sort ? Au crédit de l'ex-président, je mets son refus de mesures ou de promesses démagogiques dans la campagne électorale. Il a gardé jusqu'au bout Raymond Barre qui, d'après les sondages, était impopulaire. Il voulait sauver les chances du pays dans la compétition industrielle. Il appartient à la génération de l'après-guerre qui, après avoir vécu ou connu la décadence des années 30, se donnait pour objectif suprême de restaurer la France à son rang. Peut-être avons-nous, dans cette génération, oublié quelque peu les Français qui se moquaient d'être ou non dans le « peloton de tête » et s'indignaient contre les inégalités et le chômage. L'ex-président commit des erreurs que n'impliquait pas son ambition pour la France. Il voulait ou, en tout cas, il devait incarner le libéralisme, l'orléanisme, contre à la fois la gauche socialiste et contre des gaullistes qui se tenaient pour les légitimistes de la Ve République. Or, finalement, il a concentré le pouvoir entre ses mains tout autant que Pompidou et plus encore que le Général ; il proclama l'indépendance de la télévision par une lettre adressée aux directeurs des trois chaînes et les interventions, peut-être plus subtiles, ne furent pas moins fréquentes et moins insistantes que celles de son prédécesseur. Aujourd'hui, les maîtres du pouvoir s'emploient à présenter l'ancien régime comme un régime despotique. Pour un peu, ils rapprocheraient l'élection de Mitterrand de la libération de 1944 ; mieux vaut la rapprocher de celle du général de Gaulle en 1958, le balayage d'une classe politique et l'arrivée d'une autre. J'espère que les nouveaux n'abuseront pas plus de leur pouvoir que le firent les maîtres d'hier. Quant à une télévision indépendante de l'Etat, je crains qu'il ne faille traverser l'Atlantique pour la trouver. En lisant le projet socialiste, je crains une dépendance pire, par rapport aux partis, aux syndicats qui s'appelleront « usagers », employés, etc.

Giscard compta beaucoup trop sur les communistes pour sa réélection et, finalement, les chiraquiens furent moins bien traités à la télévision que les communistes ou même les socialistes. La campagne de Chirac enleva au candidat sortant ses dernières chances. Chirac s'est suicidé en tuant Giscard d'Estaing. Celui-ci n'est pas sans responsabilité, même si la violence personnelle du maire de Paris reste sans excuse. Au moment de la campagne de 1977 à Paris, je titrai un de mes derniers articles du *Figaro*, le 21 février 1977 : le suicide de la majorité.

Peut-être la défaite de Giscard en 1981 était-elle inévitable. Il n'a jamais bénéficié, selon les sondages, d'une popularité comparable à celle du général de Gaulle ou de Georges Pompidou. La victoire de 1974, à l'arraché, tint à un fil, la victoire des législatives de 1978 coïncida miraculeusement avec un regain de confiance dans le président et un regain de l'économie. De 1977 à 1981, le score du président — écart entre les opinions favorables et les opinions défavorables — ne cesse de se dégrader. La cote de Mitterrand est faible au moment où il écarte Michel Rocard, mais le parti socialiste garde la meilleure image des quatre. En quelques mois, la popularité de V. Giscard d'Estaing s'effondre, celle de F. Mitterrand remonte. La campagne électorale, médiocre du côté du candidat sortant, excellente du côté de l'opposant, ne modifie pas l'état d'esprit de l'électorat. Une majorité de Français veulent le changement et ne croient plus à l'ancienne majorité. Et ce sont les communistes qui donnèrent à Mitterrand ce qui lui manquait : la preuve que lui seul, après le général de Gaulle, avait été capable de laminer l'électorat communiste, qu'il marginalisait le parti communiste en s'alliant ouvertement avec lui alors que l'ancienne majorité s'efforçait, consciemment ou non, de ne pas affaiblir le P.C., son allié objectif; les Français hésitaient à élire un socialiste tant que celui-ci semblait dépendre de la bonne grâce des communistes. Lorsque un quart des électeurs communistes votèrent, dès le premier tour, pour le premier secrétaire du P.S., ils éliminèrent du même coup les dernières espérances de Giscard d'Estaing et plus encore de l'ancienne majorité. La popularité du P.S. avait amené Mitterrand à l'Elysée et celui-ci, désormais oint par le suffrage universel, assurait à son parti le triomphe. Me voici destiné et résigné à vivre dans une France socialiste. Me voici définitivement convaincu que l'écrivain politique devrait écrire des livres qui demeurent plutôt que des articles qui passent.

J.-L. M. — *Vous voici spectateur non engagé et sans espoir après un changement de majorité!*

R. A. — Les Français voulaient le changement. Ces braves professeurs de collège et de lycée, typiquement hexagonaux, socialistes bien entendu, leur semblent peut-être plus représentatifs que les énarques ou les gros notables de l'U.D.F. ou du R.P.R. Alain se réjouirait du retour des professeurs, protecteurs des petits et heureusement incompétents (la compétence appartient aux polytechniciens). Peut-être les socialistes de Mitterrand qui disposent de plus de temps et de savoir que ceux de Léon Blum en 1936 gouverneront-ils le pays avec assez de sagesse pour ne pas gaspiller leurs chances et celles de la France. J'accepte sans amertume le changement normal des générations. Ces professeurs sont peu sensibles, je le crains, au statut de la France dans le monde. Ils ne regretteront pas le programme des centrales nucléaires. Je ne puis m'empêcher de citer les dernières lignes de l'*Ancien Régime et Révolution* : les Français vont rarement jusqu'au bout de leurs entreprises. Depuis trente-cinq ans, la IV\ :sup:`e` et la V\ :sup:`e` République, chacune d'elles dans son style, l'une trop anarchique, l'autre trop autoritaire, ont œuvré efficacement pour que la France devienne, parmi les puissances moyennes, une des plus modernes, une des plus prospères. L'effort avait été ralenti par les deux chocs pétroliers; les socialistes vont-ils le poursuivre ou seront-ils contraints, par leurs illusions, leurs idéologies, leur hiérarchie de valeurs, à renoncer ? Réduire la durée du travail, élever les salaires : je connais la chanson, celle de Léon Blum, que la gauche continue de fredonner parce qu'elle accompagnait les premiers congés payés. Mais je ne peux pas ne pas me souvenir : où étaient le pain, la paix, la liberté trois ans après l'illusion lyrique du Front populaire ? Bien entendu, la comparaison ne vaut pas. Le pire n'est pas sûr. Peut-être la chute du P.C. apparaîtra-t-elle demain comme le grand événement de 1981, même si cet assainissement du corps électoral se paye de quelques années de pagaille économique. Peut-être les saint-simoniens du P.S. — il y en a à gauche comme à droite — l'emporteront-ils sur les idéologues.

Je ne suis jamais sans espoir et je suis toujours engagé. Je laisse à d'autres la tâche nécessaire de rénover l'opposition au socialisme et surtout de rajeunir la pensée libérale. A quelque chose malheur est bon. Les candidats à la présidence n'épargneront plus verbalement les communistes dans l'espoir que ces derniers ne voteront pas pour les socialistes ou qu'ils dissuaderont les modérés de voter pour les socialistes. L'ex-majorité a perdu le général de Gaulle, l'alliance objective avec le P.C., l'épouvantail du P.C. Elle doit convaincre les Français non pas seulement qu'elle gérera mieux le pays que les socialistes mais qu'elle propose un modèle de société préférable.

D. W. et J.-L. M. — *Avez-vous désormais conscience d'avoir perdu votre temps et votre vie dans le journalisme ? Ou bien donnez-vous raison à l'article de l'*Economist, *quand vous avez quitté le* Figaro ? *Il vous reconnaissait le mérite d'avoir formé les hommes politiques modérés durant les trente dernières années.*

R. A. — Si c'est vrai, j'ai été un mauvais enseignant ou j'avais des élèves médiocres. Soyons sérieux : celui qui a vécu la décadence des années 30 se refuse à traiter de haut les gouvernants des deux Républiques qui ont rendu aux Français une patrie qu'ils peuvent respecter et aimer. Je ne dirai pas, comme l'écrivit A. de Tocqueville dans une de ses lettres de vieillesse, que je me sens plus solitaire que dans un désert du nouveau monde. Je me retrouve probablement isolé et opposant, destin normal d'un authentique libéral. Et, pour ne pas rester sur ce ton trop solennel, pour conclure non pas une vie mais notre dialogue, je dirai que j'ai gagné deux amis. Je ne les ai pas convaincus, mais je leur ai insufflé l'esprit fécond du doute.

Raymond ARON

BIBLIOGRAPHIE

LISTE DES PRINCIPAUX OUVRAGES
ET ARTICLES DE RAYMOND ARON[1]

I. - Philosophie de l'histoire.

Introduction à la philosophie de l'histoire. *Essai sur les limites de l'objectivité historique*, Gallimard, Paris, 1938, 353 p.

Dimensions de la conscience historique, Plon, Paris, 1960, 335 p.

Histoire et Dialectique de la violence, Gallimard, Paris, 1973, 270 p.

« Remarques sur l'objectivité des sciences sociales » in *Theoria,* Upsal. V, 1939, p. 161-194.

« Philosophie de l'histoire », *Ap. M.* Faber, *Philosophic Thought in France and the United States*, University of Buffalo Publication in Philosophy, 1950. Version française : *L'activité philosophique contemporaine en France et aux Etats-Unis*, P.U.F., Paris, 1950, p. 320-340.

« Note sur Bergson et l'histoire », in *les Etudes bergsoniennes*, vol. IV, Paris, 1956, p. 40-51.

« *L'Histoire et ses interprétations — Entretiens autour de Toynbee* sous la direction de Raymond Aron.* » Mouton, Paris, 1961, 257 p.

« On Historical Conciousness in Thought and Action ». Gifford lectures, 1re série ; « On Understanding the Past ». Gifford lectures 2e série ; « On Historical Action — The Prince and the Planer », in *Syllabus of Gifford Lectures*, Aberdeen University Press, 1965 et 1967, 65 p. et 67 p.

« Le paradoxe du même et de l'autre », in *Echanges et Communication — Mélanges offerts à Claude Lévi-Strauss*, Mouton, Paris, 1968, p. 943-952.

« De la condition historique du sociologue », Leçon inaugurale au Collège de France, 1er décembre 1970, in *Informations sur les sciences sociales*, 1970, p. 7-29. Publié également chez Gallimard, 1971.

« Comment l'historien écrit l'épistémologie », à propos du livre de Paul Veyne, *Comment on écrit l'histoire*, in *Annales,* nov-déc. 1971, p. 1319-1354.

---

1. Cette bibliographie a été établie par Isabelle de Lajarte, assistante de recherche à l'Ecole des hautes études en sciences sociales, collaboratrice du professeur Raymond Aron.

Postface au livre *l'Historien entre l'ethnologue et le futurologue*. Actes du Séminaire international, Venise, avril 1971, Mouton, Paris, 1972 (préface de Sir Allan Bullock), p. 265-294.

« Les trois modes de l'intelligibilité historique », in *Méthodologie de l'Histoire et des sciences humaines, Mélanges Fernand Braudel*, Privat, Toulouse, 1972, pp. 7-22.

« Récit, analyse, interprétation, explication : critique de quelques problèmes de la connaissance historique », in *Archives européennes de sociologie*, XV, 1974, pp. 206-242.

Préface au livre de Arnold Toynbee, *l'Histoire*, Elsevier Sequoia, Bruxelles, 1975.

« Remarques sur l'historisme-herméneutique », in *Culture, science et développement, Contribution à une histoire de l'homme, Mélanges Charles Morazé*, Privat, Toulouse, 1978, pp. 185-205.

II. - Histoire de la pensée.

La sociologie allemande contemporaine, Alcan, Paris, 1935, P.U.F., 1950 et 1957, 176 p.

Essai sur la théorie de l'histoire dans l'Allemagne contemporaine. La philosophie critique de l'histoire, Vrin, Paris, 1938, 1950. 321 p.

Les étapes de la pensée sociologique, Gallimard, Paris, 1967, 659 p.

Penser la guerre, Clausewitz, t. I : L'âge européen, t. II : L'âge planétaire, Gallimard, Paris, 1976, 472 p. et 365 p.

« Les rapports de la politique et de l'économie dans la doctrine marxiste », Ap. C. Bouglé, *Inventaires* II, Alcan, Paris, 1937, pp. 16-47.

« La sociologie de Pareto », in *Zeitschrift für Sozialforschung*, VI, 1937, pp. 489-521.

« Monnaie et crédit », à propos du livre de Charles Rist, Histoire des doctrines relatives au crédit et à la monnaie depuis Law jusqu'à nos jours, *Hermès*, P.U.F., Paris, 1937, pp. 235-253.

« L'impact du marxisme au XXᵉ siècle », in *De Marx à Mao Tsé-toung*, Calmann-Lévy, Paris, 1967, pp. 15-71.

« Réflexions sur la philosophie bergsonienne », in *la France libre*, mai 1941, pp. 42-54.

« La philosophie de Léon Brunschvicg », in *la France libre*, juin 1941 et in *Revue de Métaphysique et Morale*, numéro d'hommage à Léon Brunschvicg, 1945, pp. 105-112.

« Sur la politique d'Alain », in *Revue de Métaphysique et Morale*, avril-juin 1962, pp. 187-199.

Introduction au livre de Max Weber, *le Savant et le politique*, Plon, Paris, 1959, pp. 9-57.

« Idées politiques et vision historique de Tocqueville », in *Revue française de Science politique*, X, 1960, pp. 509-526.

Notice sur la vie et les travaux de Gaston Bachelard (1884-1962), Académie des Sciences morales et politiques, 10 mai 1965, Institut de France, Paris, 21 p.

Préface au livre de Thorsten Veblen, *Théorie de la classe de loisir*, Gallimard, Paris, 1970, p. I-XLI.

« Pour le centenaire de Elie Halévy », séance du 28 novembre 1978 de la Société française de Philosophie, in *Bulletin de la Société française de Philosophie*, Armand Colin, Paris, 65e année, n° 1, janvier-mars 1971, pp. 1-31.

« Lectures de Pareto », Accademia nazionale dei Lincei, Rome, octobre 1973, congrès organisé à l'occasion du 50e anniversaire de la mort de Pareto, in *Actes du Congrès*, pp. 29-44, et in *Contrepoint*, n° 13, 1974, pp. 175-191.

« L'idéologie », in *Revue européenne des sciences sociales et Cahiers Vilfredo Pareto*, t. XVI, n° 43, 1978, Droz, Genève, pp. 35-50.

« Reason, Passion and Power in the Thought of Clausewitz », in *Reason, Passion and Power*, David Spitz ed., Princeton University Press, coll. Studies in Political Thought, pp. 599-621, publié aussi en français sous le titre « Sentiment et entendement dans la pensée de Clausewitz », in *Contrepoint*, nos 7-8, été 1972, pp. 11-25.

« Clausewitz et la guerre populaire », discours prononcé à la séance solennelle des Cinq Académies, 25 octobre 1972, in *Défense nationale*, janvier 1973, pp. 1-10.

« La société des Etats et la guerre », communication faite au Colloque des Historiens militaires, Münster, Allemagne, juin 1974. Paru sous le titre « La guerre est un caméléon », in *Contrepoint*, n° 15, 1974, pp. 9-30.

« Clausewitz et la conception de l'Etat », in *Vom Staat des Ancien Regime zum Modernen Parteienstaat, Mélanges Theodor Schieder*, Oldenburg Verlag, Munich, 1978, pp. 103-116.

« La découverte de Clausewitz dans l'enseignement militaire français aux alentours de 1880 », communication faite à l'occasion du Centenaire de l'Ecole supérieure de Guerre, mai 1976, in *Actes du Colloque*, pp. 39-43.

« Clausewitz et l'Etat », à propos du livre de Peter Paret, *Clausewitz and the State*, in *Annales*, novembre-décembre 1977, pp. 1255-1267.

« Remarks on Lasswell's " The Garrison State " », in *Armed Forces and Society*, vol. 5, n° 3, Spring 1979, p. 347.

« Zum Begriff einer Politischen Strategie bei Clausewitz » et « Staaten, Bündmisse und Konflikte », in *Freiheit ohne Krieg*, ouvrage collectif consacré à la pensée de Clausewitz, Dûmmler Verlag, Munich, 1979, pp. 41-55 et pp. 75-89.

Préface au livre de Alain Besançon, *Court traité de Soviétologie*, Hachette, Paris, 1975, pp. 9-17.

Préface à l'édition italienne de *la Sociologie allemande contemporaine* : « Quarante ans après », Universita di Lecce, Messapica éd., 1979, pp. 5-16.

« Tocqueville retrouvé » in *la Revue Tocqueville*, vol. I, n° 1, automne 1979, pp. 8-23.

« Remarques sur la gnose léniniste », in *Erfarung und Geschichte, Mélanges Eric Voegelin*, Klett-Cotta, Stuttgart, 1980, pp. 70-81.

III. - SOCIOLOGIE.

Dix-huit leçons sur la société industrielle, Gallimard, Paris, 1963, 378 p.
La lutte de classes, Gallimard, Paris, 1964, 378 p.
Démocratie et totalitarisme, Gallimard, Paris, 1966, 384 p.
Trois essais sur l'âge industriel, Plon, Paris, 1966, 242 p.
Les désillusions du progrès, Calmann-Lévy, Paris, 1969, 375 p.
« Social Structure and the Ruling class », in *British Journal of Sociology*, vol. I, n° 2, 1950, pp. 1-16 et n° 3 pp. 126-143.
« Remarques sur les particularités de l'évolution sociale en France », in *Actes du troisième congrès mondial de Sociologie*, Amsterdam, Association internationale de Sociologie, 1956, t. III, pp. 42-53.
« Catégories dirigeantes ou Classe dirigeante ? » in *Revue française de Science politique*, vol. XV, n° 1, février 1965, pp. 7-27.
Introduction au livre de Ralf Dahrendorf, *Classes et conflits de classes dans la société industrielle*, Mouton, Paris, 1972, pp. XIII-XXV.
Préface au livre de Jean Baechler, *Les Suicides*, CalmannLévy, Paris, 1974, pp. I-VIII.
« The social scientist : pur savant ou citoyen engagé ? » Communication faite à Londres le 5 juin 1980 à l'occasion du Colloque organisé par l'American Philosophical Society et la Royal Society sur *The Social Responsibilities of Scientists*.

IV. - THÉORIE POLITIQUE.

Essai sur les libertés, Calmann-Lévy, Paris, 1965, 235 p.
Etudes politiques, Gallimard, Paris, 1972, 564 p. Ce recueil contient les articles et études suivants : — Science et conscience de la société. — De la vérité historique des philosophies politiques. — Machiavel et Marx. — Alain et la politique. — Politique et économie dans la doctrine marxiste. — Max Weber et Michael Polanyi. — Vilfredo Pareto. — A propos de la théorie politique. — Macht, Power, puissance, prose démocratique ou poésie démoniaque ? — La définition libérale de la liberté. — Pensée sociologique et droits de l'homme. — Liberté libérale ou libertaire ? — Les sociologues et les institutions représentatives. — Réflexions sur la politique et la science politique française. — Electeurs, partis, élus. — Remarques sur la classification des régimes politiques. — De l'objection de conscience. — Qu'est-ce qu'une théorie des relations internationales ? — Les tensions et les guerres du point de vue de la sociologie historique. — De l'analyse des constellations diplomatiques. — Des comparaisons historiques. — De la paix sans victoire. — En quête d'une doctrine de la politique étrangère. — A l'âge atomique peut-on limiter la guerre ? — Impérialisme et colonialisme. — La mitraillette, le char d'assaut et l'idée. — Remarques sur l'évolution de la pensée stratégique 1945-1968.

« Is Multinational Citizenship Possible ? » Communication faite au Colloque sur « The Meaning of Citizenship », organisé par la New School for Social Research, New York, avril 1974, in *Social Research*, 1974, pp. 638-656.

« De la libéralisation », in *Penser dans le temps, Mélanges Jeanne Hersch*, L'Age d'Homme, Lausanne, 1977, pp. 189-205.

« Un libéral dans la presse », in *Liberalismus -nach wie vor*, publié à l'occasion du jubilé de la *Neue Zürcher Zeitung*, Zurich, 1979.

« Ueber die Zukunft der freien Gesellschaft », allocution prononcée à la séance solennelle de l'*Orden Pour le Mérite für Wissenschaften und Künste*, mai 1979, Hambourg.

« Existe-t-il un mystère nazi ? » in *Commentaire*, n° 7, automne 1979, p. 339-350.

« Rationalité politique », communication faite au colloque franco-allemand sur la rationalité dans les sciences, Porquerolles, septembre 1979.

« Pluralisme et démocratie », communication faite à l'Académie Royale de Belgique, le 7 janvier 1980, in *la Revue Tocqueville*, vol. II, n° 2, printemps 1980.

« Discours lors de la réception du Prix Tocqueville », in *la Revue Tocqueville*, vol. II, n° 1, hiver 1980.

V. - RELATIONS INTERNATIONALES.

Paix et Guerre entre les Nations, Calmann-Lévy, Paris, 1961, 793 p.

Le grand débat, Introduction à la stratégie atomique, Calmann-Lévy, Paris, 1963, 274 p.

De la guerre, armes atomiques et diplomatie planétaire. Ap. *Espoir et peur du siècle*, Essais non partisans, Calmann-Lévy, Paris, 1957, pp. 239-264.

La société industrielle et la guerre, suivi d'un *Tableau de la diplomatie mondiale en 1958*, Plon, Paris, 1959, 182 p.

« Du système planétaire. Bipolarité, blocs et sous-systèmes » in *Ost-West Politik in den 70er Jahren*, Mélanges Richard Loewenthal, Fischer Verlag, Francfort, 1972.

« La religion et la guerre », Table ronde R. Aron, Jean Daniélou, Gaston Fessard, in *Axes*, t. IV/2, janvier-février 1972, pp. 30-52.

« Stratégie et Dissuasion. Pour une libre discussion », in *Défense nationale*, janvier 1975, pp. 9-26.

« La notion de rapport de forces a-t-elle encore un sens à l'ère nucléaire ? » Conférence d'ouverture du cycle annuel du Cours supérieur interarmes, in *Défense nationale*, janvier 1976, pp. 9-26.

« Remarques sur la politique des petits Etats », in *Liber Amicorum, Mélanges Omer de Raeymaeker*, Leuven University Press, 1977, pp. 29-50.

« La force française de dissuasion et l'alliance atlantique », in *Défense nationale*, janvier 1977, pp. 31-46.

« Arms Control and Peace Research », Tanner Lecture, Cambridge, 22 novembre 1979.

« En marge de combats douteux », in *Politique étrangère*, Revue de l'IFRI, janvier 1980, pp. 193-203.

VI. - CRITIQUE IDÉOLOGIQUE.

L'opium des intellectuels, Calmann-Lévy, Paris, 1955, 334 p.

D'une Sainte famille à l'autre, Gallimard, Coll, Essais, Paris, 1969, 308 p.

Marxismes imaginaires, Gallimard, Coll. Idées, Paris, 1970, 377 p. Recueil contenant les articles et études suivants :
— Marxisme et existentialisme. — Aventures et mésaventures de la dialectique. — Le fanatisme, la prudence et la foi. — La lecture existentialiste de Marx. — Althusser ou la lecture pseudo-structuraliste de Marx. — Equivoque et inépuisable.

Polémiques, recueil d'articles publiés entre 1949 et 1954, Gallimard, Paris, 1955, 247 p.

L'homme contre les tyrans, articles parus dans *la France libre* entre 1940 et 1943, New York, Editions de la Maison française, 1944 et Gallimard, Paris, 1945.

De la droite, le conservatisme dans les sociétés industrielles, Ap. *Espoir et peur du siècle,* Essais non partisans, Calmann-Lévy, Paris, 1957, pp. 1-121.

« Remarques sur les rapports entre existentialisme et marxisme », in *Cahiers du Collège philosophique, l'Homme, le monde et l'histoire,* Arthaud, Paris, 1948, pp. 165-195.

« The two Cultures and the Rebellion of the Students », Joseph Wunsch Lecture, Technion, Israël, février 1969, in *Political Science Quarterly,* sous le titre « Student Rebellion, Vision of the Future or Echo from the Past ? », vol. LXXXIV, n° 2, juin 1969, pp. 289-310.

« Remarques sur le nouvel âge idéologique », in *Theorie und Politik, Mélanges Carl Joachim Friedrich,* Klaus von Beyme, éd. Université de Tübingen, Martinus Nijhoff, La Haye, 1971, pp. 226-241.

« Alexandre Soljenitsyne et le sinistrisme européen », in *Schreiben in dieser Zeit : für Manès Sperber, Mélanges Manès Sperber,* Europa Verlag, Vienne, 1976, pp. 233-241.

« Du bon usage des idéologies », in *Culture and its Creators-Essays in honour of Edward Shils. Mélanges Edward Shils,* Joseph Ben David and Terry Nichols Clark éd., Chicago University Press, 1977, pp. 1-14.

VII. - ÉTUDES SUR LA POLITIQUE FRANÇAISE.

De l'armistice à l'insurrection nationale, Recueil d'articles sur la France de Vichy et la France occupée, publiés dans la *France libre* entre 1940 et 1945, Gallimard, Paris, 1945, 373 p.

L'Age des empires et l'avenir de la France, Recueil d'articles parus dans la *France libre* entre 1942 et 1945, Défense de la France, Paris, 1945, 373 p.

De la décadence, l'autocritique française il y a un siècle et aujourd'hui. Ap. *Espoir et peur du siècle,* Essais non partisans, Calmann-Lévy, Paris, 1957, pp. 128-237.

Immuable et changeante, de la IVe à la Ve République, Calmann-Lévy, Paris, 1959, 265 p.

Les Elections de mars et la Ve République, Julliard, Paris, 1978, 183 p.

« France, the New Republic », *Oceana Publications*, New York, 1960, 114 p.

VIII. - ÉTUDES SUR LA POLITIQUE MONDIALE.

Le grand schisme, Gallimard, Paris, 1948, 348 p.

Les guerres en chaîne, Gallimard, Paris, 1951, 497 p.

République impériale, les Etats-Unis dans le monde 1945-1972, Calmann-Lévy, Paris, 1973, 338 p.

Plaidoyer pour l'Europe décadente, Laffont, Paris, 1977, 511 p.

« L'ère des tyrannies », in *Revue de Métaphysique et Morale*, XLVI 1939, pp. 283-307.

« Etats démocratiques et Etats totalitaires », in *Bulletin de la Société française de Philosophie*, XL, 1945, pp. 41-92.

Imperialism and Colonialism, Montague Burton Lecture, Leeds, 1959.

« L'idée européenne. Du discours de Zurich au Marché commun », conférence prononcée à la Winston Churchill Foundation, Lausanne, décembre 1973, publiée in *Schweizer Monatshefte*, 48. Jahr, Heft 3, juin 1968, pp. 225-240.

« Europe, avenir d'un mythe », conférence prononcée à Paris, le 13 mai 1975, publiée in *Cahiers européens*, juillet 1975, n° 3, pp. 8-10 et in *Government and Opposition*, sous le titre « The Crisis of the European Idea », vol. II, n° 1, hiver 1976, pp. 5-19.

« The American Experience, Uniqueness of Universality, in *European Community Information Service*, juin 1976, n° spécial publié à l'occasion du bicentenaire de l'indépendance des Etats-Unis.

« Pour le Progrès — Après la chute des idoles », in *Commentaire*, n° 3, automne 1978, pp. 233-243.

« De l'Impérialisme américain à l'hégémonisme soviétique », in *Commentaire*, n° 5, printemps 1979, pp. 3-14.

« The 1978 Alastair Buchan Memorial Lecture », International Institute for Strategic Studies, Londres, 6 novembre 1978, in *Survival*, janvier-février 1979, pp. 2-7.

« War and Industrial Society : a Reappraisal », London School of Economics, 15 novembre 1978, publiée in *Millenium*, Journal of International Studies, London School of Economics, vol. 7, n° 3, hiver 1978-1979, pp. 197-210.

« Où vont les Etats-Unis ? », communication faite à l'Académie des Sciences morales et politiques, Paris, 21 janvier 1980.

« Henri Kissinger, le Viêt-nam et le Cambodge », in *Commentaire* n° 8, hiver 1980, pp. 543-553.

IX. - PAMPHLETS.

La tragédie algérienne, Plon, Tribune Libre, Paris, 1957, 76 p.

L'Algérie et la République, Plon, Tribune Libre, Paris, 1958, 146 p.

De Gaulle, Israël et les Juifs, Plon, Tribune Libre, Paris, 1968, 186 p.

La Révolution introuvable, Fayard, Paris, 1968, 187 p.

JEAN-LOUIS MISSIKA

(30 ans — Economiste — Assistant à l'Université de Paris-Dauphine.)
Co-auteur de : *Informatisation et emploi, menace ou mutation ?* Documentation française, 1981.

DOMINIQUE WOLTON
(34 ans — Sociologue — Chargé de Recherche au C.N.R.S.)

Auteur de :
Le nouvel ordre sexuel, Le Seuil, 1974.
L'information demain. De la presse écrite aux nouveaux médias. (Avec J.-L. Lepigeon), Documentation française, 1979.

JEAN-LOUIS MISSIKA
et
DOMINIQUE WOLTON
ont également publié ensemble :

Les dégâts du progrès. Les travailleurs face au changement technique, Le Seuil, 1974 — Avec la C.F.D.T.
Le tertiaire éclaté. Le travail sans modèle, Le Seuil, 1980 — Avec la C.F.D.T.
Les réseaux pensants. Télécommunications et Société, Masson, 1978 — (Avec A. Giraud.)
L'illusion écologique, Le Seuil, 1980 — (Avec J. Ph. Faivret.)
L'avenir de la Télévision, Gallimard (à paraître).

*Achevé d'imprimer en octobre 1981
sur presse CAMERON,
dans les ateliers de la S.E.P.C.
à Saint-Amand-Montrond (Cher)
pour Julliard,
éditeur à Paris*